숨마쿰라우데®

중학수학 실전문제집

2-하

이룸이앤비
Education & Books

이 책의 구성과 특징

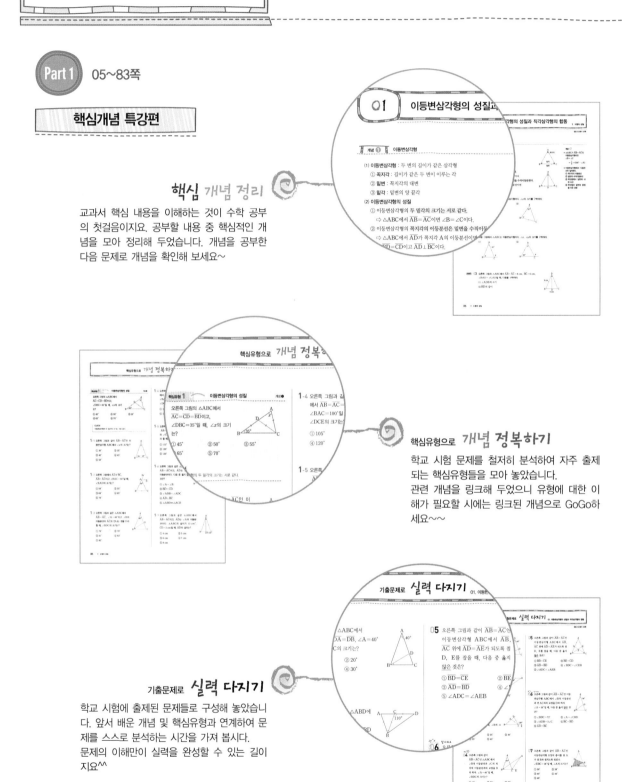

Part 1 05~83쪽

핵심개념 특강편

핵심 개념 정리

교과서 핵심 내용을 이해하는 것이 수학 공부의 첫걸음이지요. 공부할 내용 중 핵심적인 개념을 모아 정리해 두었습니다. 개념을 공부한 다음 문제로 개념을 확인해 보세요~

핵심유형으로 개념 정복하기

학교 시험 문제를 철저히 분석하여 자주 출제되는 핵심유형들을 모아 놓았습니다.
관련 개념을 링크해 두었으니 유형에 대한 이해가 필요할 시에는 링크된 개념으로 GoGo하세요~~

기출문제로 실력 다지기

학교 시험에 출제된 문제들로 구성해 놓았습니다. 앞서 배운 개념 및 핵심유형과 연계하여 문제를 스스로 분석하는 시간을 가져 봅시다.
문제의 이해만이 실력을 완성할 수 있는 길이지요^^

Part 2 86~133쪽

내신만점 도전편

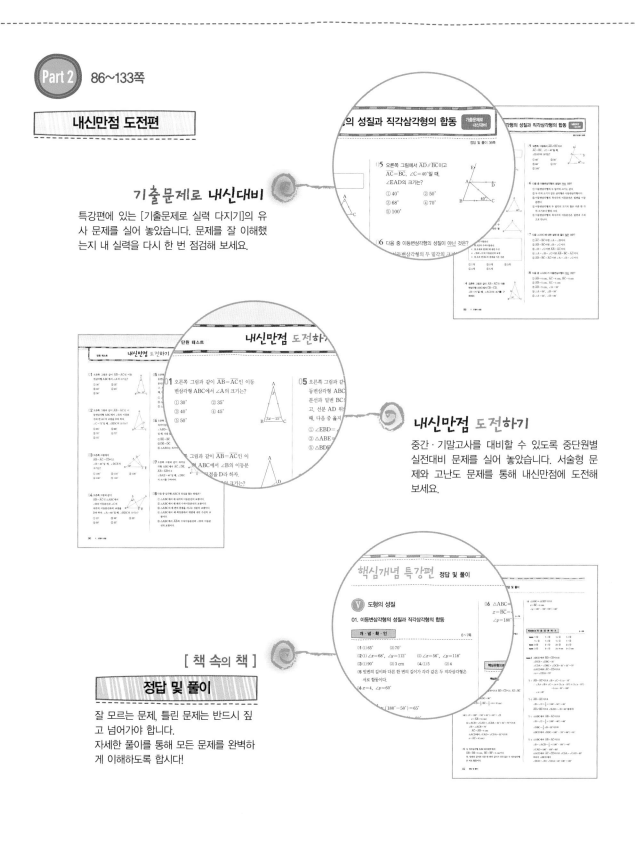

기출문제로 내신대비

특강편에 있는 [기출문제로 실력 다지기]의 유사 문제를 실어 놓았습니다. 문제를 잘 이해했는지 내 실력을 다시 한 번 점검해 보세요.

내신만점 도전하기

중간·기말고사를 대비할 수 있도록 중단원별 실전대비 문제를 실어 놓았습니다. 서술형 문제와 고난도 문제를 통해 내신만점에 도전해 보세요.

[책 속의 책]

정답 및 풀이

잘 모르는 문제, 틀린 문제는 반드시 짚고 넘어가야 합니다.
자세한 풀이를 통해 모든 문제를 완벽하게 이해하도록 합시다!

이 책의 차례 & 학습플래너

숨마쿰라우데 중학수학 실전문제집

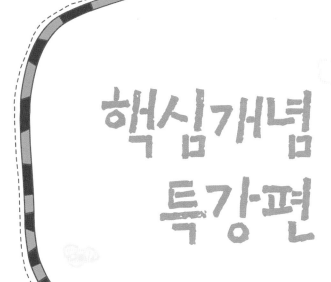

2-하

01 이등변삼각형의 성질과 직각삼각형의 합동

V. 도형의 성질

정답 및 풀이 02쪽

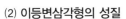 **개념 ①** **이등변삼각형**

(1) **이등변삼각형** : 두 변의 길이가 같은 삼각형

   ① **꼭지각** : 길이가 같은 두 변이 이루는 각

   ② **밑변** : 꼭지각의 대변

   ③ **밑각** : 밑변의 양 끝각

(2) **이등변삼각형의 성질**

   ① 이등변삼각형의 두 밑각의 크기는 서로 같다.

   ⇨ △ABC에서 $\overline{AB}=\overline{AC}$이면 ∠B=∠C이다.

   ② 이등변삼각형의 꼭지각의 이등분선은 밑변을 수직이등분한다.

   ⇨ △ABC에서 $\overline{AD}$가 꼭지각 A의 이등분선이면

   $\overline{BD}=\overline{CD}$이고 $\overline{AD}\perp\overline{BC}$이다.

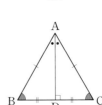

개념 α

▶ △ABC가 $\overline{AB}=\overline{AC}$인 이등변삼각형이면

$$\angle B = \angle C$$
$$= \frac{1}{2} \times (180° - \angle A)$$

▶ 이등변삼각형에서 다음은 모두 일치한다.

① 꼭지각의 이등분선
② 밑변의 수직이등분선
③ 꼭짓점에서 밑변에 내린 수선
④ 꼭짓점과 밑변의 중점을 이은 선분

개념확인 **01** 다음 그림에서 △ABC는 이등변삼각형이다. ∠x의 크기를 구하여라.

(1)

(2)

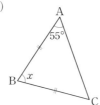

개념확인 **02** 다음 그림에서 △ABC는 이등변삼각형이다. ∠x, ∠y의 크기를 구하여라.

(1)

(2)

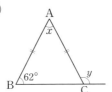

개념확인 **03** 오른쪽 그림의 △ABC에서 $\overline{AB}=\overline{AC}=8$ cm, $\overline{BC}=6$ cm, ∠BAD=∠CAD일 때, 다음을 구하여라.

(1) ∠ADB의 크기

(2) $\overline{BD}$의 길이

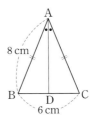

06   V. 도형의 성질

개념 ② **이등변삼각형이 되기 위한 조건**

(1) 두 변의 길이가 같은 삼각형은 이등변삼각형이다. (이등변삼각형의 뜻)

(2) 두 내각의 크기가 같은 삼각형은 이등변삼각형이다.

  ⇨ △ABC에서 ∠B＝∠C이면 $\overline{AB}＝\overline{AC}$이다.

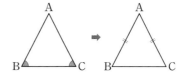

개념 α

▶ 정삼각형은 세 변의 길이가 같으므로 당연히 두 변의 길이는 같다. 따라서 정삼각형은 이등변삼각형이다. 그러나 이등변삼각형은 정삼각형이 아니다.

개념확인 04 다음 그림에서 x의 값을 구하여라.

(1)

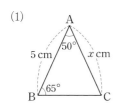

(2)

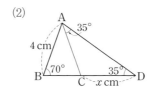

개념 ③ **직각삼각형의 합동 조건**

(1) 빗변의 길이와 한 예각의 크기가 각각 같은 두 직각삼각형은 서로 합동이다. (RHA 합동)

(2) 빗변의 길이와 다른 한 변의 길이가 각각 같은 두 직각삼각형은 서로 합동이다. (RHS 합동)

RHA 합동   RHS 합동

개념 α

▶ 직각삼각형의 합동 조건은 직각(Right angle), 빗변(Hypotenuse), 각(Angle), 변(Side)의 첫글자를 써서 간단히 나타낼 수 있다.

개념확인 05 다음 그림의 두 직각삼각형 ABC와 DEF는 합동이다. 두 삼각형이 합동인 이유를 말하여라.

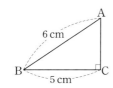 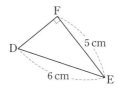

개념확인 06 다음 그림에서 x의 값과 ∠y의 크기를 구하여라.

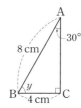 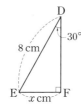

핵심유형 1 **이등변삼각형의 성질** 개념 ❶

오른쪽 그림의 △ABC에서
$\overline{AC}=\overline{CD}=\overline{BD}$이고,
∠DBC=35°일 때, ∠x의 크기
는?

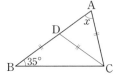

① 45°　　② 50°　　③ 55°

④ 65°　　⑤ 70°

> **GUIDE**
> 이등변삼각형의 두 밑각의 크기는 서로 같다.

1-1 오른쪽 그림과 같이 $\overline{AB}=\overline{AC}$인 이
등변삼각형 ABC에서 ∠x의 크기는?

① 30°　　② 35°

③ 40°　　④ 45°

⑤ 50°

1-2 오른쪽 그림에서 $\overline{AD}\,/\!/\,\overline{BC}$,
$\overline{AB}=\overline{AC}$이고 ∠BAC=50°일 때,
∠EAD의 크기는?

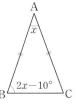

① 50°　　② 55°

③ 60°　　④ 65°

⑤ 70°

1-3 오른쪽 그림과 같은 △ABC에서
$\overline{AB}=\overline{AC}$, ∠A=48°이고 ∠B의
이등분선이 $\overline{AC}$와 만나는 점을 D라
할 때, ∠BDC의 크기는?

① 76°　　② 78°

③ 81°　　④ 83°

⑤ 85°

1-4 오른쪽 그림과 같은 △ABC
에서 $\overline{AB}=\overline{AC}=\overline{CD}$이고
∠BAC=100°일 때,
∠DCE의 크기는?

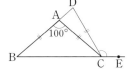

① 105°　　② 110°　　③ 115°

④ 120°　　⑤ 125°

1-5 오른쪽 그림과 같은 △ABC에서
$\overline{AB}=\overline{AC}$, ∠A=52°이고, ∠B
와 ∠C의 이등분선의 교점을 O
라 할 때, ∠BOC의 크기는?

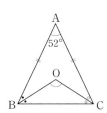

① 112°　　② 116°

③ 120°　　④ 124°

⑤ 130°

1-6 오른쪽 그림과 같은 △ABC에서
$\overline{AB}=\overline{AC}$이고, $\overline{AD}$는 ∠A의
이등분선이다. 다음 중 옳지 않은
것은?

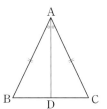

① ∠A=∠B

② $\overline{BD}=\overline{CD}$

③ ∠ADB=∠ADC

④ $\overline{AD}\perp\overline{BC}$

⑤ △ABD≡△ACD

1-7 오른쪽 그림과 같은 △ABC에서
$\overline{AB}=\overline{AC}$이고, $\overline{AD}$는 ∠A의 이등분
선이다. △ABC의 넓이가 12 cm²,
$\overline{CD}=2$ cm일 때, $\overline{AD}$의 길이는?

① 4 cm　　② 5 cm

③ 6 cm　　④ 7 cm

⑤ 8 cm

오른쪽 그림의 △ABC에서
∠A=70°, ∠C=55° $\overline{AB}$=5 cm
일 때, $\overline{AC}$의 길이는?

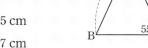

① 4 cm   ② 5 cm

③ 6 cm   ④ 7 cm

⑤ 8 cm

> **GUIDE**
> △ABC에서 ∠B=∠C이면 $\overline{AB}=\overline{AC}$이다.

2-1 오른쪽 그림의 △ABC에서
∠B=∠C=70°이고 ∠A의 이등분선
과 $\overline{BC}$의 교점을 M이라 할 때, 다음
중 옳지 <u>않은</u> 것은?

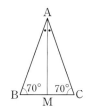

① $\overline{AB}=\overline{AC}$

② $\overline{BM}=\overline{CM}$

③ $\overline{AM}\perp\overline{BC}$

④ $\overline{AB}=\overline{AM}$

⑤ ∠BAM=20°

2-2 다음 중 △ABC가 이등변삼각형이 <u>아닌</u> 것은?

① $\overline{AB}$=4, $\overline{AC}$=4

② ∠A=70°, ∠C=70°

③ $\overline{AB}$=3, ∠A=60°

④ ∠A=50°, ∠B=80°

⑤ $\overline{AB}$=4, $\overline{BC}$=5, $\overline{AC}$=5

2-3 오른쪽 그림과 같이 직사각
형 모양의 종이를 $\overline{BC}$를 접
는 선으로 하여 접었을 때 생
기는 △ABC는 어떤 삼각형
인가?

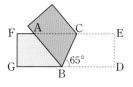

① 정삼각형   ② 둔각삼각형

③ 직각삼각형   ④ 이등변삼각형

⑤ 직각이등변삼각형

다음 중 두 직각삼각형
ABC와 DEF가 합동이
<u>아닌</u> 것은?
(단, ∠B=∠E=90°)

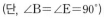

① ∠A=∠D, $\overline{AB}=\overline{DE}$

② $\overline{AC}=\overline{DF}$, ∠C=∠F

③ $\overline{AC}=\overline{DF}$, $\overline{AB}=\overline{DE}$

④ $\overline{AB}=\overline{DE}$, $\overline{BC}=\overline{EF}$

⑤ ∠A=∠D, ∠C=∠F

> **GUIDE**
> 직각삼각형의 합동 조건에는 RHA 합동, RHS 합동이 있다.

3-1 다음 중 오른쪽 보기의 삼각형과 합
동인 삼각형을 고르면?

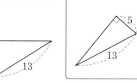

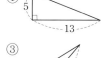

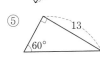

3-2 오른쪽 그림의 △ABC는
$\overline{AB}=\overline{AC}$인 이등변삼각형이다. 밑
변 BC의 중점 M에서 두 변 AB,
AC에 내린 수선의 발이 각각 D,
E이고, $\overline{MD}$=4 cm일 때, $\overline{ME}$의
길이를 구하여라.

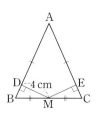

3-3 오른쪽 그림의 △ABC는 ∠C=90°
인 직각삼각형이다. ∠A의 이등분선
과 $\overline{BC}$의 교점을 D라 하고, 점 D에
서 빗변 AB에 내린 수선의 발을 E
라 하자. $\overline{AB}$=7 cm, $\overline{CD}$=3 cm
일 때, $\overline{DE}$의 길이를 구하여라.

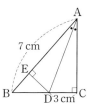

정답 및 풀이 03쪽

01 오른쪽 그림의 △ABC에서
$\overline{AB}=\overline{AC}$, $\overline{DA}=\overline{DB}$, $\angle A=40°$
일 때, $\angle DBC$의 크기는?

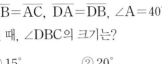

① 15° ② 20°
③ 25° ④ 30°
⑤ 35°

02 오른쪽 그림과 같은 △ABD에
서 $\overline{AB}=\overline{BC}=\overline{CD}$이고,
$\angle BCD=110°$일 때, $\angle ABD$
의 크기는?

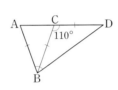

① 65° ② 70° ③ 75°
④ 80° ⑤ 85°

03 오른쪽 그림에서
$\overline{AB}=\overline{AC}=\overline{CD}$이고
$\angle DCE=120°$일 때, $\angle B$의 크
기는?

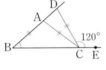

① 20° ② 25° ③ 30°
④ 35° ⑤ 40°

내신 *up*
04 오른쪽 그림과 같이
$\overline{AB}=\overline{AC}$인 △ABC에서
$\angle B$의 이등분선과 $\angle C$의 외
각의 이등분선과의 교점을 D
라 하자. $\angle A=40°$일 때,
$\angle BDC$의 크기는?

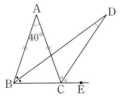

① 15° ② 20° ③ 25°
④ 30° ⑤ 35°

05 오른쪽 그림과 같이 $\overline{AB}=\overline{AC}$인
이등변삼각형 ABC에서 $\overline{AB}$,
$\overline{AC}$ 위에 $\overline{AD}=\overline{AE}$가 되도록 점
D, E를 잡을 때, 다음 중 옳지
않은 것은?

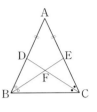

① $\overline{BD}=\overline{CE}$ ② $\overline{BE}=\overline{CD}$
③ $\overline{AD}=\overline{BD}$ ④ $\angle BDC=\angle CEB$
⑤ $\angle ADC=\angle AEB$

잘나와요
06 오른쪽 그림과 같이 $\overline{AB}=\overline{AC}$인 이등
변삼각형 ABC에서 $\angle B$의 이등분선
과 변 AC와의 교점을 D라 하자.
$\angle A=36°$일 때, 다음 중 옳지 않은 것
은?

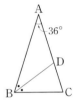

① $\angle BDC=72°$ ② $\angle A=\angle CBD$
③ $\angle ADB=2\angle C$ ④ $\overline{BC}=\overline{BD}$
⑤ $\overline{AD}=\overline{BC}$

07 오른쪽 그림과 같이 $\overline{AB}=\overline{AC}$인
이등변삼각형 모양의 종이를 점 A
가 점 B와 겹치도록 접었다.
$\angle EBC=18°$일 때, $\angle A$의 크기는?

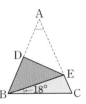

① 36° ② 38°
③ 40° ④ 42°
⑤ 48°

08 오른쪽 그림과 같이 ∠C=90°
인 직각삼각형 ABC에서
$\overline{AB}$의 수직이등분선과 $\overline{BC}$의
교점을 D라 하면 $\overline{AD}$가 ∠A
의 이등분선이 된다. 이때 ∠B의 크기는?

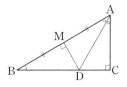

① 20°　　　　② 25°　　　　③ 30°

④ 35°　　　　⑤ 40°

09 오른쪽 그림의 △ABC에서
$\overline{AD}$가 ∠A의 이등분선일
때, △ADC의 넓이는?

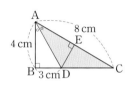

① 12 cm²　　② 15 cm²　　③ 18 cm²

④ 20 cm²　　⑤ 24 cm²

10 오른쪽 그림은 두 직각삼각
형 CAD, DBE를 선분
AB 위에 그린 것이다.
∠CDE=90°, $\overline{CD}=\overline{DE}$
일 때, $\overline{AB}$의 길이는?

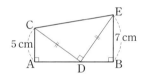

① 10 cm　　② 12 cm　　③ 14 cm

④ 16 cm　　⑤ 18 cm

11 잘나와요
오른쪽 그림의 △ABC에서 밑변
BC의 중점 M에서 두 변 AB, AC
에 내린 수선의 발을 각각 D, E라
하자. ∠EMC=25°, $\overline{MD}=\overline{ME}$
라 할 때, ∠A의 크기는?

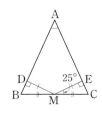

① 35°　　　　② 40°　　　　③ 45°

④ 50°　　　　⑤ 55°

내신 up
12 오른쪽 그림과 같이 정사각형
ABCD의 $\overline{BC}$와 $\overline{CD}$ 위에
$\overline{BE}=\overline{CF}$가 되도록 각각 점 E,
F를 잡고 $\overline{AE}$와 $\overline{BF}$의 교점을
점 G라 하자. ∠CEG=130°일
때, ∠AGF의 크기를 구하여라.

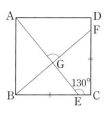

서·술·형·문·제　　　　　　　　　풀이 과정을 자세히 쓰시오.

13 오른쪽 그림에서
$\overline{DB}=\overline{DE}=\overline{AE}=\overline{AC}$이고,
∠B=25°일 때, ∠EAC의 크
기를 구하여라.

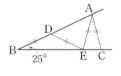

[단계]　❶ ∠ADE의 크기 구하기

❷ ∠AEC의 크기 구하기

❸ ∠EAC의 크기 구하기

답 _____

14 오른쪽 그림과 같이 직각이등변
삼각형 ABC의 꼭짓점 A를 지
나는 직선 l 위에 점 B, C에서
내린 수선의 발을 각각 D, E라
하자. $\overline{BD}=8$ cm, $\overline{DE}=12$ cm일 때, 사각형 BDEC
의 넓이를 구하여라.

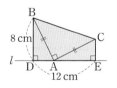

답 _____

------ 86쪽 **기출문제로 내신대비**로 반복학습하세요!

02 삼각형의 외심과 내심

정답 및 풀이 05쪽

개념 ① 삼각형의 외심

(1) **외접원** : 삼각형의 세 꼭짓점을 지나는 원

(2) **삼각형의 외심**

삼각형의 세 변의 수직이등분선의 교점(외접원의 중심)

(3) **삼각형의 외심의 성질**

삼각형의 외심에서 삼각형의 세 꼭짓점에 이르는 거리는 같다.

$\overline{OA} = \overline{OB} = \overline{OC} =$ (외접원의 반지름의 길이)

개념 α

▶ 삼각형의 외심의 위치
① 예각삼각형 : 삼각형의 내부
② 직각삼각형 : 빗변의 중점
③ 둔각삼각형 : 삼각형의 외부

개념확인 01 오른쪽 그림에서 점 O는 △ABC의 외심이고 $\overline{OC} = 3$ cm, ∠OAB=20°일 때, 다음을 구하여라.

(1) $\overline{OA}$의 길이

(2) ∠OBA의 크기

(3) 외접원의 넓이

개념확인 02 오른쪽 그림에서 점 O는 직각삼각형 ABC의 외심이다. $\overline{AB} = 8$ cm일 때, $\overline{OC}$의 길이를 구하여라.

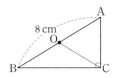

개념 ② 삼각형의 외심의 활용

점 O가 △ABC의 외심일 때

(1)
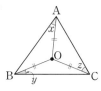

$$\angle x + \angle y + \angle z = 90°$$

(2)

$$\angle BOC = 2\angle A$$

참고

(1) $2\angle x + 2\angle y + 2\angle z = 180°$ ∴ $\angle x + \angle y + \angle z = 90°$

(2) $\angle BOC = 2\angle x + 2\angle z = 2(\angle x + \angle z) = 2\angle A$

개념 α

▶ 삼각형의 외심의 활용

∠A=∠a이면
① ∠BOC=2∠a
② ∠OBC=∠OCB $=\dfrac{1}{2} \times (180° - 2\angle a)$

개념확인 03 다음 그림에서 점 O가 △ABC의 외심일 때, ∠x, ∠y의 크기를 구하여라.

(1)
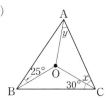

(2)

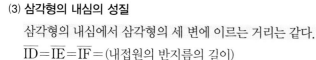

개념 ③ 삼각형의 내심

(1) **내접원** : 삼각형의 세 변에 접하는 원

(2) **삼각형의 내심**

　삼각형의 세 내각의 이등분선의 교점(내접원의 중심)

(3) **삼각형의 내심의 성질**

　삼각형의 내심에서 삼각형의 세 변에 이르는 거리는 같다.

　$\overline{ID}=\overline{IE}=\overline{IF}$(내접원의 반지름의 길이)

개념 α

▶ 삼각형의 내심의 위치
모든 삼각형의 내심은 삼각형의 내부에 있다.
　① 이등변삼각형의 내심은 꼭지각의 이등분선 위에 있다.
　② 정삼각형은 외심과 내심이 일치한다.

개념확인 04 오른쪽 그림에서 점 I가 △ABC의 내심이고 $\overline{IE}=3$ cm,
∠IBE=30°일 때, 다음을 구하여라.

　(1) $\overline{IF}$의 길이　　　　(2) ∠IBD의 크기

　(3) 내접원의 넓이

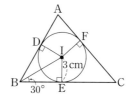

개념 ④ 삼각형의 내심의 활용

점 I가 △ABC의 내심일 때

(1)

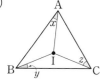

　$\angle x+\angle y+\angle z=90°$

(2)

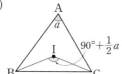

　$\angle BIC=90°+\dfrac{1}{2}\angle A$

참고

(1) $2\angle x+2\angle y+2\angle z=180°$　　∴ $\angle x+\angle y+\angle z=90°$

(2) $\angle BIC=\angle x+\angle y+\angle z+\angle x=90°+\angle x=90°+\dfrac{1}{2}\angle A$

개념 α

▶ 삼각형의 내심의 활용

내접원의 반지름의 길이를 r라 하면

$\triangle ABC=\dfrac{1}{2}r(a+b+c)$

개념확인 05 다음 그림에서 점 I가 △ABC의 내심일 때, ∠x, ∠y의 크기를 구하여라.

(1)

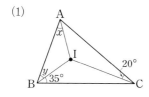

(2)

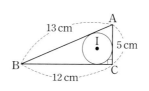

개념확인 06 오른쪽 그림에서 점 I는 직각삼각형 ABC의 내심이다.
$\overline{AB}=13$ cm, $\overline{BC}=12$ cm, $\overline{CA}=5$ cm일 때,
△ABC의 내접원의 반지름의 길이를 구하여라.

핵심유형 1 삼각형의 외심 개념 ❶

오른쪽 그림에서 점 O가 △ABC의 외심일 때, 다음 중 옳은 것을 모두 고르면?

(정답 2개)

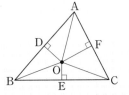

① $\overline{OA}=\overline{OB}$

② $\overline{OE}=\overline{OD}$

③ ∠OBE=∠OCE

④ ∠OBE=∠OBD

⑤ △AFO≡△ADO

GUIDE

삼각형의 외심은 세 변의 수직이등분선의 교점이고, 외심에서 각 꼭짓점에 이르는 거리는 같다.

1-1 다음 중 점 O가 △ABC의 외심인 것을 모두 고르면?

(정답 2개)

① 　②

③ 　④

⑤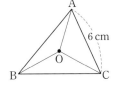

1-2 오른쪽 그림에서 점 O는 △ABC의 외심이다. $\overline{AC}=6$ cm 이고, △AOC의 둘레의 길이가 14 cm일 때, △ABC의 외접원의 반지름의 길이는?

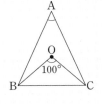

① 3 cm　② 3.5 cm　③ 4 cm

④ 4.5 cm　⑤ 5 cm

1-3 오른쪽 그림에서 점 O가 △ABC의 외심이고 ∠OBC=40°일 때, ∠BOC의 크기는?

① 90°　② 95°

③ 100°　④ 105°

⑤ 110°

핵심유형 2 삼각형의 외심의 활용 개념 ❷

오른쪽 그림에서 점 O는 △ABC의 외심이고, ∠BOC=100°일 때, ∠A의 크기는?

① 45°　② 50°

③ 55°　④ 60°

⑤ 65°

GUIDE

점 O가 △ABC의 외심일 때, ∠BOC=2∠A이다.

2-1 오른쪽 그림에서 점 O가 △ABC의 외심이고 ∠OBC=25°, ∠ACO=35°일 때, ∠x+∠y의 크기는?

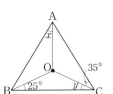

① 45°　② 50°

③ 55°　④ 60°

⑤ 65°

2-2 오른쪽 그림에서 점 O는 △ABC의 외심이다. ∠BAO=25°, ∠OBC=35°일 때, ∠AOC의 크기는?

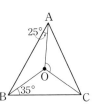

① 110°　② 115°

③ 120°　④ 125°

⑤ 130°

오른쪽 그림에서 △ABC의 세 각
의 이등분선의 교점을 I 라 할 때,
다음 중 옳지 <u>않은</u> 것은?

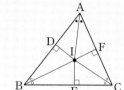

① $\overline{AF}=\overline{CF}$

② $\overline{IE}=\overline{IF}$

③ $\overline{BD}=\overline{BE}$

④ ∠ICE＝∠ICF

⑤ △ADI≡△AFI

GUIDE

삼각형의 내심은 세 내각의 이등분선의 교점이고, 내심에서 각 변에 이르
는 거리는 같다.

3-1 오른쪽 그림에서 점 I 는
△ABC의 내심이다.
$\overline{ID}=3\,cm$일 때, $x+y$의 값
은?

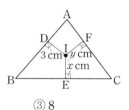

① 4　　　② 6　　　③ 8

④ 9　　　⑤ 10

3-2 오른쪽 그림에서 점 I 는
△ABC의 내심이다.
∠ABI＝23°, ∠ACI＝37°일
때, ∠x의 크기는?

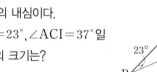

① 117°　　　② 118°

③ 119°　　　④ 120°

⑤ 121°

3-3 오른쪽 그림에서 점 I 는
△ABC의 내심이다.
∠IAB＝35°, ∠IBA＝20°일
때, ∠x＋∠y의 크기는?

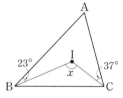

① 50°　　　② 55°　　　③ 60°

④ 65°　　　⑤ 70°

3-4 오른쪽 그림에서 △ABC의 내
심 I를 지나고 $\overline{BC}$에 평행한 직
선이 $\overline{AB}$, $\overline{AC}$와 만나는 점을
각각 D, E라 하자.
$\overline{AB}=8\,cm$, $\overline{AC}=10\,cm$일
때, △ADE의 둘레의 길이는?

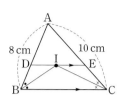

① 16 cm　　　② 18 cm　　　③ 20 cm

④ 22 cm　　　⑤ 24 cm

오른쪽 그림에서 점 I는
△ABC의 내심이다.
∠BIC＝130°일 때, ∠A의 크
기는?

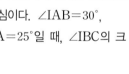

① 60°　　　② 65°　　　③ 70°

④ 75°　　　⑤ 80°

GUIDE

점 I가 △ABC의 내심일 때, ∠BIC＝90°＋$\frac{1}{2}$∠A이다.

4-1 오른쪽 그림에서 점 I 는 △ABC
의 내심이다. ∠IAB＝30°,
∠ICA＝25°일 때, ∠IBC의 크
기는?

① 20°　　　② 25°　　　③ 30°

④ 35°　　　⑤ 40°

4-2 오른쪽 그림에서 점 I 는
직각삼각형 ABC의 내심이다.
$\overline{AB}=5\,cm$, $\overline{BC}=4\,cm$,
$\overline{CA}=3\,cm$일 때, △ABC의
내접원의 반지름의 길이는?

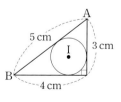

① 1 cm　　　② 1.5 cm　　　③ 2 cm

④ 2.5 cm　　　⑤ 3 cm

01 다음 중 삼각형의 외심에 대한 설명으로 옳지 <u>않은</u> 것은?

① 직각삼각형의 외심은 빗변의 중점에 있다.
② 둔각삼각형의 외심은 삼각형의 외부에 있다.
③ 예각삼각형의 외심은 삼각형의 내부에 있다.
④ 삼각형의 외심은 세 내각의 이등분선의 교점이다.
⑤ 외심에서 삼각형의 세 꼭짓점에 이르는 거리는 같다.

02 오른쪽 그림에서 점 O는 △ABC의 외심이다. $\overline{AD}=7$ cm, $\overline{BE}=8$ cm, $\overline{AF}=6$ cm일 때, △ABC의 둘레의 길이는?

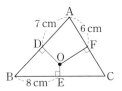

① 38 cm   ② 40 cm   ③ 42 cm
④ 44 cm   ⑤ 46 cm

03 오른쪽 그림에서 점 O는 △ABC의 두 변 AB, BC 의 수직이등분선의 교점이다. ∠OBC=20°일 때, ∠x의 크기는?

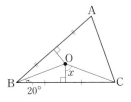

① 50°   ② 55°   ③ 60°
④ 65°   ⑤ 70°

04 오른쪽 그림과 같이 ∠A=90°인 직각삼각형 ABC에서 빗변 BC의 중점 이 M이고 ∠ABC=60°일 때, ∠AMC의 크기는?

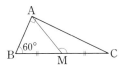

① 100°   ② 110°   ③ 120°
④ 130°   ⑤ 140°

05 오른쪽 그림에서 점 O는 △ABC의 외심이고 ∠ABC=30°, ∠OCB=10°일 때, ∠OAB의 크기는?

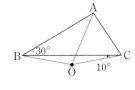

① 40°   ② 45°   ③ 50°
④ 55°   ⑤ 60°

06 오른쪽 그림에서 점 O는 △ABC의 외심이고 ∠ABC=60°, ∠ABO=35° 일 때, ∠BAC의 크기는?

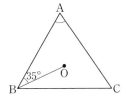

① 60°   ② 65°
③ 70°   ④ 75°
⑤ 80°

잘나와요

07 오른쪽 그림에서 점 O는 △ABC의 외심이다. ∠OCA=35°, ∠BOC=120° 일 때, ∠OAB의 크기는?

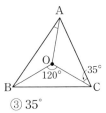

① 25°   ② 30°   ③ 35°
④ 40°   ⑤ 45°

08 오른쪽 그림에서 점 O는 △ABC의 외심이고 ∠AOB : ∠BOC : ∠COA =3 : 4 : 5일 때, ∠BAC의 크기는?

① 50°   ② 55°   ③ 60°
④ 65°   ⑤ 70°

09 오른쪽 그림에서 점 I는 △ABC의 내심이다. ∠IBA=22°, ∠C=74°일 때, ∠IAB의 크기는?

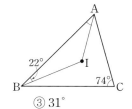

① 26°   ② 28°   ③ 31°

④ 34°   ⑤ 36°

10 오른쪽 그림에서 점 I는 △ABC의 내심이다. ∠A=56°일 때, ∠BIC의 크기는?

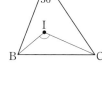

① 106°   ② 110°

③ 115°   ④ 118°

⑤ 120°

11 오른쪽 그림에서 점 I는 △ABC의 내심이다. ∠A=40°이고 ∠B : ∠C=3 : 4일 때, ∠AIB의 크기는?

① 125°   ② 130°

③ 135°   ④ 140°

⑤ 145°

12 오른쪽 그림에서 점 I는 △ABC의 내심이고, 세 점 D, E, F는 내접원과 삼각형의 세 변의 접점이다. $\overline{AF}$=4, $\overline{CF}$=10, $\overline{BC}$=15일 때, $\overline{AB}$의 길이는?

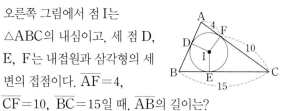

① 9   ② 10   ③ 12

④ 13   ⑤ 14

13 오른쪽 그림에서 점 I는 직각삼각형 ABC의 내심이고, 내접원 I의 반지름의 길이가 2 cm, $\overline{AB}$=10 cm, $\overline{AC}$=6 cm일 때, △ABC의 넓이를 구하여라.

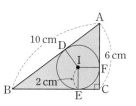

서·술·형·문·제   풀이 과정을 자세히 쓰시오.

14 오른쪽 그림과 같이 ∠A=40°, $\overline{AB}$=$\overline{AC}$인 이등변삼각형 ABC의 외심을 O, 내심을 I라 할 때, ∠OBI의 크기를 구하여라.

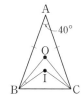

[단계] ❶ ∠OBA의 크기 구하기

       ❷ ∠ABI의 크기 구하기

       ❸ ∠OBI의 크기 구하기

답 _____

15 오른쪽 그림과 같이 △ABC에서 점 I는 내심이고, ∠C=80°이다. 점 D, E는 각각 $\overline{AI}$와 $\overline{BI}$의 연장선이 $\overline{BC}$, $\overline{AC}$와 만나는 점일 때, ∠ADB＋∠AEB의 크기를 구하여라.

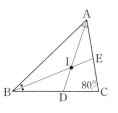

답 _____

88쪽 기출문제로 내신대비 로 반복학습하세요!

개념 ① **평행사변형의 성질**

(1) **평행사변형** : 두 쌍의 대변이 각각 평행한 사각형

⇨ □ABCD에서 $\overline{AB} /\!/ \overline{DC}$, $\overline{AD} /\!/ \overline{BC}$

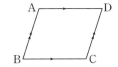

(2) **평행사변형의 성질**

① 두 쌍의 대변의 길이가 각각 같다.

② 두 쌍의 대각의 크기가 각각 같다.

③ 두 대각선은 서로 다른 것을 이등분한다.

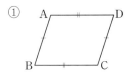 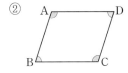 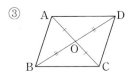

$\overline{AB}=\overline{DC}$, $\overline{AD}=\overline{BC}$ $\angle A=\angle C$, $\angle B=\angle D$ $\overline{OA}=\overline{OC}$, $\overline{OB}=\overline{OD}$

개념 α

▶ 사각형 ABCD를 기호로 □ABCD와 같이 나타낸다.

▶ 사각형에서 서로 마주보는 두 변을 대변, 서로 마주보는 두 각을 대각이라 한다.

▶ 평행사변형 ABCD에서 이웃하는 두 내각의 크기의 합은 $180°$이다.
$\angle A + \angle B = 180°$
$\angle B + \angle C = 180°$

개념확인 01 오른쪽 그림과 같은 평행사변형 ABCD에서 $\overline{AB}=6$ cm, $\overline{AD}=8$ cm, $\angle A=120°$일 때, 다음을 구하여라.

(1) $\overline{BC}$의 길이   (2) $\overline{CD}$의 길이

(3) $\angle B$의 크기   (4) $\angle C$의 크기

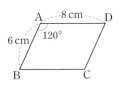

개념확인 02 다음 그림과 같은 평행사변형에서 x, y의 값을 각각 구하여라.

(1)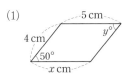

(2)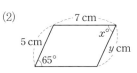

(3)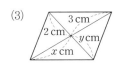

(4)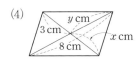

개념확인 03 오른쪽 그림과 같은 평행사변형 ABCD에서 $\overline{AB}=6$ cm, $\overline{BD}=12$ cm, $\overline{AC}=10$ cm일 때, $\triangle ABO$의 둘레의 길이를 구하여라.

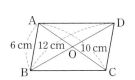

개념 ❷ 평행사변형이 되는 조건

다음의 어느 한 조건을 만족하는 사각형은 평행사변형이다.

(1) 두 쌍의 대변이 각각 평행하다.

(2) 두 쌍의 대변의 길이가 각각 같다.

(3) 두 쌍의 대각의 크기가 각각 같다.

(4) 두 대각선이 서로 다른 것을 이등분한다.

(5) 한 쌍의 대변이 평행하고 그 길이가 같다.

참고 어떤 사각형이 평행사변형임을 설명하기 위해서는 평행사변형이 되는 조건 중 하나가 성립함을 보이면 된다.

개념 α

▶ '한 쌍의 대변이 평행하고 그 길이가 같다.'에서 반드시 평행한 두 변의 길이가 같아야 한다.

$\overline{AD} /\!/ \overline{BC}$, $\overline{AD} = \overline{BC}$ (○)

$\overline{AD} /\!/ \overline{BC}$, $\overline{AB} = \overline{DC}$ (×)

(개념확인) 04 오른쪽 그림과 같은 사각형 ABCD가 다음 조건을 만족할 때, 평행사변형이 되는 것을 모두 골라라.

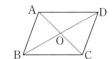

┤ 보기 ├
ㄱ. $\overline{AB} = \overline{CD} = 5\ cm$, $\overline{AD} = \overline{BC} = 7\ cm$
ㄴ. $\overline{AB} = \overline{BC} = 6\ cm$, $\angle BAC = \angle DCA$
ㄷ. $\overline{AB} /\!/ \overline{CD}$, $\overline{AB} = \overline{CD} = 4\ cm$
ㄹ. $\overline{AO} = \overline{BO} = 5\ cm$, $\overline{CO} = \overline{DO} = 6\ cm$
ㅁ. $\angle A = 110°$, $\angle B = 70°$, $\angle C = 110°$

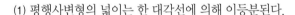

개념 ❸ 평행사변형과 넓이

(1) 평행사변형의 넓이는 한 대각선에 의해 이등분된다.

$$\triangle ABC = \triangle BCD = \triangle CDA = \triangle DAB = \frac{1}{2}\square ABCD$$

(2) 평행사변형의 넓이는 두 대각선에 의해 사등분된다.

$$\triangle ABO = \triangle BCO = \triangle CDO = \triangle DAO = \frac{1}{4}\square ABCD$$

(3) 평행사변형 ABCD의 내부에 한 점 P를 잡을 때

$$\triangle ABP + \triangle CDP = \triangle ADP + \triangle BCP = \frac{1}{2}\square ABCD$$

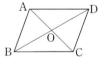

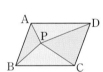

개념 α

▶ 평행사변형 ABCD에서
$\triangle ABC \equiv \triangle CDA(SSS)$
$\triangle ABD \equiv \triangle CDB(SSS)$
$\triangle ABO \equiv \triangle CDO(SAS)$
$\triangle BCO \equiv \triangle DAO(SAS)$
$\triangle ABO = \triangle BCO$
(밑변의 길이와 높이가 같음)

(개념확인) 05 오른쪽 그림과 같은 평행사변형 ABCD에서 △ABO의 넓이가 10 cm²일 때, 평행사변형 ABCD의 넓이를 구하여라.

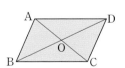

(개념확인) 06 오른쪽 그림과 같은 평행사변형 ABCD의 내부의 한 점 P에 대하여 △BCP=14 cm², △CDP=12 cm², △ADP=16 cm²일 때, △ABP의 넓이를 구하여라.

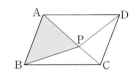

정답 및 풀이 08쪽

핵심유형 1 　　　 평행사변형의 성질 　　　 개념 ❶

오른쪽 그림과 같은 평행사변형 ABCD에서 $\overline{BC}$의 중점을 E라 하고, $\overline{AE}$의 연장선이 $\overline{DC}$의 연장선과 만나는 점을 F라 할 때, $\overline{CF}$의 길이는?

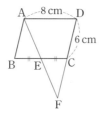

① 5 cm ② 6 cm

③ 7 cm ④ 8 cm

⑤ 9 cm

GUIDE
평행사변형에서 두 쌍의 대변의 길이는 각각 같다.

1-1 오른쪽 그림과 같은 평행사변형 ABCD에서 $\overline{AD}$의 길이를 구하여라.

1-2 오른쪽 그림과 같은 □ABCD에서 $\overline{AB} /\!/ \overline{DC}$, $\overline{AD} /\!/ \overline{BC}$, $\overline{AB} = 4$ cm이고, □ABCD의 둘레의 길이가 20 cm이다. 이때 $\overline{BC}$의 길이는?

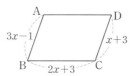

① 5 cm ② 6 cm ③ 7 cm

④ 8 cm ⑤ 9 cm

1-3 오른쪽 그림과 같은 평행사변형 ABCD에서 $\angle A = 110°$, $\angle DBC = 40°$일 때, $\angle CDB$의 크기는?

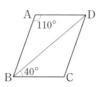

① 20° ② 25° ③ 30°

④ 35° ⑤ 40°

1-4 오른쪽 그림과 같은 평행사변형 ABCD에서 $\angle A$와 $\angle B$의 크기의 비가 3 : 2일 때, $\angle C$의 크기는?

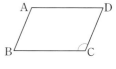

① 108° ② 110° ③ 115°

④ 120° ⑤ 124°

1-5 오른쪽 그림 같은 평행사변형 ABCD에서 $\angle BAE = \angle DAE$, $\overline{AB} = 4$ cm, $\overline{CE} = 2$ cm일 때, $\overline{AD}$의 길이는?

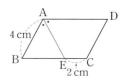

① 5 cm ② 6 cm ③ 7 cm

④ 8 cm ⑤ 9 cm

1-6 오른쪽 그림 같은 평행사변형 ABCD에서 $\angle BCO = 75°$, $\angle ADO = 30°$일 때, $\angle x$의 크기는?

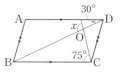

① 85° ② 90° ③ 95°

④ 100° ⑤ 105°

1-7 오른쪽 그림과 같은 평행사변형 ABCD에서 두 대각선의 교점을 O라 하고, 그 교점을 지나는 직선이 $\overline{AD}$, $\overline{BC}$와 만나는 점을 각각 P, Q라 할 때, 다음 중 옳지 <u>않은</u> 것은?

① $\overline{OA} = \overline{OC}$ ② $\triangle AOP \equiv \triangle COQ$

③ $\angle BAO = \angle DCO$ ④ $\overline{OP} = \overline{OQ}$

⑤ $\overline{AO} = \overline{PO}$

다음 중 □ABCD가 평행사변형인 것을 모두 고르면?

(정답 2개)

① ∠A=∠C, $\overline{AB}$∥$\overline{DC}$

② $\overline{AD}$∥$\overline{BC}$, $\overline{AB}$=4 cm, $\overline{CD}$=4 cm

③ $\overline{AB}$=5 cm, $\overline{DC}$=6 cm, $\overline{BC}$=5 cm, $\overline{AD}$=6 cm

④ ∠A=50°, ∠C=110°, $\overline{AD}$=7 cm, $\overline{BC}$=7 cm

⑤ ∠A=60°, ∠B=120°, ∠C=60°, ∠D=120°

GUIDE

□ABCD가 평행사변형이 되는 조건을 확인한다.

2-1 오른쪽 그림과 같은 사각형 ABCD가 다음 조건을 만족할 때, 평행사변형이 될 수 <u>없는</u> 것은?

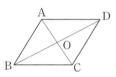

① $\overline{AD}$∥$\overline{BC}$, $\overline{AB}$∥$\overline{DC}$

② $\overline{AB}$=$\overline{DC}$, $\overline{AD}$=$\overline{BC}$

③ ∠A=∠C, ∠B=∠D

④ $\overline{OA}$=$\overline{OC}$, $\overline{OB}$=$\overline{OD}$

⑤ $\overline{AB}$=$\overline{DC}$, $\overline{AD}$∥$\overline{BC}$

2-2 다음은 평행사변형 ABCD에서 $\overline{AE}$=$\overline{BF}$=$\overline{CG}$=$\overline{DH}$ 일 때, □EFGH가 평행사변형임을 설명하는 과정이다.

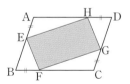

(가)~(마)에 알맞은 것을 써넣어라.

△AEH와 △CGF에서

$\overline{AE}$=$\overline{CG}$, ∠A= (가) ,

$\overline{AH}$=$\overline{AD}$-$\overline{HD}$=$\overline{BC}$-$\overline{BF}$= (나) 이므로

△AEH≡△CGF((다) 합동)

∴ $\overline{EH}$= (라)   …… ㉠

같은 방법으로 하면 △BEF≡ (마)

∴ $\overline{EF}$=$\overline{GH}$ …… ㉡

㉠, ㉡에서 □EFGH는 평행사변형이다.

오른쪽 그림과 같은 평행사변형 ABCD의 내부에 한 점 P를 잡았다. □ABCD의 넓이가 50 cm² 일 때, 색칠한 부분의 넓이는?

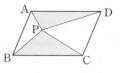

① 20 cm²   ② 22 cm²   ③ 25 cm²

④ 28 cm²   ⑤ 30 cm²

GUIDE

평행사변형 ABCD의 내부에 한 점 P를 잡을 때,
△ABP+△CDP=△APD+△BCP임을 이용한다.

3-1 오른쪽 그림과 같은 평행사변형 ABCD의 넓이가 24 cm²이고, 두 대각선의 교점 O를 지나는 직선과 $\overline{AD}$, $\overline{BC}$와의 교점을 각각 E, F라 할 때, 색칠한 부분의 넓이는?

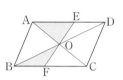

① 6 cm²   ② 8 cm²   ③ 10 cm²

④ 12 cm²   ⑤ 14 cm²

3-2 오른쪽 그림과 같이 평행사변형 ABCD의 내부에 한 점 P를 잡고 점 P를 지나면서 $\overline{AB}$, $\overline{AD}$에 각각 평행한 $\overline{HF}$, $\overline{EG}$를 그었다. 평행사변형 ABCD의 넓이가 32 cm²일 때, 색칠한 부분의 넓이는?

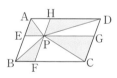

① 8 cm²   ② 10 cm²   ③ 12 cm²

④ 14 cm²   ⑤ 16 cm²

3-3 오른쪽 그림과 같은 평행사변형 ABCD의 넓이가 32 cm²이고 점 M, N은 각각 $\overline{AD}$, $\overline{BC}$의 중점일 때, □MPNQ의 넓이는?

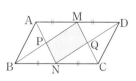

① 6 cm²   ② 8 cm²   ③ 10 cm²

④ 12 cm²   ⑤ 14 cm²

01 오른쪽 그림과 같은 평행사변형 ABCD에서 다음 중 옳지 않은 것은?

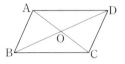

① $\overline{AB}=\overline{CD}$ ② $\overline{OA}=\overline{OC}$
③ ∠BAD=∠DCB   ④ ∠ADB=∠CBD
⑤ ∠ABD=∠CBD

02 오른쪽 그림과 같은 평행사변형 ABCD에서 ∠ABO=40°, ∠DAO=55°, ∠DCO=50° 일 때, ∠DBC의 크기는?

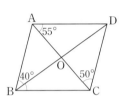

① 30°   ② 35°   ③ 40°
④ 45°   ⑤ 50°

^{내신} up

03 오른쪽 그림과 같은 평행사변형 ABCD에서 ∠ADO=42°, ∠BCO=56°일 때, ∠ABO+∠DCO의 크기는?

① 75°   ② 78°   ③ 80°
④ 82°   ⑤ 85°

04 오른쪽 그림과 같은 평행사변형 ABCD에서 ∠B=68°이고, 점 B에서 ∠C의 이등분선 위에 내린 수선의 발을 E라 할 때, ∠ABE의 크기는?

① 30°   ② 32°   ③ 34°
④ 36°   ⑤ 38°

05 오른쪽 그림과 같은 평행사변형 ABCD에서 점 D의 좌표는?

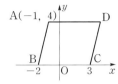

① D(3, 4)   ② D(4, 4)
③ D(5, 3)   ④ D(5, 4)
⑤ D(6, 3)

^{잘나와요}
06 오른쪽 그림과 같은 평행사변형 ABCD에서 ∠B의 이등분선이 $\overline{CD}$의 연장선과 만나는 점을 E라 할 때, $\overline{BC}$의 길이를 구하여라.

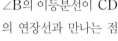

07 다음 중 □ABCD가 평행사변형인 것은?

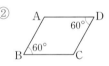

08 다음 중 □ABCD가 평행사변형이 될 수 없는 것은?
(단, 점 O는 두 대각선의 교점이다.)

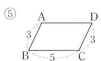

① $\overline{AB}=4$ cm, $\overline{CD}=4$ cm, $\overline{AB}/\!/\overline{DC}$
② $\overline{AB}=\overline{DC}=8$ cm, $\overline{AD}=\overline{BC}=10$ cm
③ ∠A=100°, ∠B=80°, ∠C=100°
④ $\overline{OA}=\overline{OC}$, $\overline{OB}=\overline{OD}$
⑤ $\overline{AD}/\!/\overline{BC}$, $\overline{AB}=\overline{DC}=5$ cm

09 오른쪽 그림과 같은 평행사변형 ABCD에서 두 대각선의 교점을 O라 하자. $\overline{AP}=\overline{CR}$, $\overline{BQ}=\overline{DS}$일 때, □PQRS가 평행사변형임을 설명하는 과정이다. ㈎, ㈏에 알맞은 것을 써넣어라.

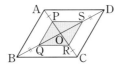

> $\overline{AP}=\overline{CR}$, $\overline{BQ}=\overline{DS}$이므로 $\overline{OP}=$ ㈎ , $\overline{OQ}=$ ㈏
> 따라서 □PQRS는 두 대각선이 서로 다른 것을 이등분하므로 평행사변형이다.

10 오른쪽 그림과 같은 평행사변형 ABCD에서 ∠B와 ∠D의 이등분선이 $\overline{AD}$, $\overline{BC}$와 만나는 점을 각각 E, F라 할 때, □BFDE가 평행사변형임을 설명하는 과정이다. ㈎, ㈏에 알맞은 것을 써넣어라.

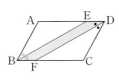

> $\angle EBF=\dfrac{1}{2}\angle B=\dfrac{1}{2}\angle D=$ ㈎
>
> $\angle AEB=\angle EBF$(엇각), $\angle DFC=\angle EDF$(엇각)이므로
> $\angle AEB=\angle DFC$
> $\angle DEB=180°-\angle AEB=180°-\angle DFC=$ ㈏
> 따라서 □BFDE는 두 쌍의 대각의 크기가 각각 같으므로 평행사변형이다.

11 오른쪽 그림과 같은 평행사변형 ABCD에서 $\overline{BC}$의 연장선, $\overline{DC}$의 연장선 위에 각각 $\overline{BC}=\overline{CE}$, $\overline{DC}=\overline{CF}$가 되도록 두 점 E, F를 잡았다. □ABCD의 넓이가 20 cm²일 때, △CFE의 넓이는?

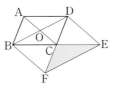

① 10 cm²   ② 12 cm²   ③ 14 cm²
④ 16 cm²   ⑤ 18 cm²

12 오른쪽 그림과 같은 평행사변형 ABCD에서 점 M, N은 각각 $\overline{AB}$, $\overline{CD}$의 중점이고, $\overline{AD}$ 위의 한 점 E에 대하여 $\overline{MN}$과 $\overline{BE}$, $\overline{CE}$와의 교점을 각각 P, Q라 하자. △EPQ=10 cm²일 때, □ABCD의 넓이를 구하여라.

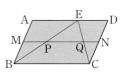

서·술·형·문·제   풀이 과정을 자세히 쓰시오.

13 오른쪽 그림과 같은 평행사변형 ABCD에서 $\overline{AE}$, $\overline{DF}$는 각각 ∠A, ∠D의 이등분선일 때, $\overline{EF}$의 길이를 구하여라.

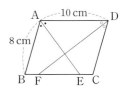

> [단계] ❶ $\overline{BE}$의 길이 구하기
> ❷ $\overline{CF}$의 길이 구하기
> ❸ $\overline{EF}$의 길이 구하기

답 _____

14 오른쪽 그림과 같이 평행사변형 모양의 종이를 대각선 BD를 따라 접어 △DBC가 △DBE로 옮겨졌다. $\overline{BA}$, $\overline{DE}$의 연장선의 교점을 F라 하고 ∠BDC=40°일 때, ∠AFE의 크기를 구하여라.

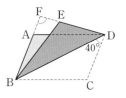

답 _____

94쪽 기출문제로 내신대비 로 반복학습하세요!

04 여러 가지 사각형

정답 및 풀이 10쪽

개념 ①   직사각형

(1) **직사각형** : 네 내각의 크기가 모두 같은 사각형

$$\angle A = \angle B = \angle C = \angle D$$

(2) **직사각형의 성질**

두 대각선의 길이가 같고, 서로 다른 것을 이등분한다.

$$\overline{AC}=\overline{BD}, \quad \overline{OA}=\overline{OB}=\overline{OC}=\overline{OD}$$

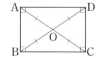

개념 α

▶ 직사각형은 두 쌍의 대각의 크기가 같으므로 평행사변형이다. 또, 사각형의 내각의 크기의 합은 $360°$이므로 네 내각의 크기가 같은 직사각형의 한 내각의 크기는 $90°$이다.

개념확인 01 오른쪽 그림과 같은 직사각형 ABCD에서 $\overline{AB}=3$ cm, $\overline{BC}=4$ cm, $\overline{AC}=5$ cm일 때, 다음을 구하여라.

(1) $\overline{CD}$의 길이

(2) $\overline{BD}$의 길이

(3) $\overline{OD}$의 길이

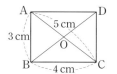

개념확인 02 오른쪽 그림에서 □ABCD가 직사각형일 때, $\angle x$, $\angle y$의 크기를 각각 구하여라.

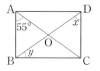

개념 ②   마름모

(1) **마름모** : 네 변의 길이가 모두 같은 사각형

$$\overline{AB}=\overline{BC}=\overline{CD}=\overline{DA}$$

(2) **마름모의 성질**

두 대각선이 서로 다른 것을 수직이등분한다.

$$\overline{OA}=\overline{OC}, \quad \overline{OB}=\overline{OD}, \quad \overline{AC}\perp\overline{BD}$$

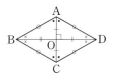

개념 α

▶ 마름모는 두 쌍의 대변의 길이가 같으므로 평행사변형이다.

개념확인 03 오른쪽 그림에서 사각형 ABCD는 마름모이다. 두 대각선의 교점이 O이고 $\overline{AB}=6$ cm, $\angle ADO=30°$일 때, 다음을 구하여라.

(1) $\overline{CD}$의 길이

(2) $\angle AOD$의 크기

(3) $\angle ABD$의 크기

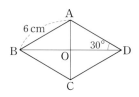

개념 ❸ 정사각형

(1) **정사각형** : 네 내각의 크기가 모두 같고, 네 변의 길이가 모두 같은 사각형

$$\angle A = \angle B = \angle C = \angle D, \quad \overline{AB} = \overline{BC} = \overline{CD} = \overline{DA}$$

(2) **정사각형의 성질**

두 대각선의 길이가 같고, 서로 다른 것을 수직이등분한다.

$$\overline{OA} = \overline{OB} = \overline{OC} = \overline{OD}, \quad \overline{AC} \perp \overline{BD}$$

개념 α

▶ 정사각형은 직사각형과 마름모의 성질을 모두 만족한다.

개념확인 **04** 오른쪽 그림과 같은 정사각형 ABCD에서 $\overline{OA} = 3$ cm일 때, 다음을 구하여라.

(1) ∠AOB의 크기

(2) $\overline{BD}$의 길이

개념 ❹ 여러 가지 사각형 사이의 관계

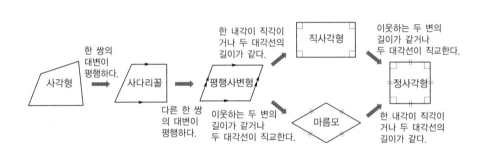

개념 α

▶ 여러 가지 사각형의 대각선의 성질

사각형	이등분한다.	길이가 같다.	직교한다.
평행사변형	○	×	×
직사각형	○	○	×
마름모	○	×	○
정사각형	○	○	○

개념확인 **05** 다음 성질을 갖는 사각형을 보기에서 모두 골라라.

┤ 보기 ├
ㄱ. 평행사변형   ㄴ. 직사각형   ㄷ. 마름모   ㄹ. 정사각형

(1) 두 대각선의 길이가 같다.

(2) 두 대각선이 서로 다른 것을 이등분한다.

(3) 두 대각선이 서로 다른 것을 수직이등분한다.

(4) 두 대각선의 길이가 같고, 서로 다른 것을 수직이등분한다.

개념 ❺ 평행선과 삼각형의 넓이

두 직선 l과 m이 평행할 때, △ABC와 △DBC는 밑변 BC가 공통이고 높이는 h로 같으므로 두 삼각형의 넓이가 서로 같다.

$$l \, /\!/ \, m 이면 \, \triangle ABC = \triangle DBC = \frac{1}{2}ah$$

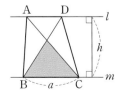

개념 α

▶ 높이가 같은 두 삼각형의 넓이의 비는 밑변의 길이의 비와 같다.

핵심유형 1 직사각형 개념 ❶

오른쪽 그림의 직사각형 ABCD에서 $\overline{AB}=\overline{AF}$, $\overline{AC}\perp\overline{EF}$, $\angle BAE=20°$일 때, $\angle FEC$의 크기는?

① 40° ② 45°
③ 50° ④ 55°
⑤ 60°

GUIDE
직사각형은 네 내각의 크기가 모두 90°인 사각형이다.

1-1 다음 중 직사각형의 성질이 <u>아닌</u> 것은?

① 두 대각선의 길이가 같다.
② 네 변의 길이가 모두 같다.
③ 네 내각의 크기가 모두 90°이다.
④ 두 쌍의 대변의 길이가 각각 같다.
⑤ 두 대각선이 각각의 중점에서 만난다.

1-2 오른쪽 그림과 같은 직사각형 ABCD에서 △OCD의 둘레의 길이는?

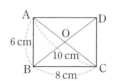

① 12 cm ② 14 cm
③ 16 cm ④ 18 cm
⑤ 20 cm

1-3 오른쪽 그림은 직사각형 모양의 종이를 꼭짓점 A와 C가 일치하도록 접은 것이다. $\angle EFD=100°$일 때, $\angle BAE$의 크기는?

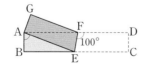

① 50° ② 55° ③ 60°
④ 65° ⑤ 70°

핵심유형 2 마름모 개념 ❷

오른쪽 그림과 같은 마름모 ABCD에 대한 설명 중 옳지 <u>않은</u> 것은?

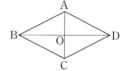

① $\overline{AC}\perp\overline{BD}$
② $\overline{AC}=\overline{BD}$
③ $\angle ABO=\angle CBO$
④ $\overline{AB}=\overline{BC}=\overline{CD}=\overline{DA}$
⑤ $\overline{OA}=\overline{OC}$, $\overline{OB}=\overline{OD}$

GUIDE
마름모는 네 변의 길이가 모두 같고, 두 대각선이 서로 다른 것을 수직이등분한다.

2-1 오른쪽 그림과 같은 마름모 ABCD에서 $\overline{CD}$의 길이는?

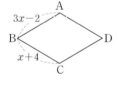

① 3 ② 5
③ 7 ④ 9
⑤ 10

2-2 오른쪽 그림과 같은 마름모 ABCD에서 $\overline{AC}$의 길이는?

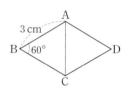

① 3 cm ② 4 cm
③ 5 cm ④ 6 cm
⑤ 7 cm

2-3 오른쪽 그림과 같은 마름모 ABCD의 넓이는?

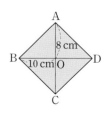

① 80 cm² ② 100 cm²
③ 120 cm² ④ 140 cm²
⑤ 160 cm²

오른쪽 그림에서 □ABCD와
□OEFG는 합동인 정사각형이다.
$\overline{AB}$=8 cm일 때, □OPCQ의 넓
이는?

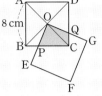

① 16 cm² ② 24 cm²

③ 32 cm² ④ 36 cm² ⑤ 48 cm²

> **GUIDE**
> 정사각형의 두 대각선은 길이가 같고, 서로 다른 것을 수직이등분한다.

3-1 오른쪽 그림의 정사각형 ABCD에
서 $\overline{BE}=\overline{CF}$가 되도록 $\overline{BC}$, $\overline{CD}$
위에 각각 점 E, F를 잡을 때,
∠AGF의 크기는?

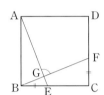

① 75° ② 80°

③ 85° ④ 90°

⑤ 95°

3-2 오른쪽 그림과 같은 정사각형
ABCD에서 대각선 AC 위에
∠CBE=30°가 되도록 점 E를
잡을 때, ∠AED의 크기는?

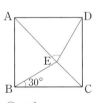

① 55° ② 60° ③ 65°

④ 70° ⑤ 75°

3-3 오른쪽 그림과 같은 정사각형
ABCD에서 $\overline{AD}=\overline{AE}$,
∠ABE=20°일 때, ∠ADE의
크기는?

① 55° ② 60°

③ 65° ④ 70°

⑤ 75°

오른쪽 그림과 같은 평행사변형
ABCD가 직사각형이 되기 위한 조건
이 <u>아닌</u> 것은?

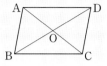

① ∠A=90° ② ∠A=∠B

③ $\overline{AC}=\overline{BD}$ ④ $\overline{OA}=\overline{OB}$

⑤ $\overline{AB}=\overline{BC}$

> **GUIDE**
> 평행사변형의 한 내각이 직각이거나 두 대각선의 길이가 같으면 직사각형
> 이 된다.

4-1 다음 중 옳지 <u>않은</u> 것은?

① 정사각형은 마름모이다.

② 마름모는 평행사변형이다.

③ 마름모는 직사각형이다.

④ 평행사변형은 사다리꼴이다.

⑤ 직사각형은 등변사다리꼴이다.

4-2 오른쪽 그림과 같은 평행사변형
ABCD가 마름모가 될 조건으
로 옳지 <u>않은</u> 것은?

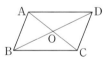

① ∠AOB=90° ② $\overline{AB}=\overline{BC}$

③ $\overline{OA}=\overline{OB}$ ④ ∠ABD=∠CBD

⑤ ∠ABD=∠ADB

4-3 다음 조건을 만족하는 □ABCD는 어떤 사각형인가?

$$\overline{AD}\,/\!/\,\overline{BC},\ \overline{AB}\,/\!/\,\overline{DC},\ \overline{AC}\perp\overline{BD},\ \overline{AC}=\overline{BD}$$

① 사다리꼴 ② 평행사변형 ③ 직사각형

④ 마름모 ⑤ 정사각형

01 오른쪽 그림의 직사각형 ABCD에서 $\overline{AD}$, $\overline{BC}$의 중점을 각각 M, N이라 하고, 대각선 AC가 $\overline{MB}$, $\overline{DN}$과 만나는 점을 각각 E, F라 하자. $\overline{AB}=4$ cm, $\overline{AD}=6$ cm일 때, □MEFD의 넓이는?

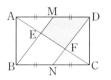

① 4 cm²   ② 6 cm²   ③ 8 cm²

④ 10 cm²   ⑤ 12 cm²

02 오른쪽 그림과 같이 직사각형 모양의 종이를 $\overline{AE}$를 접는 선으로 하여 접었다.
$\angle AED'=70°$일 때, $\angle APB$의 크기를 구하여라.

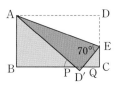

03 오른쪽 그림과 같이 $\overline{AB}:\overline{BC}=2:3$인 직사각형 ABCD에서 점 P는 변 AB의 중점이고, 점 Q는 변 BC를 2 : 1로 내분하는 점이다. 이때 $\angle ADP+\angle BQP$의 크기는?

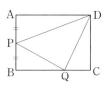

① 45°   ② 50°   ③ 55°

④ 60°   ⑤ 65°

04 오른쪽 그림의 직사각형 ABCD에서 $\angle ABD$, $\angle BDC$의 이등분선과 $\overline{AD}$, $\overline{BC}$의 교점을 각각 E, F라 하면 □EBFD는 마름모이다. 이때 $\angle BFD$의 크기는?

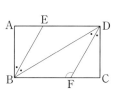

① 100°   ② 105°   ③ 110°

④ 115°   ⑤ 120°

05 직사각형과 마름모의 공통점이 <u>아닌</u> 것은?

① 두 쌍의 대변이 각각 평행하다.

② 두 대각선은 서로 직교한다.

③ 두 쌍의 대각의 크기가 각각 같다.

④ 두 쌍의 대변의 길이가 각각 같다.

⑤ 두 대각선이 서로 다른 것을 이등분한다.

06 오른쪽 그림과 같은 정사각형 ABCD에서 $\overline{PB}=\overline{BC}=\overline{CP}$일 때, $\angle PAD$의 크기는?

① 15°   ② 20°

③ 25°   ④ 30°

⑤ 35°

07 오른쪽 그림과 같은 사각형 ABCD는 $\angle DAB=90°$인 마름모이다. 대각선 AC 위에 $\angle AEB=65°$가 되도록 점 E를 잡을 때, $\angle EBC$의 크기는?

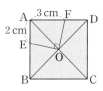

① 10°   ② 15°   ③ 20°

④ 25°   ⑤ 30°

08 오른쪽 그림과 같은 정사각형 ABCD에서 $\angle EOF=90°$이고 $\overline{AE}=2$ cm, $\overline{AF}=3$ cm일 때, 정사각형 ABCD의 넓이는?

① 16 cm²   ② 20 cm²   ③ 25 cm²

④ 30 cm²   ⑤ 36 cm²

09 다음 중 평행사변형이 직사각형으로 될 조건은?

① 두 대각선이 직교한다.

② 한 쌍의 대변의 길이가 같다.

③ 이웃하는 두 변의 길이가 같다.

④ 이웃하는 두 내각의 크기가 같다.

⑤ 두 대각선이 서로 다른 것을 이등분한다.

10 오른쪽 그림과 같은 평행사변형 ABCD에서 ∠A=90°가 되도록 하면 $\overline{OA}=3a-1$, $\overline{OC}=a+5$ 일 때, $\overline{OD}$의 길이를 구하여라.

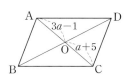

11 다음 그림에서 □ABCD는 평행사변형이다. 이때 색칠한 사각형이 마름모인 것은?

①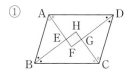

②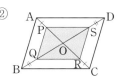

③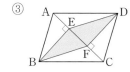

④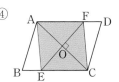

⑤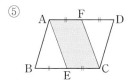

12 오른쪽 그림과 같은 평행사변형 ABCD에서 ∠ABD=∠CBD이고 $\overline{AB}=5$ cm일 때, □ABCD의 둘레의 길이를 구하여라.

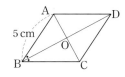

13 오른쪽 그림에서 $\overline{AC} /\!/ \overline{DE}$이고 △ABC=12 cm², △ACE=8 cm²일 때, □ABCD의 넓이를 구하여라.

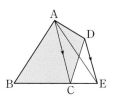

서·술·형·문·제   풀이 과정을 자세히 쓰시오.

14 오른쪽 그림에서 □ABCD는 $\overline{AD}=2\overline{AB}$인 직사각형이고, $\overline{AD}$, $\overline{BC}$의 중점을 각각 M, N이라 하자. $\overline{AB}=10$ cm일 때, □MPNQ의 넓이를 구하여라.

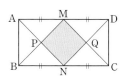

[단계] ❶ □MPNQ가 정사각형임을 설명하기
      ❷ □MPNQ의 넓이 구하기

답 _____

15 오른쪽 그림과 같은 정사각형 ABCD에서 ∠APQ=60°, ∠PAQ=45°일 때, ∠AQD의 크기를 구하여라.

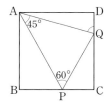

답 _____

·······96쪽 기출문제로 내신대비 로 반복학습하세요!

O5 도형의 닮음

개념 ❶ 닮은 도형

(1) **닮은 도형** : 한 도형을 일정한 비율로 확대 또는 축소하여 얻은 도형이 다른 도형과 합동
일 때, 그 두 도형은 서로 닮음인 관계에 있다고 하며, 닮음인 관계에 있는 두 도형을 닮은
도형이라 한다.

(2) **닮음 기호** : △ABC와 △DEF가 서로 닮은 도형일
때, 이 두 도형을 기호 ∽를 사용하여
△ABC∽△DEF와 같이 나타낸다.

참고 닮은 도형을 기호로 나타낼 때에는 두 도형의 꼭짓점을 대응하는 순서대로 쓴다.

 개념 α

▶ 항상 닮음인 도형
① 평면도형 : 두 정다각
형, 두 직각이등변삼각
형, 두 원, 중심각의 크
기가 같은 두 부채꼴
② 입체도형 : 두 구, 두 정
다면체

개념확인 01 오른쪽 그림에서 △ABC∽△DEF일 때, 다음
을 구하여라.

(1) 꼭짓점 A에 대응하는 점

(2) $\overline{BC}$에 대응하는 변

(3) ∠F에 대응하는 각

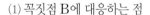

개념확인 02 오른쪽 그림에서 두 사면체 A−BCD와
E−FGH가 서로 닮음이고, $\overline{BC}$와 $\overline{FG}$가 서로
대응하는 모서리일 때, 다음을 구하여라.

(1) 꼭짓점 B에 대응하는 점

(2) $\overline{CD}$에 대응하는 모서리

(3) 면 EFH에 대응하는 면

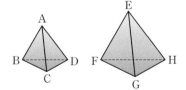

개념확인 03 다음 보기에서 항상 닮은 도형을 모두 골라라.

┤ 보기 ├
ㄱ. 두 구   ㄴ. 두 마름모   ㄷ. 두 직각이등변삼각형
ㄹ. 두 직사각형   ㅁ. 두 원기둥   ㅂ. 두 정삼각형

개념 ❷   평면도형에서의 닮음의 성질

(1) **평면도형에서의 닮음의 성질**

두 닮은 평면도형에서

① 대응하는 변의 길이의 비는 일정하다.

$\overline{AB} : \overline{DE} = \overline{BC} : \overline{EF} = \overline{AC} : \overline{DF}$

② 대응하는 각의 크기는 각각 같다.

$\angle A = \angle D, \ \angle B = \angle E, \ \angle C = \angle F$

(2) 두 닮은 평면도형에서는 대응하는 선분의 길이의 비가 **닮음비**이다.

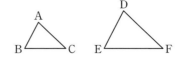

개념 α

▶ 두 닮은 도형의 둘레의 길이의 비는 닮음비와 같다.

▶ 닮음비는 가장 간단한 자연수의 비로 나타내고, 닮음비가 1 : 1인 두 도형은 서로 합동이다.

개념확인 **04** 오른쪽 그림에서 △ABC∽△DEF일 때, 다음을 구하여라.

(1) △ABC와 △DEF의 닮음비

(2) $\overline{DF}$의 길이

(3) ∠F의 크기

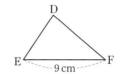

개념 ❸   입체도형에서의 닮음의 성질

(1) **입체도형에서의 닮음의 성질**

두 닮은 입체도형에서

① 대응하는 모서리의 길이의 비는 일정하다.

② 대응하는 면은 각각 닮은 도형이다.

(2) 두 닮은 입체도형에서는 대응하는 모서리의 길이의 비가

닮음비이다.

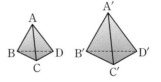

개념 α

▶ 닮은 원기둥에서의 닮음비는 높이의 비 또는 밑면의 반지름의 길이의 비 또는 밑면의 둘레의 길이의 비이다.

개념확인 **05** 오른쪽 그림에서 두 삼각기둥이 서로 닮음이고, $\overline{AB}$와 $\overline{A'B'}$이 서로 대응하는 모서리일 때, 다음을 구하여라.

(1) 두 삼각기둥의 닮음비

(2) $\overline{D'E'}$의 길이

(3) 면 BEFC에 대응하는 면

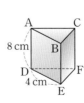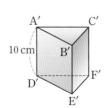

핵심유형 1 닮은 도형 개념 ❶

아래 그림에서 □EFGH는 □ABCD를 2배 확대하여 그린 것이다. 다음 중 옳지 <u>않은</u> 것은?

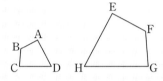

① □ABCD∽□EFGH

② □EFGH를 2배 축소하여 그리면 □ABCD와 합동이 된다.

③ 점 B에 대응하는 점은 점 F이다.

④ $\overline{EH}$에 대응하는 변은 $\overline{DC}$이다.

⑤ ∠C에 대응하는 각은 ∠G이다.

GUIDE
닮은 도형을 기호로 나타낼 때, 대응하는 꼭짓점의 순서대로 나타내면 대응하는 점, 대응하는 변, 대응하는 각을 쉽게 알 수 있다.

1-1 아래 그림에서 두 삼각기둥이 서로 닮은 도형이고 $\overline{AB}$와 $\overline{GH}$가 서로 대응하는 모서리일 때, 다음을 구하여라.

(1) $\overline{CF}$에 대응하는 모서리

(2) 면 DFCA에 대응하는 면

1-2 다음 중 항상 닮은 도형이 <u>아닌</u> 것은?

① 두 정삼각형   ② 두 정오각형

③ 두 원   ④ 두 정육면체

⑤ 두 직사각형

핵심유형 2 평면도형에서의 닮음의 성질 개념 ❷

아래 그림에서 □ABCD∽□EFGH일 때, 다음 중 옳은 것은?

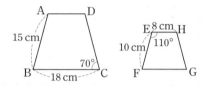

① ∠D=110°   ② $\overline{AD}$=10 cm   ③ ∠G=80°

④ $\overline{FG}$=12 cm   ⑤ 닮음비는 2 : 1이다.

GUIDE
두 닮은 평면도형은 대응하는 변의 길이의 비가 일정하고, 대응하는 각의 크기는 각각 같다.

2-1 다음 그림에서 두 삼각형이 서로 닮은 도형일 때, 두 삼각형의 닮음비는?

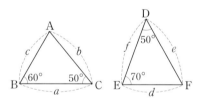

① $a : d$ ② $a : e$ ③ $b : e$

④ $c : e$ ⑤ $c : f$

2-2 다음 그림에서 □ABCD∽□EFGH일 때, $\overline{EF}=a$ cm, ∠G=b°이다. 이때 $a+b$의 값을 구하여라.

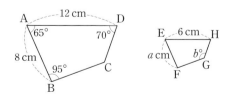

2-3 다음 그림에서 △ABC∽△DEF이고, 닮음비가 2 : 1일 때, △DEF의 둘레의 길이는?

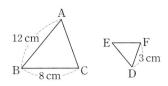

① 8 cm　　　② 10 cm　　　③ 12 cm

④ 13 cm　　　⑤ 16 cm

2-4 원 O와 원 O′의 반지름의 길이의 비가 3 : 4이고 원 O의 반지름의 길이가 9 cm일 때, 원 O′의 둘레의 길이를 구하여라.

핵심유형 3 　　입체도형에서의 닮음의 성질　　개념 ❸

다음 그림에서 두 직육면체는 서로 닮은 도형이고, $\overline{AB}$와 $\overline{A'B'}$이 서로 대응하는 모서리일 때, $x+y$의 값을 구하여라.

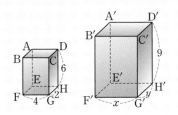

GUIDE

두 닮은 입체도형은 대응하는 모서리의 길이의 비가 일정하고, 대응하는 면은 서로 닮은 도형이다.

3-1 아래 그림에서 두 삼각기둥이 서로 닮은 도형이고 $\overline{AB}$와 $\overline{GH}$가 서로 대응하는 모서리일 때, 다음 중 옳지 않은 것은?

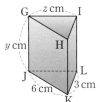

① △ABC∽△GHI

② 닮음비는 2 : 3이다.

③ $\overline{BC}$에 대응하는 모서리는 $\overline{HI}$이다.

④ $x+y+z=15$

⑤ 꼭짓점 J에 대응하는 점은 점 D이다.

3-2 다음 그림에서 두 원뿔은 서로 닮은 도형이고 두 원뿔의 높이가 각각 8 cm, 12 cm일 때, 두 원뿔의 밑면의 둘레의 길이의 비를 구하여라.

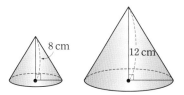

3-3 오른쪽 그림과 같은 원뿔 모양의 그릇에 물을 부어서 높이의 $\frac{1}{4}$만큼 채웠다고 할 때, 수면의 반지름의 길이를 구하여라.

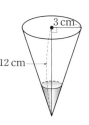

01 다음 중 닮은 도형에 대한 설명으로 옳지 <u>않은</u> 것은?

① 닮음인 두 도형은 기호 ∽를 써서 나타낸다.
② 대응하는 변의 길이의 비는 모두 같다.
③ 대응하는 각의 크기는 각각 같다.
④ 합동인 두 도형은 닮은 도형이며 그 닮음비는 1 : 1이다.
⑤ 두 이등변삼각형은 항상 닮은 도형이다.

★ 잘나와요
02 다음 도형 중 항상 닮은 도형이 <u>아닌</u> 것을 모두 고르면?

(정답 2개)

① 두 원　　　　　　② 두 정오각형
③ 두 직각이등변삼각형　④ 두 직육면체
⑤ 두 원뿔

03 다음 그림에서 □ABCD∽□EFGH일 때, ∠F의 크기는?

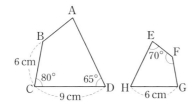

① 130°　　　② 135°　　　③ 140°
④ 145°　　　⑤ 150°

04 다음 그림에서 □ABCD∽□EFGH이고 닮음비가 2 : 3일 때, □EFGH의 둘레의 길이를 구하여라.

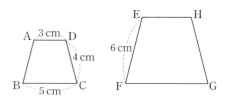

05 다음 그림에서 △ABC∽△DEF일 때, 보기의 설명 중 옳은 것을 모두 고른 것은?

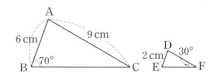

┌ 보기 ┐
ㄱ. 두 삼각형의 닮음비는 3 : 1이다.
ㄴ. ∠A=80°
ㄷ. $\overline{DF}$=3 cm

① ㄱ　　　② ㄴ　　　③ ㄱ, ㄷ
④ ㄴ, ㄷ　　　⑤ ㄱ, ㄴ, ㄷ

내신 up
06 오른쪽 그림과 같이 A4 용지를 반으로 접으면 A5 용지 크기가 되고, A5 용지를 반으로 접으면 A6 용지 크기가 된다. 이와 같은 방법으로 A5, A6, A7, … 용지를 만들었을 때, A4 용지와 A8 용지의 닮음비는?

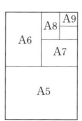

① 2 : 1　　　② 4 : 1　　　③ 6 : 1
④ 8 : 1　　　⑤ 16 : 1

[07~08] 아래 그림에서 두 사면체 A−BCD와 E−FGH가 서로 닮은 도형이고 $\overline{AD}$와 $\overline{EH}$가 서로 대응하는 모서리일 때, 다음 물음에 답하여라.

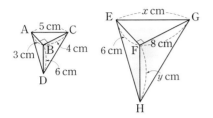

07 다음 설명 중 옳지 <u>않은</u> 것은?

① 점 D에 대응하는 점은 점 H이다.
② $\overline{AD} : \overline{EH} = 1 : 2$
③ $\overline{CD}$에 대응하는 모서리는 $\overline{GH}$이다.
④ 면 ABC와 면 EFG는 서로 대응하는 면이다.
⑤ 두 사면체의 닮음비는 2 : 3이다.

08 사면체 E−FGH에서 $\overline{EG} = x$ cm, $\overline{FH} = y$ cm일 때, $x-y$의 값은?

① −2   ② −1   ③ 0
④ 1   ⑤ 2

09 잘나와요
다음 그림에서 두 원기둥이 서로 닮은 도형일 때, 원기둥 B의 밑면의 둘레의 길이를 구하여라.

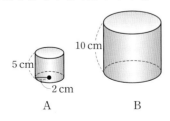

10 오른쪽 그림과 같이 원뿔을 밑면에 평행한 평면으로 자를 때 생기는 단면이 반지름의 길이가 8 cm인 원일 때, 처음 원뿔의 밑면의 반지름의 길이를 구하여라.

풀이 과정을 자세히 쓰시오.

11 오른쪽 그림에서 △OAB∽△OBC, △OBC∽△OCD일 때, $\overline{OC} + \overline{OD}$의 길이를 구하여라.

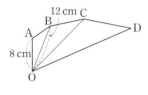

[단계] ❶ $\overline{OC}$의 길이 구하기
❷ $\overline{OD}$의 길이 구하기
❸ $\overline{OC} + \overline{OD}$의 길이 구하기

....
....
....

답 _____

12 아래 그림에서 두 사각뿔대는 닮은 도형이고, $\overline{AD}$와 $\overline{IL}$이 대응하는 모서리일 때, 다음을 구하여라.

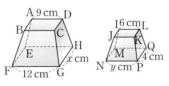

(1) 큰 사각뿔대와 작은 사각뿔대의 닮음비
(2) x, y의 값

....
....
....

답 _____

-----102쪽 기출문제로 내신대비 로 반복학습하세요!

06 삼각형의 닮음 조건

정답 및 풀이 15쪽

개념 ❶ 삼각형의 닮음 조건

두 삼각형 ABC와 A′B′C′은 다음 세 조건 중 어느 하나를 만족하면 닮은 도형이다.

(1) **SSS 닮음** : 세 쌍의 대응하는 변의 길이의 비가 같다.

  $a : a′ = b : b′ = c : c′$

(2) **SAS 닮음** : 두 쌍의 대응하는 변의 길이의 비가 같고, 그 끼인각의 크기가 같다.

  $a : a′ = c : c′$이고 $\angle B = \angle B′$

(3) **AA 닮음** : 두 쌍의 대응하는 각의 크기가 각각 같다.

  $\angle B = \angle B′,\ \angle C = \angle C′$

개념 α

▶ 삼각형의 닮음을 이용하여 변의 길이 구하기
  ① 닮음인 삼각형을 찾는다.
  ② 닮음비를 구한다.
  ③ 비례식으로 나타내고, 변의 길이를 구한다.

개념확인 01 다음 삼각형 중 서로 닮음인 것을 모두 찾아 기호 $\backsim$ 로 나타내고, 그때의 닮음 조건을 말하여라.

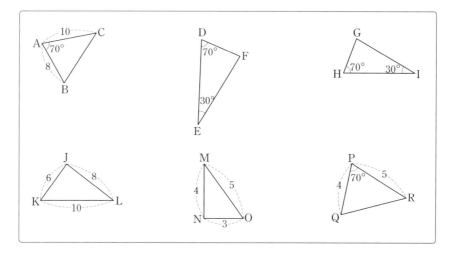

개념확인 **02** 다음 그림에서 닮은 삼각형을 찾아 기호 ∽를 사용하여 나타내고, 그때의 닮음 조건을 말하여라.

(1)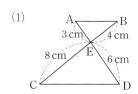

(2)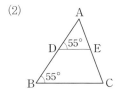

개념확인 **03** 오른쪽 그림에서 ∠ABC=∠DEF일 때, 다음을 구하여라.

(1) △ABC와 △DEF의 닮음비
(2) $\overline{DF}$의 길이

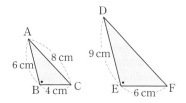

개념 ❷　**직각삼각형의 닮음**

∠A=90°인 직각삼각형 ABC의 꼭짓점 A에서 빗변 BC에 내린 수선의 발을 H라 하면

△ABC∽△HBA∽△HAC(AA 닮음)

이므로 다음이 성립한다.

개념 α

▶ 왼쪽 직각삼각형에서
$$\triangle ABC = \frac{1}{2}\,\overline{BC} \times \overline{AH}$$
$$= \frac{1}{2}\,\overline{AB} \times \overline{AC}$$

이므로
$$\overline{AB} \times \overline{AC} = \overline{BC} \times \overline{AH}$$

(1)

△ABC∽△HBA
$$\overline{AB}^{\,2} = \overline{BH} \times \overline{BC}$$

(2)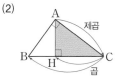

△ABC∽△HAC
$$\overline{AC}^{\,2} = \overline{CH} \times \overline{CB}$$

(3)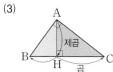

△HBA∽△HAC
$$\overline{AH}^{\,2} = \overline{HB} \times \overline{HC}$$

개념확인 **04** 다음 직각삼각형 ABC에서 x의 값을 구하여라.

(1)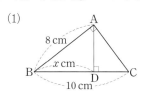

(2)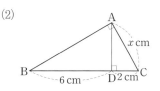

(3)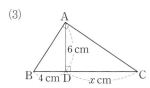

(4)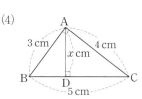

핵심유형 1 삼각형의 닮음 조건 개념 ❶

다음 중 오른쪽 보기의 삼각형과
닮은 삼각형은?

┤ 보기 ├

①

②

③

④

⑤

GUIDE
두 쌍의 대응하는 각의 크기가 각각 같은 삼각형을 찾는다.

1-1 △ABC와 △DEF가 다음 조건을 만족할 때,
△ABC∽△DEF가 되지 <u>않는</u> 것은?

① ∠A=∠D, ∠B=∠E

② $\overline{AB}:\overline{DE}=\overline{BC}:\overline{EF}$, ∠B=∠E

③ $\overline{AB}=\overline{DE}$, ∠C=∠F

④ ∠B=∠E, ∠C=∠F

⑤ $\dfrac{\overline{AB}}{\overline{DE}}=\dfrac{\overline{BC}}{\overline{EF}}=\dfrac{\overline{CA}}{\overline{FD}}$

1-2 오른쪽 그림에서
△ABC와 △DEF가
$\overline{DE}:\overline{AB}=\overline{DF}:\overline{AC}$를 만
족한다. 두 삼각형이 닮음이
되려면 다음 중 어느 조건을 추가해야 하는가?

① ∠A=∠D

② ∠B=∠E

③ ∠C=∠F

④ $\overline{DE}=\overline{DF}$

⑤ $\overline{AC}=\overline{BC}$

핵심유형 2 닮음을 이용하여 변의 길이 구하기 개념 ❶

오른쪽 그림과 같은 △ABC에서
∠AED=∠ABC=50°이고
$\overline{DE}$=3 cm, $\overline{BC}$=6 cm,
$\overline{AC}$=8 cm일 때, $\overline{AD}$의 길이는?

① 3 cm ② 4 cm

③ 5 cm ④ 6 cm

⑤ 7 cm

GUIDE
두 쌍의 대응하는 각의 크기가 각각 같은 닮음인 두 개의 삼각형을 찾은
후, 닮음비를 이용하여 구한다.

2-1 오른쪽 그림과 같은
△ABC에서 $\overline{DC}$=7,
$\overline{AC}$=8, $\overline{AB}$=12, $\overline{BD}$=9
일 때, $\overline{AD}$의 길이는?

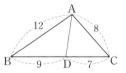

① 5 ② 6 ③ $\dfrac{13}{2}$

④ $\dfrac{27}{4}$ ⑤ 7

2-2 오른쪽 그림과 같은 △ABC에서
$\overline{AC}$의 길이를 구하여라.

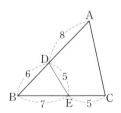

2-3 오른쪽 그림과 같은 △ABC에
서 ∠BAD=∠ACB일 때,
$\overline{CD}$의 길이를 구하여라.

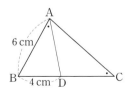

2-4 오른쪽 그림과 같은 평행사변형 ABCD에서 점 D를 지나는 직선이 $\overline{BC}$와 만나는 점을 E, $\overline{AB}$의 연장선과 만나는 점을 F라 하자. $\overline{AD}=15$ cm, $\overline{BF}=4$ cm, $\overline{CE}=9$ cm일 때, $\overline{AB}$의 길이를 구하여라.

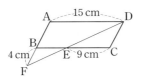

3-3 오른쪽 그림과 같이 ∠A=90°인 직각삼각형 ABC에서 $\overline{AD}\perp\overline{BC}$일 때, 다음 중 옳지 <u>않은</u> 것은?

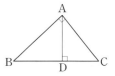

① $\overline{AB}\times\overline{CD}=\overline{AC}\times\overline{BD}$
② $\overline{AB}\times\overline{AC}=\overline{BC}\times\overline{AD}$
③ $\overline{AB}^2=\overline{BD}\times\overline{BC}$
④ $\overline{AC}^2=\overline{BC}\times\overline{CD}$
⑤ $\overline{AD}^2=\overline{BD}\times\overline{CD}$

핵심유형 3 　직각삼각형의 닮음　　개념 ❷

오른쪽 그림과 같이 ∠B=90°인 직각삼각형 ABC에서 $\overline{AC}\perp\overline{BH}$이고 $\overline{BC}=5$ cm, $\overline{BH}=4$ cm, $\overline{CH}=3$ cm일 때, $x+y$의 값을 구하여라.

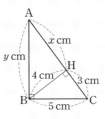

GUIDE
△ABC에서
(1) $\overline{AB}^2=\overline{AH}\times\overline{AC}$ (2) $\overline{BC}^2=\overline{CH}\times\overline{CA}$ (3) $\overline{BH}^2=\overline{AH}\times\overline{CH}$

3-1 오른쪽 그림에서 $\overline{AB}\perp\overline{CE}$, $\overline{AC}\perp\overline{BD}$이고 $\overline{AE}=4$, $\overline{AD}=6$, $\overline{CD}=4$일 때, $\overline{BE}$의 길이를 구하여라.

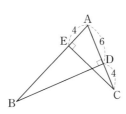

3-2 오른쪽 그림과 같은 평행사변형 ABCD의 꼭짓점 A에서 $\overline{BC}$, $\overline{CD}$에 각각 수선 AE, AF를 그었다. 이때 $\overline{AB}$의 길이를 구하여라.

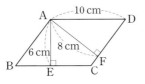

3-4 오른쪽 그림과 같이 ∠A=90°인 직각삼각형 ABC에서 $\overline{AH}=12$ cm, $\overline{BH}=16$ cm일 때, △AHC의 넓이는?

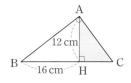

① 36 cm^2　② 54 cm^2　③ 60 cm^2
④ 64 cm^2　⑤ 72 cm^2

3-5 오른쪽 그림과 같이 ∠B=90°인 직각삼각형 ABC에서 $\overline{BH}\perp\overline{AC}$이고 $\overline{BC}=6$ cm, $\overline{AC}=10$ cm일 때, $\overline{BH}$의 길이는?

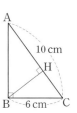

① $\dfrac{10}{3}$ cm　② 4 cm　③ $\dfrac{24}{5}$ cm
④ 5 cm　⑤ $\dfrac{21}{4}$ cm

01 다음 중 보기의 △ABC와 닮은 도형이 <u>아닌</u> 것은?

┤ 보기 ├

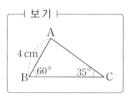

①

②

③

④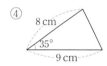

⑤

02 다음 그림에서 △ABC와 닮음인 삼각형과 닮음 조건을 차례로 말하여라.

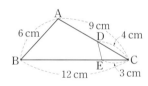

03 아래 그림과 같은 △ABC와 △DFE가 닮은 도형이 되려면 다음 중 어떤 조건을 추가해야 하는가?

① ∠A=75°, ∠F=45°

② ∠C=80°, ∠F=55°

③ $\overline{AB}$=8 cm, $\overline{DE}$=6 cm

④ $\overline{AC}$=16 cm, $\overline{DF}$=12 cm

⑤ $\overline{AB}$=15 cm, $\overline{DF}$=12 cm

04 오른쪽 그림에서 $\overline{AB}$∥$\overline{ED}$, $\overline{AE}$∥$\overline{BC}$이고 $\overline{AD}$=6, $\overline{CD}$=5, $\overline{AE}$=4 일 때, $\overline{BC}$의 길이는?

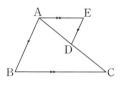

① $\dfrac{17}{3}$ ② 6 ③ $\dfrac{19}{3}$

④ 7 ⑤ $\dfrac{22}{3}$

05 오른쪽 그림의 △ABC에서 $\overline{AD}$=$\overline{BD}$=6 cm, $\overline{BE}$=8 cm, $\overline{EC}$=1 cm, $\overline{DE}$=4 cm일 때, $\overline{AC}$의 길이는?

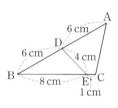

① 6 cm ② 7 cm ③ 8 cm

④ 9 cm ⑤ 10 cm

06 오른쪽 그림에서 ∠ADE=∠B이고 $\overline{AD}$=6 cm, $\overline{CD}$=3 cm, $\overline{AE}$=4 cm일 때, $\overline{BE}$의 길이는?

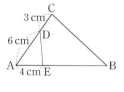

① 9 cm ② $\dfrac{19}{2}$ cm ③ 10 cm

④ $\dfrac{21}{2}$ cm ⑤ 11 cm

내신 up

07 오른쪽 그림과 같은 평행사변형 ABCD에서 $\overline{AD}=18$ cm, $\overline{AB}=10$ cm, $\overline{BE}=5$ cm, $\overline{EF}=7$ cm일 때, △CDF의 둘레의 길이를 구하여라.

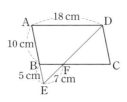

08 오른쪽 그림과 같은 △ABC에서 $\overline{AE}$의 길이를 구하여라.

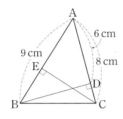

잘나와요

09 오른쪽 그림과 같이 ∠A=90°인 직각삼각형 ABC의 꼭짓점 A에서 $\overline{BC}$에 내린 수선의 발을 D라 할 때, $\overline{AD}$의 길이를 구하여라.

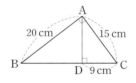

10 오른쪽 그림과 같이 ∠A=90°인 직각삼각형 ABC의 꼭짓점 A에서 변 BC에 내린 수선의 발을 D라 할 때, △ABC의 넓이를 구하여라.

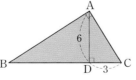

11 오른쪽 그림과 같은 직사각형 ABCD에서 $\overline{AH}\perp\overline{BD}$일 때, $\overline{BH}$의 길이를 구하여라.

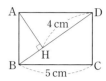

서·술·형·문·제　　　　　　　풀이 과정을 자세히 쓰시오.

12 오른쪽 그림과 같이 직사각형 모양의 종이를 꼭짓점 C가 $\overline{AD}$ 위의 점 F에 오도록 접을 때, $\overline{BF}$의 길이를 구하여라.

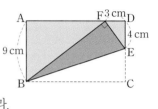

[단계]　❶ △ABF∽△DFE임을 설명하기
　　　　❷ $\overline{AF}$의 길이 구하기
　　　　❸ $\overline{BF}$의 길이 구하기

답 _____

13 오른쪽 그림에서 점 O가 △ABC의 외심일 때, $\overline{OD}$의 길이를 구하여라.

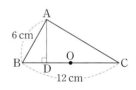

답 _____

----------- 104쪽 기출문제로 내신대비로 반복학습하세요!

07 삼각형과 평행선

정답 및 풀이 17쪽

개념 ① 삼각형에서 평행선과 선분의 길이의 비(1)

△ABC에서 두 변 AB와 AC 또는 그 연장선 위에 각각 D, E가 있을 때,

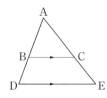 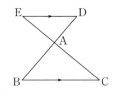

(1) $\overline{BC}\,/\!/\,\overline{DE}$이면 $\overline{AB} : \overline{AD} = \overline{AC} : \overline{AE} = \overline{BC} : \overline{DE}$

(2) $\overline{BC}\,/\!/\,\overline{DE}$이면 $\overline{AD} : \overline{DB} = \overline{AE} : \overline{EC}$

개념 α

▶ $\overline{DE}\,/\!/\,\overline{BC}$일 때,

$a : b = c : d = e : f$

개념확인 01 다음 그림에서 $\overline{BC}\,/\!/\,\overline{DE}$일 때, x의 값을 구하여라.

(1)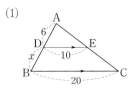

(2)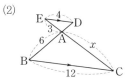

(3)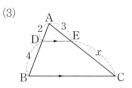

개념 ② 삼각형에서 평행선과 선분의 길이의 비(2)

△ABC에서 두 변 AB와 AC 또는 그 연장선 위에 각각 D, E가 있을 때,

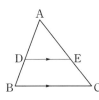 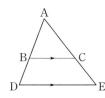 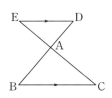

(1) $\overline{AB} : \overline{AD} = \overline{AC} : \overline{AE} = \overline{BC} : \overline{DE}$이면 $\overline{BC}\,/\!/\,\overline{DE}$

(2) $\overline{AD} : \overline{DB} = \overline{AE} : \overline{EC}$이면 $\overline{BC}\,/\!/\,\overline{DE}$

개념 α

▶ $a : a' = b : b'$이면 $\overline{DE}\,/\!/\,\overline{BC}$

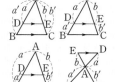

개념확인 02 다음 그림에서 $\overline{BC}\,/\!/\,\overline{DE}$인 것을 찾아라.

(1)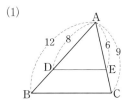

(2)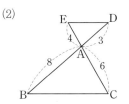

(3)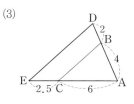

개념 ③ 삼각형의 각의 이등분선

(1) 삼각형의 내각의 이등분선

△ABC에서 ∠A의 이등분선이 $\overline{BC}$와 만나는 점을 D라 하면

$$\overline{AB} : \overline{AC} = \overline{BD} : \overline{CD}$$

(2) 삼각형의 외각의 이등분선

△ABC에서 ∠A의 외각의 이등분선이 $\overline{BC}$의 연장선과 만나는
점을 D라 하면

$$\overline{AB} : \overline{AC} = \overline{BD} : \overline{CD}$$

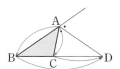

개념 α

▶ 삼각형의 내각의 이등분선

① ∠ACE = ∠AEC
  ⇨ △ACE는 이등변삼
  각형이므로
  $\overline{AC} = \overline{AE}$
② △BCE에서
  $\overline{BA} : \overline{AE}$
  $= \overline{BD} : \overline{DC}$

개념확인 03 다음 그림에서 x의 값을 구하여라.

(1) $\overline{AD}$가 ∠A의 이등분선이면 (2) $\overline{AD}$가 ∠A의 외각의 이등분선이면

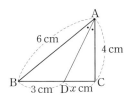 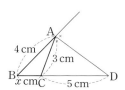

개념 ④ 평행선 사이의 선분의 길이의 비

세 개 이상의 평행선이 다른 두 직선과 만날 때, 평행선 사이의
선분의 길이의 비는 같다.
즉, 오른쪽 그림에서 $l \,/\!/\, m \,/\!/\, n$이면

$$a : b = c : d$$

참고 $\overline{AD} \,/\!/\, \overline{BC}$인 사다리꼴에서의 선분의 길이의 비

(1) $m : (m+n) = \overline{EG} : (b-a)$

  $\therefore \overline{EG} = \dfrac{m(b-a)}{m+n}$

(2) $\overline{EF} = \overline{EG} + \overline{GF} = \dfrac{n(b-a)}{m+n} + a = \dfrac{na+mb}{m+n}$

개념 α

▶ $\overline{AB} \,/\!/\, \overline{EF} \,/\!/\, \overline{DC}$일 때

$$\overline{EF} = \dfrac{ab}{a+b}$$

개념확인 04 다음 그림에서 $l \,/\!/\, m \,/\!/\, n$일 때, x의 값을 구하여라.

(1)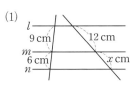

(2)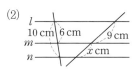

(3)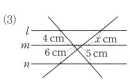

핵심유형 1 삼각형에서 평행선과 선분의 길이의 비(1) 개념 ❶

오른쪽 그림에서 $\overline{DE} /\!/ \overline{BC}$일 때, $x+y$의 값을 구하여라.

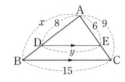

GUIDE

△ABC에서 $\overline{BC} /\!/ \overline{DE}$이면
(1) $\overline{AB} : \overline{AD} = \overline{AC} : \overline{AE} = \overline{BC} : \overline{DE}$ (2) $\overline{AD} : \overline{DB} = \overline{AE} : \overline{EC}$

1-1 오른쪽 그림에서 $\overline{PQ} /\!/ \overline{BC}$일 때, x, y의 값을 각각 구하여라.

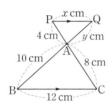

1-2 오른쪽 그림에서 $\overline{DE} /\!/ \overline{BC}$일 때, xy의 값을 구하여라.

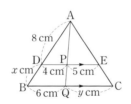

1-3 오른쪽 그림과 같은 △ABC에서 □DBFE가 마름모일 때, $\overline{DE}$의 길이를 구하여라.

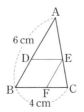

핵심유형 2 삼각형에서 평행선과 선분의 길이의 비(2) 개념 ❷

다음 중 $\overline{DE} /\!/ \overline{BC}$인 것은?

① 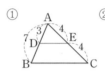 ② ③

④ ⑤

GUIDE

$\overline{AD} : \overline{DB} = \overline{AE} : \overline{EC}$가 성립하는 것을 찾는다.

2-1 오른쪽 그림에서 서로 평행한 선분을 찾아 기호로 나타내어라.

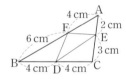

2-2 다음 그림에서 $\overline{BC} /\!/ \overline{DE}$가 되게 하는 x의 값을 구하여라.

(1) 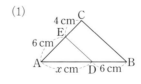 (2)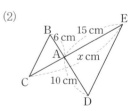

핵심유형 3 삼각형의 각의 이등분선 개념❸

오른쪽 그림과 같은 △ABC에서
$\overline{AD}$는 ∠A의 이등분선일 때,
$\overline{BC}$의 길이를 구하여라.

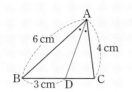

GUIDE
△ABC에서 $\overline{AD}$가 ∠A의 이등분선일 때, $\overline{AB} : \overline{AC} = \overline{BD} : \overline{CD}$가 성립한다.

3-1 오른쪽 그림과 같은 △ABC에서
$\overline{AD}$가 ∠A의 외각의 이등분선
일 때, $\overline{CD}$의 길이를 구하여라.

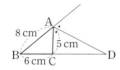

3-2 오른쪽 그림과 같은 △ABC에
서 $\overline{AD}$는 ∠A의 이등분선이다.
△ABC의 넓이가 35 cm²일 때,
△ABD의 넓이를 구하여라.

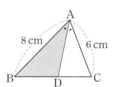

핵심유형 4 평행선 사이의 선분의 길이의 비 개념❹

다음 그림에서 $l /\!/ m /\!/ n$일 때, xy의 값을 구하여라.

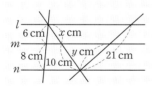

GUIDE
세 개의 평행선이 다른 두 직선과 만날 때
$a : b = c : d$

4-1 오른쪽 그림에서 $l /\!/ m /\!/ n$일
때, x의 값을 구하여라.

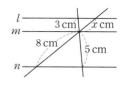

4-2 오른쪽 그림에서 $k /\!/ l /\!/ m /\!/ n$
일 때, $x+y$의 값을 구하여라.

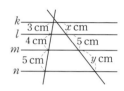

4-3 오른쪽 그림과 같이 $\overline{AD} /\!/ \overline{BC}$
인 사다리꼴 ABCD에서
$\overline{EG} /\!/ \overline{BC}$일 때, $\dfrac{x}{y}$의 값을
구하여라.

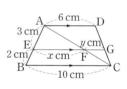

4-4 오른쪽 그림과 같이 $\overline{AD} /\!/ \overline{BC}$인
사다리꼴 ABCD에서 $\overline{EF} /\!/ \overline{BC}$일
때, $\overline{EF}$의 길이를 구하여라.

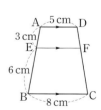

정답 및 풀이 18쪽

01 오른쪽 그림에서 $\overline{BC}\,/\!/\,\overline{DE}$일 때, $\overline{AE}$의 길이를 구하여라.

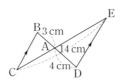

02 오른쪽 그림과 같은 △ABC 에서 $\overline{BC}\,/\!/\,\overline{DE}$일 때, $x+y$의 값을 구하여라.

잘나와요

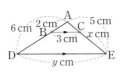

03 오른쪽 그림에서 $\overline{AB}\,/\!/\,\overline{CD}$, $\overline{BC}\,/\!/\,\overline{EF}$일 때, x, y의 값을 각각 구하여라.

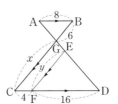

04 오른쪽 그림에서 $\overline{BC}\,/\!/\,\overline{DE}$일 때, $\overline{DP}$의 길이를 구하여라.

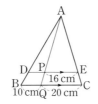

05 오른쪽 그림의 △ABC에서 $\overline{BC}\,/\!/\,\overline{DE}$, $\overline{BE}\,/\!/\,\overline{DF}$일 때, $\overline{CE}$의 길이를 구하여라.

내신 up

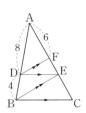

06 다음 보기 중 $\overline{BC}\,/\!/\,\overline{DE}$인 것을 모두 고른 것은?

잘나와요

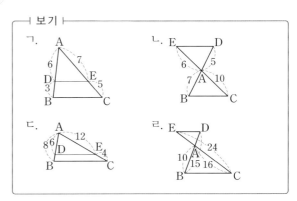

① ㄱ, ㄴ   ② ㄱ, ㄷ   ③ ㄴ, ㄷ
④ ㄴ, ㄹ   ⑤ ㄷ, ㄹ

07 오른쪽 그림에서 $\overline{DE}\,/\!/\,\overline{BC}$ 가 되도록 하는 x의 값을 구하여라.

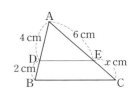

08 오른쪽 그림과 같은 △ABC에서 $\overline{AD}$가 ∠A의 이등분선일 때, $\overline{BD}$의 길이를 구하여라.

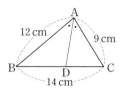

09 오른쪽 그림의 △ABC에서 $\overline{AD}$는 ∠A의 이등분선이고, ∠A의 외각의 이등분선이 $\overline{BC}$의 연장선과 만나는 점을 E라 할 때, $\overline{CE}$의 길이를 구하여라.

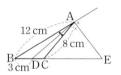

10 오른쪽 그림에서 $l /\!/ m /\!/ n$일 때, x의 값을 구하여라.

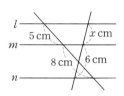

11 다음 그림에서 $l /\!/ m /\!/ n$일 때, $x+y$의 값을 구하여라.

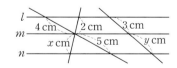

12 오른쪽 그림과 같은 □ABCD에서 $\overline{AD} /\!/ \overline{EF} /\!/ \overline{BC}$일 때, $\overline{AE}$의 길이를 구하여라.

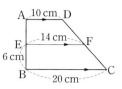

서·술·형·문·제

풀이 과정을 자세히 쓰시오.

13 오른쪽 그림에서 $\overline{AB} /\!/ \overline{EF} /\!/ \overline{DC}$이고 $\overline{AB}=10$ cm, $\overline{BC}=25$ cm, $\overline{CD}=15$ cm일 때, $\overline{EF}$의 길이를 구하여라.

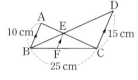

[단계] ❶ △ABE∽△CDE임을 설명하기
      ❷ $\overline{BE} : \overline{ED}$ 구하기
      ❸ $\overline{EF}$의 길이 구하기

....

....

....

답 _____

14 오른쪽 그림의 △ABC에서 ∠BAD=∠DAC, $\overline{AB} /\!/ \overline{ED}$일 때, $\overline{DE}$의 길이를 구하여라.

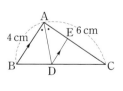

....

....

....

....

답 _____

----- 110쪽 기출문제로 내신대비 로 반복학습하세요!

08 삼각형의 무게중심

정답 및 풀이 19쪽

개념 ① 삼각형의 두 변의 중점을 연결한 선분의 성질(1)

삼각형의 두 변의 중점을 연결한 선분은 나머지 한 변과 평행하고, 그 길이는 나머지 한 변의 길이의 $\frac{1}{2}$이다.

즉, $\triangle ABC$에서 $\overline{AM}=\overline{MB}$, $\overline{AN}=\overline{NC}$이면

$$\overline{MN} /\!/ \overline{BC},\ \overline{MN}=\frac{1}{2}\overline{BC}$$

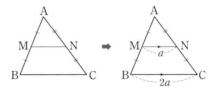

개념 α

▶ 사각형의 각 변의 중점을 연결하여 만든 사각형
(1) 사각형 ⇨ 평행사변형
(2) 평행사변형
  ⇨ 평행사변형
(3) 직사각형 ⇨ 마름모
(4) 마름모 ⇨ 직사각형
(5) 정사각형 ⇨ 정사각형
(6) 등변사다리꼴 ⇨ 마름모

개념확인 01 다음 그림과 같은 $\triangle ABC$에서 $\overline{AB}$, $\overline{AC}$의 중점을 각각 M, N이라 할 때, x의 값을 구하여라.

(1)
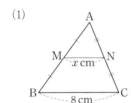

(2)
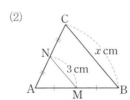

개념 ② 삼각형의 두 변의 중점을 연결한 선분의 성질(2)

삼각형의 한 변의 중점을 지나고, 다른 한 변에 평행한 직선은 나머지 한 변의 중점을 지난다.

즉, $\triangle ABC$에서 $\overline{AM}=\overline{MB}$, $\overline{MN} /\!/ \overline{BC}$이면 $\overline{AN}=\overline{NC}$

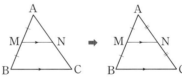

개념 α

▶ $\overline{MN} /\!/ \overline{BC}$이므로
$\overline{AN}:\overline{NC}=\overline{AM}:\overline{MB}$
$=1:1$
∴ $\overline{AN}=\overline{NC}$

참고 사다리꼴에서 두 변의 중점을 연결한 선분의 성질
(1) $\overline{AD} /\!/ \overline{MN} /\!/ \overline{BC}$
(2) $\overline{MN}=\frac{1}{2}(\overline{AD}+\overline{BC})$
(3) $\overline{PQ}=\frac{1}{2}(\overline{BC}-\overline{AD})$ (단, $\overline{BC}>\overline{AD}$)

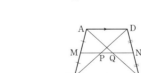

개념확인 02 오른쪽 그림과 같은 $\triangle ABC$에서 점 D는 $\overline{AB}$의 중점이고, $\overline{DE} /\!/ \overline{BC}$일 때, 다음을 구하여라.
(1) $\overline{AE}$의 길이
(2) $\overline{BC}$의 길이

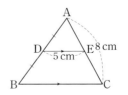

개념 ③ 　삼각형의 무게중심

(1) **중선** : 삼각형의 한 꼭짓점과 그 대변의 중점을 이은 선분

(2) **무게중심** : 삼각형의 세 중선의 교점

(3) **무게중심의 성질** : 삼각형의 무게중심은 세 중선의 길이를 각 꼭짓
점으로부터 $2 : 1$로 나눈다.

즉, 삼각형의 무게중심을 G라 하면
$$\overline{AG} : \overline{GD} = \overline{BG} : \overline{GE} = \overline{CG} : \overline{GF} = 2 : 1$$

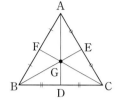

개념 α

▶ 중선의 성질
삼각형의 중선은 그 삼각
형의 넓이를 이등분한다.
⇨ $\overline{AD}$가 △ABC의 중선
이므로
△ABD=△ACD

▶ 정삼각형의 내심, 외심, 무
게중심은 모두 일치한다.

[개념확인] 03 다음 그림에서 점 G가 △ABC의 무게중심일 때, x, y의 값을 각각 구하여라.

(1)
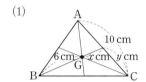

(2)
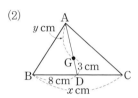

개념 ④ 　삼각형의 무게중심과 넓이

삼각형의 세 중선에 의하여 삼각형의 넓이는 6등분된다.
즉, 삼각형 ABC의 무게중심을 G라 하면

(1) △AEG＝△BEG＝△BDG＝△CDG＝△AFG＝△CFG
$$=\frac{1}{6}\triangle ABC$$

(2) △ABG＝△BCG＝△ACG＝$\frac{1}{3}$△ABC

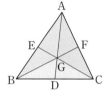

개념 α

▶ 삼각형의 무게중심과 넓이

(1) △ADE＝$\frac{1}{2}$△ABE
$$=\frac{1}{4}\triangle ABC$$

(2) △DBG＝$\frac{2}{3}$△DBE
$$=\frac{1}{6}\triangle ABC$$

[개념확인] 04 다음 그림에서 점 G가 △ABC의 무게중심이고 △ABC의 넓이가 48 cm²일 때, 색칠
한 부분의 넓이를 구하여라.

(1)
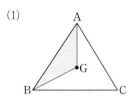

(2)
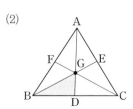

핵심유형 1 삼각형의 두 변의 중점을 연결한 선분의 성질(1) 개념 ❶

오른쪽 그림과 같은 △ABC에서 세 점 D, E, F가 각각 $\overline{AB}$, $\overline{BC}$, $\overline{CA}$의 중점일 때, △DEF의 둘레의 길이를 구하여라.

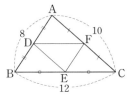

GUIDE

△ABC에서 $\overline{AD}=\overline{DB}$, $\overline{AF}=\overline{FC}$이면 $\overline{DF} /\!/ \overline{BC}$, $\overline{DF}=\dfrac{1}{2}\overline{BC}$

1-1 오른쪽 그림과 같은 △ABC에서 두 점 D, E가 각각 $\overline{AB}$, $\overline{AC}$의 중점일 때, $x+y$의 값을 구하여라.

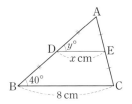

1-2 오른쪽 그림의 △ABC, △DBC에서 점 M, N, P, Q는 각각 $\overline{AB}$, $\overline{AC}$, $\overline{DB}$, $\overline{DC}$의 중점이다. $\overline{MN}=6$ cm일 때, $\overline{PQ}$의 길이를 구하여라.

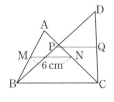

1-3 오른쪽 그림과 같은 □ABCD에서 각 변의 중점이 P, Q, R, S이고 $\overline{AC}=8$ cm, $\overline{BD}=10$ cm일 때, □PQRS의 둘레의 길이를 구하여라.

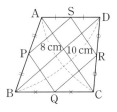

핵심유형 2 삼각형의 두 변의 중점을 연결한 선분의 성질(2) 개념 ❷

오른쪽 그림과 같은 $\overline{AD} /\!/ \overline{BC}$인 사다리꼴 ABCD에서 점 M, N이 각각 $\overline{AB}$, $\overline{CD}$의 중점일 때, $x+y$의 값을 구하여라.

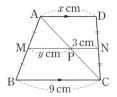

GUIDE

△ABC에서 $\overline{AM}=\overline{MB}$, $\overline{MP} /\!/ \overline{BC}$이면 $\overline{AP}=\overline{PC}$

2-1 오른쪽 그림과 같은 △ABC에서 점 E는 $\overline{BC}$의 중점이고, $\overline{DE} /\!/ \overline{AC}$일 때, △BED의 둘레의 길이를 구하여라.

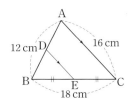

2-2 오른쪽 그림과 같은 △ABC에서 점 M은 $\overline{BC}$의 중점이고, 점 N은 $\overline{AM}$의 중점이다. $\overline{DC} /\!/ \overline{EM}$일 때, $\overline{NC}$의 길이를 구하여라.

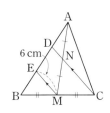

2-3 오른쪽 그림과 같은 △ABC, △EBD에서 $\overline{AE}=\overline{EB}$, $\overline{EF}=\overline{FD}$이다. 점 E에서 $\overline{BC}$에 평행한 직선을 그어 $\overline{AC}$와의 교점을 G라 할 때, 다음을 구하여라.

(1) $\overline{EG}$의 길이
(2) $\overline{CD}$의 길이

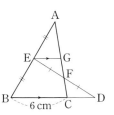

오른쪽 그림에서 두 점 G, G'은 각각 △ABC, △GBC의 무게중심이다. $\overline{AD}=12$ cm일 때, $\overline{GG'}$의 길이를 구하여라.

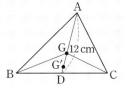

GUIDE
삼각형의 무게중심은 중선을 꼭짓점으로부터 2 : 1로 나눈다.

3-1 오른쪽 그림에서 점 G는 △ABC의 무게중심이고, $\overline{BC} \parallel \overline{EF}$일 때, x, y의 값을 각각 구하여라.

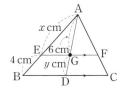

3-2 오른쪽 그림에서 점 G가 직각삼각형 ABC의 무게중심일 때, $\overline{AG}$의 길이를 구하여라.

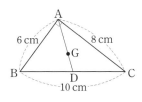

3-3 오른쪽 그림과 같은 평행사변형 ABCD에서 점 M은 $\overline{BC}$의 중점이고, $\overline{BD}=24$ cm일 때, $\overline{PO}$의 길이를 구하여라.

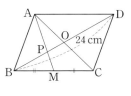

오른쪽 그림에서 점 G는 △ABC의 무게중심이고, △ABC=60 cm²일 때, □AFGE의 넓이를 구하여라.

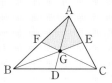

GUIDE
삼각형의 세 중선에 의하여 삼각형의 넓이는 6등분된다.

4-1 오른쪽 그림에서 점 G는 △ABC의 무게중심이고, 점 M, N은 각각 $\overline{GB}$와 $\overline{GC}$의 중점이다. △ABC=36 cm²일 때, 색칠한 부분의 넓이를 구하여라.

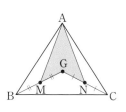

4-2 오른쪽 그림에서 점 G, G'은 각각 △ABC, △GBC의 무게중심이다. △GBG'의 넓이가 6 cm²일 때, △ABC의 넓이를 구하여라.

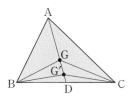

4-3 오른쪽 그림의 평행사변형 ABCD에서 $\overline{BC}$, $\overline{CD}$의 중점을 각각 E, F라 하자. □ABCD=48 cm²일 때, △ABP의 넓이를 구하여라.

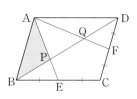

01 오른쪽 그림과 같은 △ABC에서 두 점 M, N이 각각 $\overline{AB}$, $\overline{AC}$의 중점일 때, $\overline{MP}$의 길이를 구하여라.

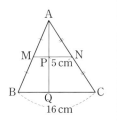

02 오른쪽 그림과 같은 △ABC에서 세 점 D, E, F는 각각 $\overline{AB}$, $\overline{BC}$, $\overline{CA}$의 중점이다. △DEF의 둘레의 길이가 15 cm일 때, △ABC의 둘레의 길이를 구하여라.

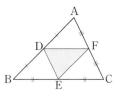

03 오른쪽 그림에서 $\overline{AD}\,//\,\overline{MN}\,//\,\overline{BC}$이고 점 M, N은 각각 $\overline{DB}$, $\overline{AC}$의 중점일 때, $\overline{MN}$의 길이를 구하여라.

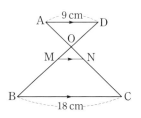

04 오른쪽 그림과 같은 직사각형 ABCD에서 $\overline{AC}=10$ cm일 때, 네 변의 중점을 연결하여 만든 □EFGH의 둘레의 길이를 구하여라.

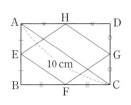

05 오른쪽 그림과 같은 △ABC, △EBD에서 $\overline{AE}=\overline{EB}$, $\overline{EG}=\overline{GD}$이고 $\overline{BD}=36$ cm일 때, $\overline{CD}$의 길이를 구하여라.

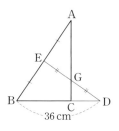

06 오른쪽 그림에서 △ABC의 무게중심을 G, $\overline{AD}$의 중점을 M이라 하자. △ABC$=60$ cm^{2}일 때, △MBG의 넓이를 구하여라.

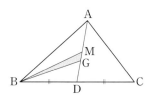

07 오른쪽 그림에서 $\overline{AD}$는 △ABC의 중선, 점 G는 △ABC의 무게중심이고 $\overline{EF}\,//\,\overline{BC}$이다. $x+y$의 값을 구하여라.

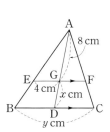

08 오른쪽 그림에서 점 G가 △ABC의 무게중심이고, 점 E가 $\overline{DC}$의 중점이다. $\overline{EF}=6$ cm일 때, $\overline{AG}$의 길이를 구하여라.

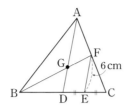

09 오른쪽 그림에서 점 G가 △ABC의 무게중심이고, 점 H는 $\overline{AD}$와 $\overline{FE}$의 교점이다. $\overline{GH}=3$ cm일 때, $\overline{AD}$의 길이를 구하여라.

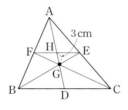

10 오른쪽 그림과 같이 $\overline{AB}=\overline{AC}$ 인 이등변삼각형 ABC에서 $\overline{BC}$의 중점을 D, △ABD, △ADC의 무게중심을 각각 G, G′이라 하자. $\overline{BC}=12$ cm일 때, $\overline{GG'}$의 길이를 구하여라.

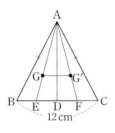

내신 up
11 오른쪽 그림의 평행사변형 ABCD에서 점 M, N은 각각 $\overline{BC}$, $\overline{CD}$의 중점이다. $\overline{PQ}=3$ cm일 때, $\overline{MN}$의 길이를 구하여라.

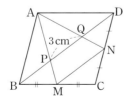

12 오른쪽 그림에서 점 G는 △ABC의 무게중심이고, 점 E는 $\overline{GC}$의 중점이다. △ABC$=120$ cm^{2}일 때, △EDC의 넓이를 구하여라.

서·술·형·문·제 풀이 과정을 자세히 쓰시오.

13 오른쪽 그림과 같이 $\overline{AD}/\!/\overline{BC}$ 인 사다리꼴 ABCD에서 두 점 E, F가 각각 $\overline{AB}$, $\overline{CD}$의 중점일 때, $\overline{PQ}$의 길이를 구하여라.

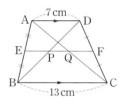

[단계] ❶ $\overline{EQ}$의 길이 구하기
　　　 ❷ $\overline{EP}$의 길이 구하기
　　　 ❸ $\overline{PQ}$의 길이 구하기

....
....
....
....

답 _____

14 오른쪽 그림과 같은 평행사변형 ABCD에서 점 M, N은 각각 $\overline{BC}$, $\overline{CD}$의 중점이다. □ABCD$=60$ cm^{2}일 때, 색칠한 부분의 넓이를 구하여라.

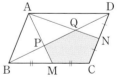

....
....
....
....

답 _____

----------- 112쪽 기출문제로 내신대비 로 반복학습하세요!

09 닮은 도형의 넓이와 부피

정답 및 풀이 22쪽

개념 ① 닮은 두 평면도형의 넓이의 비

두 평면도형의 닮음비가 $m : n$일 때
(1) 둘레의 길이의 비 ⇨ $m : n$
(2) 넓이의 비 ⇨ $m^2 : n^2$

예 오른쪽 그림과 같이 한 변의 길이가 $1\,cm$인 정사각형 A를
이어 붙여 정사각형 B를 만들었을 때, A와 B의 닮음비는
$1 : 2$이므로
① 둘레의 길이의 비 ⇨ $(1 \times 4) : (2 \times 4) = 1 : 2$
② 넓이의 비 ⇨ $1^2 : 2^2 = 1 : 4$

개념 α
▶ 닮은 두 평면도형에서 둘레의 길이의 비는 닮음비와 같다.

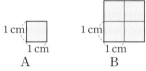
A   B

개념확인 01 오른쪽 그림에서 □ABCD∽□EFGH일 때, 다음을 구하여라.
(1) □ABCD와 □EFGH의 닮음비
(2) □ABCD와 □EFGH의 둘레의 길이의 비
(3) □ABCD와 □EFGH의 넓이의 비

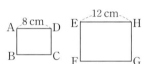

개념 ② 닮은 두 입체도형의 부피의 비

두 입체도형의 닮음비가 $m : n$일 때
(1) 겉넓이의 비 ⇨ $m^2 : n^2$
(2) 부피의 비 ⇨ $m^3 : n^3$

예 오른쪽 그림과 같이 한 모서리의 길이가 $1\,cm$인 정육면체 A를 쌓아 정육면체 B를 만들었을 때, A와 B의 닮음비는 $1 : 2$이므로
① 겉넓이의 비 ⇨ $(6 \times 1 \times 1) : (6 \times 2 \times 2) = 1 : 4$
② 부피의 비 ⇨ $1^3 : 2^3 = 1 : 8$

개념 α
▶ 닮은 두 입체도형의 닮음비가 $m : n$일 때
(1) 옆넓이의 비는 $m^2 : n^2$
(2) 밑넓이의 비는 $m^2 : n^2$

A   B

개념확인 02 오른쪽 그림과 같이 닮은 두 삼각기둥 A와 B의 닮음비가 $2 : 3$일 때, 다음 물음에 답하여라.
(1) 삼각기둥 A의 겉넓이가 $24\,cm^2$일 때, 삼각기둥 B의 겉넓이를 구하여라.
(2) 삼각기둥 B의 부피가 $108\,cm^3$일 때, 삼각기둥 A의 부피를 구하여라.

A   B

개념확인 **03** 오른쪽 그림에서 두 구 O, O′의 반지름의 길이가
각각 2 cm, 6 cm일 때, 다음을 구하여라.

(1) 두 구 O와 O′의 닮음비

(2) 두 구 O와 O′의 겉넓이의 비

(3) 두 구 O와 O′의 부피의 비

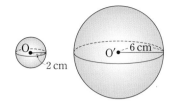

개념 ③ **축도와 축척**

(1) **축도** : 도형을 일정한 비율로 줄인 그림

(2) **축척** : 축도에서 실제 도형을 일정하게 줄인 비율

① (축척)$=\dfrac{(축도에서의\ 길이)}{(실제\ 길이)}$

② (축도에서의 길이)$=$(실제 길이)$\times$(축척)

③ (실제 길이)$=\dfrac{(축도에서의\ 길이)}{(축척)}$

개념 α

▶ 지도에서 축척이 $\dfrac{1}{1000}$이
라는 것은 실제 길이를
$\dfrac{1}{1000}$로 축소했다는 것이
므로 지도에서의 길이와
실제 길이의 비가
1 : 1000임을 나타낸다.

개념확인 **04** 축척이 $\dfrac{1}{5000}$인 지도에 대하여 다음 물음에 답하여라.

(1) 지도에서 두 지점 사이의 길이가 2 cm일 때, 실제 거리는 몇 m인지 구하여라.

(2) 두 지점 사이의 실제 거리가 500 m일 때, 지도에서의 길이는 몇 cm인지 구하여라.

개념확인 **05** 같은 시각에 길이가 1 m인 막대기와 나무의 그
림자를 재어 보았더니 각각 1.5 m, 4.5 m이었
다. 두 그림자의 끝이 일치하였을 때, 나무의 높
이를 구하여라.

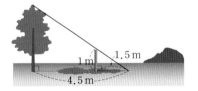

개념확인 **06** 오른쪽 그림의 △CDE는 강의 양쪽에 있는 두 지점 A, B
사이의 거리를 구하기 위해 △CBA를 축소하여 그린 것이
다. 두 지점 A, B 사이의 실제 거리를 구하여라.

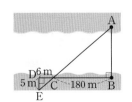

핵심유형 1 닮은 두 평면도형의 넓이의 비   개념 ❶

오른쪽 그림과 같은 △ABC에서 $\overline{DE} \parallel \overline{AB}$이고 △CDE의 넓이가 36 cm²일 때, □ABED의 넓이를 구하여라.

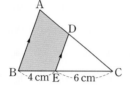

GUIDE

닮은 두 평면도형의 닮음비가 $m:n$일 때, 이 두 평면도형의 넓이의 비는 $m^2:n^2$이다.

1-1 다음 그림에서 △ABC와 △DEF는 닮은 도형이다. △ABC의 넓이가 48 cm²일 때, △DEF의 넓이는?

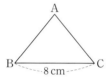

① 16 cm²   ② 27 cm²   ③ 32 cm²

④ 48 cm²   ⑤ 54 cm²

1-2 오른쪽 그림과 같이 $\overline{AD} \parallel \overline{BC}$인 사다리꼴 ABCD에서 △AOD=36 cm²일 때, △OBC의 넓이를 구하여라.

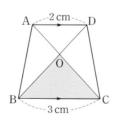

핵심유형 2 닮은 두 입체도형의 부피의 비   개념 ❷

오른쪽 그림에서 두 원기둥 A와 B가 닮은 도형이고, 원기둥 A의 겉넓이가 20π cm²일 때, 원기둥 B의 겉넓이를 구하여라.

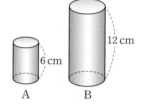

GUIDE

두 닮은 입체도형의 닮음비가 $m:n$일 때, 이 두 입체도형의 겉넓이의 비는 $m^2:n^2$이다.

2-1 다음 그림과 같은 닮은 두 직육면체 P, Q의 겉넓이의 비가 4 : 9이고, 직육면체 P의 부피가 64 cm³일 때, 직육면체 Q의 부피를 구하여라.

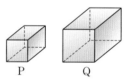

2-2 오른쪽 그림과 같은 원뿔 모양의 그릇에 전체 높이의 $\frac{3}{4}$만큼 물을 넣었다. 그릇의 부피를 192 cm³라 할 때, 물의 부피를 구하여라.

2-3 오른쪽 그림과 같이 원뿔의 밑면에 평행한 평면으로 원뿔의 높이가 3등분되게 자를 때, 생기는 세 입체도형을 각각 A, B, C라 하자. 세 입체도형의 부피의 비를 구하여라.

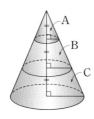

2-4 지름이 10 cm인 구 모양의 큰 쇠공을 녹여서 지름이 2 cm인 작은 쇠공을 만들려고 한다. 작은 쇠공을 몇 개나 만들 수 있는지 구하여라.

핵심유형 3 축도와 축척 개념❸

실제 거리가 3 km인 두 지점 사이의 거리가 어떤 지도에서 6 cm이었다. 두 지점 사이의 실제 거리가 10 km일 때, 지도에서 두 지점 사이의 길이는?

① 10 cm ② 15 cm ③ 20 cm
④ 30 cm ⑤ 40 cm

GUIDE

$(축척) = \dfrac{(지도에서의 거리)}{(실제 거리)}$ 이므로

$(지도에서의 거리) = (실제 거리) \times (축척)$임을 이용한다.

3-1 실제 거리가 25 km인 두 지점 사이의 거리를 5 cm로 축소하여 지도를 그렸다. 이 지도에서 넓이가 5 cm²인 땅의 실제 넓이를 구하여라. (단, 단위는 km²이다.)

3-2 축척이 $\dfrac{1}{100000}$인 지도에서 길이가 15 cm인 두 지점 사이의 거리를 시속 5 km로 가는 데 걸리는 시간을 구하여라.

3-3 강의 폭을 구하기 위하여 오른쪽 그림과 같이 축척이 $\dfrac{1}{2000}$인 축도를 그렸다. $\overline{BC} /\!/ \overline{DE}$일 때, 강의 폭인 $\overline{AB}$의 실제 거리를 구하여라. (단, 단위는 m이다.)

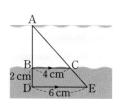

3-4 동현이는 건물의 높이를 알아보기 위하여 건물에서 13.5 m 떨어진 지점에 거울을 놓고 거울에 건물의 꼭대기가 보일 때 멈춰 섰다. 동현이의 눈높이가 1.6 m이고 거울과 동현이 사이의 거리가 1.5 m일 때, 건물의 높이를 구하여라. (단, ∠ACB=∠DCE)

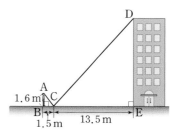

01 오른쪽 그림과 같은 △ABC 에서 두 점 M, N은 각각 $\overline{AB}$, $\overline{AC}$의 중점이다. △ABC의 넓이가 36 cm²일 때, △AMN의 넓이를 구하여라.

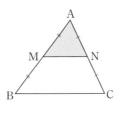

02 잘나와요 오른쪽 그림과 같은 △ABC 에서 ∠AED=∠B이고 △ABC=63 cm²일 때, △ADE의 넓이를 구하여라.

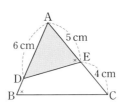

03 오른쪽 그림과 같이 중심이 일치 하는 세 개의 동심원이 있다. 세 원의 반지름의 길이의 비가 1 : 2 : 3이고, 가장 큰 원의 넓이 가 54π cm²일 때, 색칠한 부분의 넓이를 구하여라.

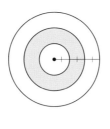

04 가로, 세로의 길이가 각각 2.5 m, 1.5 m인 카페트의 가격이 4만 원이라 할 때, 가로, 세로의 길이가 각각 5 m, 3 m인 같은 종류의 카페트의 가격은 얼마로 정 하면 되는가? (단, 카페트의 가격은 카페트의 넓이에 정 비례한다고 하자.)

① 8만 원 ② 12만 원 ③ 16만 원
④ 20만 원 ⑤ 24만 원

05 오른쪽 그림과 같이 서로 닮은 두 삼각뿔 의 닮음비가 2 : 3이 고 그중 작은 삼각뿔 의 부피가 120 cm³일 때, 큰 삼각뿔의 부피를 구하여 라.

06 오른쪽 그림과 같이 서로 닮음 인 두 원기둥 A와 B가 있다. 두 원기둥의 부피가 각각 64π cm³, 216π cm³일 때, 두 원기둥 A, B의 겉넓이의 비를 구하여라.

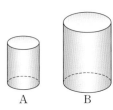

07 잘나와요 오른쪽 그림과 같이 원뿔 모양의 그릇에 높이의 $\frac{1}{2}$까지 물을 넣었 더니 채워진 물의 부피가 40 mL 가 되었다. 이때 이 그릇에 물을 가득 채우려면 몇 mL의 물을 더 부어야 하는지 구하여라.

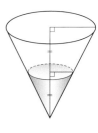

08 어느 아이스크림 가게에서는 다음 그림과 같이 닮은 두 종류의 용기에 아이스크림을 가득 담아서 판매한다. 작은 용기에 담은 아이스크림의 가격이 3200원이라면 큰 용기에 담은 아이스크림의 가격은 얼마인지 구하여라.
(단, 아이스크림의 가격은 부피에 정비례한다.)

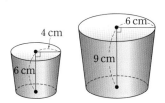

09 실제 거리가 2 km인 두 지점 사이의 거리가 어떤 지도에서 8 cm라고 한다. 이 지도에서 집에서 도서관까지의 길이가 10 cm일 때, 집에서 도서관까지의 실제 거리를 구하여라. (단, 단위는 km이다.)

10 다음 그림과 같이 눈높이가 1.7 m인 학생이 어떤 빌딩의 끝 A를 올려다본 각의 크기가 30°이었다. △ABC를 $\frac{1}{300}$로 축소하여 △DEF를 그렸을 때, 빌딩의 높이를 구하여라.

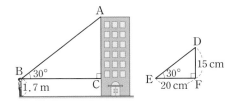

내신 up
11 오른쪽 그림과 같이 전신주의 그림자 일부가 담벽에 생겼다. 같은 시각에 길이가 1 m인 나무 막대의 그림자의 길이가 75 cm이고, $\overline{BC}=5.28$ m, $\overline{CD}=0.16$ m일 때, 전신주의 높이를 구하여라.

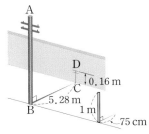

서·술·형·문·제　　　　풀이 과정을 자세히 쓰시오.

12 오른쪽 그림과 같이 $\overline{AD}\,/\!/\,\overline{BC}$인 사다리꼴 ABCD에서 △AOD의 넓이가 12 cm²일 때, △DBC의 넓이를 구하여라.

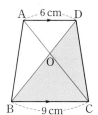

[단계]　❶ △AOD와 △COB의 넓이의 비 구하기
　　　　❷ △COB의 넓이 구하기
　　　　❸ △DOC의 넓이 구하기
　　　　❹ △DBC의 넓이 구하기

답 _____

13 정육면체 모양의 크기가 같은 2개의 상자 A, B 안에 아래 그림과 같이 각 면에 접하도록 구슬을 가득 채웠다. 큰 구슬의 부피가 64 cm³일 때, 상자 B 안에 있는 구슬 전체의 부피를 구하여라. (단, 작은 구슬은 모두 같은 크기이다.)

A　　　　B

답 _____

──────── 114쪽 기출문제로 내신대비 로 반복학습하세요!

10 피타고라스 정리

정답 및 풀이 25쪽

개념 ① 피타고라스 정리

삼각형 ABC의 세 변의 길이를 각각 a, b, c라 할 때, $\angle C = 90°$이면 $a^2 + b^2 = c^2$이 성립한다.
즉, 직각삼각형에서 빗변의 길이의 제곱은 나머지 두 변의 길이의 제곱의 합과 같다.

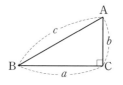

개념 α

▶ 피타고라스 정리는 직각삼각형에서만 적용할 수 있다. 이때 a, b, c는 변의 길이이므로 모두 양수이다.

개념확인 01 다음 그림의 직각삼각형에서 x의 값을 구하여라.

(1)
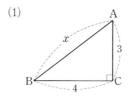

(2)
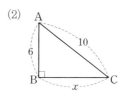

(3)
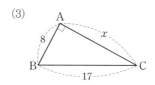

개념 ② 피타고라스 정리의 설명(1) – 유클리드의 방법

오른쪽 그림과 같이 직각삼각형 ABC에서 빗변 AB를 한 변으로 하는 정사각형 AFGB의 넓이는 나머지 두 변 BC, CA를 각각 한 변으로 하는 두 정사각형 BHIC, ACDE의 넓이의 합과 같다.

$\Rightarrow$ □AFGB $=$ □BHIC $+$ □ACDE이므로
$$\overline{AB}^2 = \overline{BC}^2 + \overline{CA}^2$$

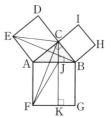

개념 α

▶ ① △ACE $=$ △ABE
　　　 $=$ △AFC
　　　 $=$ △AFJ
② □ACDE $=$ □AFKJ
③ □BHIC $=$ □JKGB

개념확인 02 오른쪽 그림은 직각삼각형 ABC의 각 변을 한 변으로 하는 세 정사각형을 그린 것이다. □ACDE $=16\,\mathrm{cm}^2$, □BHIC $=9\,\mathrm{cm}^2$일 때, 다음을 구하여라.

(1) □AFGB의 넓이

(2) $\overline{AB}$의 길이

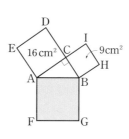

피타고라스 정리의 설명(2) – 피타고라스의 방법

오른쪽 그림에서 도형 (가), (나)는 모두 한 변의 길이가 $a+b$인 정사각형이므로 그 넓이가 서로 같다.

(1) 도형 (가), (나)의 삼각형들은 모두 직각을 낀 두 변의 길이가 각각 a, b이고 빗변의 길이가 c인 직각삼각형이므로 그 넓이가 모두 같다.

(2) □DHIG, □BFIE, □NOPQ는 한 변의 길이가 각각 a, b, c인 정사각형이다.

(3) □DHIG+□BFIE=□NOPQ이므로 $a^2+b^2=c^2$

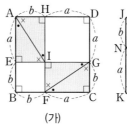 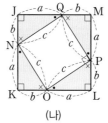

(가)　　　　(나)

개념 α

▶ □NOPQ는 정사각형
(i) $\overline{NO}=\overline{OP}=\overline{PQ}$
　　$=\overline{QN}=c$
(ii) $\angle NOP=\angle OPQ$
　　$=\angle PQN=\angle QNO$
　　$=180°-(\bullet+\times)$
　　$=180°-90°=90°$

[개념확인] 03 오른쪽 그림의 정사각형 ABCD에서
$$\overline{AE}=\overline{BF}=\overline{CG}=\overline{DH}=8\text{ cm},$$
$$\overline{AH}=\overline{BE}=\overline{CF}=\overline{DG}=6\text{ cm}$$
일 때, 다음을 구하여라.

(1) $\overline{EH}$의 길이

(2) □EFGH의 넓이

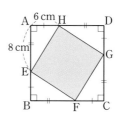

직각삼각형이 될 조건

삼각형 ABC의 세 변의 길이를 각각 a, b, c라 할 때, $a^2+b^2=c^2$이면 이 삼각형은 빗변의 길이가 c인 **직각삼각형**이다.

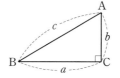

개념 α

▶ $a^2+b^2=c^2$을 만족시키는 세 자연수 a, b, c를 피타고라스 수라 한다.
$(3, 4, 5)$, $(6, 8, 10)$, $(5, 12, 13)$, $(8, 15, 17)$, …

[개념확인] 04 삼각형의 세 변의 길이가 다음 보기와 같을 때, 직각삼각형인 것을 모두 골라라.

┌─ 보기 ├─────────────────────────────

ㄱ. 2 cm, 3 cm, 4 cm　　　　ㄴ. 9 cm, 12 cm, 15 cm

ㄷ. 5 cm, 12 cm, 13 cm　　　　ㄹ. 4 cm, 5 cm, 7 cm

핵심유형 1 피타고라스 정리 개념❶

오른쪽 그림과 같은 △ABC에서
$\overline{AD} \perp \overline{BC}$이고, $\overline{AC}=13$,
$\overline{BC}=21$, $\overline{AD}=12$일 때, $\overline{AB}$의
길이는?

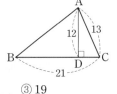

① 17　　② 18　　③ 19

④ 20　　⑤ 21

> **GUIDE**
> 직각삼각형에서 빗변의 길이의 제곱은 나머지 두 변의 길이의 제곱의 합과 같다.

1-1 오른쪽 그림과 같이 가로,
세로의 길이가 각각 16 cm,
12 cm인 직사각형 ABCD
에서 대각선 AC의 길이를
구하여라.

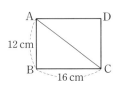

1-2 오른쪽 그림과 같이 ∠B=90°
인 직각삼각형 ABC에서
$\overline{AD}=10$, $\overline{BD}=6$, $\overline{DC}=9$일
때, $\overline{AC}$의 길이를 구하여라.

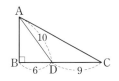

1-3 오른쪽 그림과 같은
□ABCD에서
∠C=∠D=90°,
$\overline{AD}=5$ cm, $\overline{CD}=4$ cm,
$\overline{BC}=8$ cm일 때, $\overline{AB}$의 길이는?

① 5 cm　　② 6 cm　　③ 7 cm

④ 8 cm　　⑤ 9 cm

핵심유형 2 피타고라스 정리의 설명(1) 개념❷

오른쪽 그림과 같이 ∠A=90°인
직각삼각형 ABC의 각 변을 한 변
으로 하는 세 정사각형을 그렸다.
다음 중 넓이가 나머지 넷과 다른
하나는?

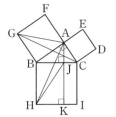

① △AFG　　② △GBC

③ △ABH　　④ △BHJ

⑤ △AHJ

> **GUIDE**
> 합동이거나 밑변의 길이와 높이가 각각 같은 두 삼각형의 넓이는 같다.

2-1 오른쪽 그림과 같이 ∠C=90°인
직각삼각형 ABC의 각 변을 한
변으로 하는 세 정사각형을 그렸
다. □ACHI=80 cm²,
□ADEB=144 cm²일 때,
□BFGC의 넓이는?

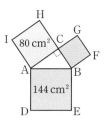

① 56 cm²　　② 64 cm²　　③ 72 cm²

④ 84 cm²　　⑤ 96 cm²

2-2 오른쪽 그림에서 □BDEC는 정
사각형이고 $\overline{AB}=6$ cm,
$\overline{BD}=10$ cm일 때, □PQEC의
넓이는?

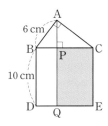

① 36 cm²　　② 48 cm²

③ 54 cm²　　④ 64 cm²

⑤ 72 cm²

오른쪽 그림의 □ABCD는 한 변의 길이가 10 cm인 정사각형이고, $\overline{AP}=\overline{BQ}=\overline{CR}=\overline{DS}=4$ cm 일 때, □PQRS의 넓이는?

① 42 cm² ② 45 cm² ③ 48 cm²

④ 50 cm² ⑤ 52 cm²

GUIDE
△APS≡△BQP≡△CRQ≡△DSR(SAS 합동)이므로
□PQRS는 정사각형이다.

3-1 오른쪽 그림과 같은 정사각형 ABCD에서 $\overline{AE}=\overline{BF}=\overline{CG}=\overline{DH}=8$ cm 이고 □EFGH의 넓이가 289 cm² 일 때, □ABCD의 넓이는?

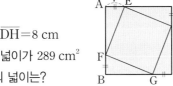

① 400 cm² ② 441 cm² ③ 484 cm²

④ 529 cm² ⑤ 576 cm²

3-2 오른쪽 그림에서 두 직각삼각형 ABE와 CDB는 서로 합동이고, 세 점 A, B, C는 일직선 위에 있다. $\overline{AE}=\overline{BC}=5$ cm, $\overline{AB}=\overline{CD}=12$ cm일 때, 삼각형 BDE의 넓이를 구하여라.

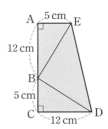

세 변의 길이가 각각 3 cm, x cm, 5 cm인 삼각형이 직각삼각형이 되도록 하는 x에 대하여 x^2의 값을 모두 구하여라.

GUIDE
삼각형의 세 변의 길이가 a, b, c이고, 가장 긴 변의 길이가 c일 때, $a^2+b^2=c^2$이면 직각삼각형이 된다.

4-1 세 변의 길이가 각각 다음과 같은 삼각형 중 직각삼각형인 것을 모두 고르면? (정답 2개)

① 6, 7, 9 ② 5, 12, 13 ③ 4, 5, 8

④ 3, 4, 5 ⑤ 5, 7, 9

4-2 세 변의 길이가 각각 3, 4, x인 직각삼각형과 y, 15, 17인 직각삼각형이 있다. 자연수 x, y에 대하여 $x+y$의 값을 구하여라. (단, $x>4$, $y<15$)

4-3 세 변의 길이가 각각 8, 15, x인 삼각형이 직각삼각형이 되도록 하는 자연수 x의 값을 구하여라.

01 오른쪽 그림과 같이 ∠B=90°인 직각삼각형 ABC에서 $\overline{AB}$=20 cm, $\overline{CA}$=29 cm일 때, △ABC의 넓이는?

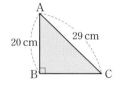

① 200 cm²   ② 205 cm²   ③ 210 cm²

④ 215 cm²   ⑤ 220 cm²

02 오른쪽 좌표평면 위의 두 점 O(0, 0), A(4, 3) 사이의 거리를 구하여라.

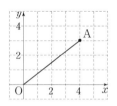

03 오른쪽 그림과 같이 지면에 수직으로 서 있던 높이 25 m의 나무가 태풍에 부러졌을 때, x의 값은?

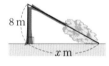

① 10   ② 12   ③ 15

④ 18   ⑤ 21

04 ★ 잘나와요 오른쪽 그림과 같이 ∠C=90°인 직각삼각형에서 $\overline{AC}$=12 cm, $\overline{BD}$=7 cm, $\overline{CD}$=9 cm일 때, $x+y$의 값은?

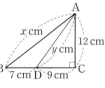

① 32   ② 33   ③ 34

④ 35   ⑤ 36

05 오른쪽 그림과 같은 □ABCD에서 ∠A=∠C=90°이고, $\overline{AB}$=15 cm, $\overline{BC}$=7 cm, $\overline{AD}$=20 cm일 때, $\overline{CD}$의 길이는?

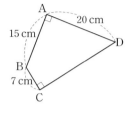

① 15 cm   ② 18 cm   ③ 20 cm

④ 22 cm   ⑤ 24 cm

06 오른쪽 그림과 같은 등변사다리꼴 ABCD에서 $\overline{AB}$=5 cm, $\overline{BC}$=9 cm, $\overline{DA}$=3 cm일 때 □ABCD의 넓이를 구하여라.

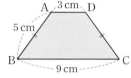

07 오른쪽 그림에서 □ABCD는 정사각형이고 4개의 직각삼각형은 모두 합동이다. $\overline{AB}$=5 cm, $\overline{CF}$=3 cm일 때, □EFGH의 넓이를 구하여라.

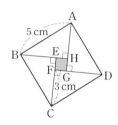

08 오른쪽 그림과 같이 가로, 세로의 길이가 각각 12 cm, 5 cm인 직사각형 ABCD가 있다. 꼭짓점 A에서 대각선 BD에 내린 수선의 발을 H라 할 때, $\overline{AH}$의 길이를 구하여라.

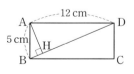

09 오른쪽 그림은 직각삼각형 ABC의 각 변을 한 변으로 하는 세 정사각형을 그린 것이다. $\overline{AC}=9$ cm, $\overline{BC}=15$ cm일 때, △FML의 넓이는?

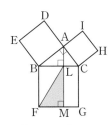

① 36 cm² ② 45 cm² ③ 56 cm²

④ 64 cm² ⑤ 72 cm²

10 오른쪽 그림과 같이 $\overline{AB}=6$ cm, $\overline{AD}=10$ cm인 직사각형 모양의 종이를 점 D가 $\overline{BC}$ 위에 오도록 접었을 때, $\overline{EC}$의 길이를 구하여라.

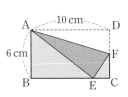

11 오른쪽 그림과 같이 한 변의 길이가 18 cm인 정사각형 ABCD에서 점 B가 $\overline{AD}$ 위에 오도록 접었을 때, $\overline{AE}=8$ cm이었다. 이때 $\overline{B'G}$의 길이는?

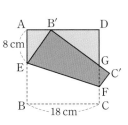

① 12 cm ② 13 cm ③ 14 cm

④ 15 cm ⑤ 16 cm

12 세 변의 길이가 각각 5, 7, x인 삼각형이 직각삼각형이 되도록 하는 x에 대하여 x^2의 값을 모두 구하여라.

서·술·형·문·제 풀이 과정을 자세히 쓰시오.

13 오른쪽 그림에서 $\overline{AB}=\overline{BC}=\overline{CD}=\overline{DE}=2$일 때, $\overline{AE}$의 길이를 구하여라.

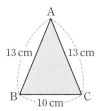

[단계] ❶ $\overline{AC}^2$의 값 구하기
❷ $\overline{AD}^2$의 값 구하기
❸ $\overline{AE}$의 길이 구하기

답 _____

14 오른쪽 그림과 같이 $\overline{AB}=\overline{BC}=13$ cm이고, $\overline{BC}=10$ cm인 이등변삼각형 ABC의 넓이를 구하여라.

답 _____

120쪽 기출문제로 내신대비 로 반복학습하세요!

11 피타고라스 정리와 도형

Ⅵ. 도형의 닮음

정답 및 풀이 27쪽

개념 ① 삼각형의 각의 크기에 대한 변의 길이

$\triangle$ABC에서 $\overline{AB}=c$, $\overline{BC}=a$, $\overline{CA}=b$일 때,

(1) $\angle C < 90°$이면 $c^2 < a^2 + b^2$

(2) $\angle C = 90°$이면 $c^2 = a^2 + b^2$ → 피타고라스 정리

(3) $\angle C > 90°$이면 $c^2 > a^2 + b^2$

개념 α

▶ 삼각형의 한 변의 길이는 나머지 두 변의 길이의 차보다 크고, 합보다 작다.

개념확인 01 오른쪽 그림과 같은 $\triangle$ABC에서 $\overline{AB}=5$ cm, $\overline{AC}=3$ cm 이다. 다음 중 $\angle C > 90°$가 되기 위한 자연수 a의 값은?

① 3　　　　② 4　　　　③ 5

④ 6　　　　⑤ 7

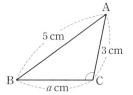

개념 ② 삼각형의 변의 길이에 대한 각의 크기

$\triangle$ABC에서 $\overline{AB}=c$, $\overline{BC}=a$, $\overline{CA}=b$이고, c가 가장 긴 변의 길이일 때,

(1) $c^2 < a^2 + b^2$이면 $\angle C < 90°$ (예각삼각형)

(2) $c^2 = a^2 + b^2$이면 $\angle C = 90°$ (직각삼각형)

(3) $c^2 > a^2 + b^2$이면 $\angle C > 90°$ (둔각삼각형)

예 세 변의 길이가 각각 4, 5, 6인 삼각형은 $6^2 < 4^2 + 5^2$이므로 예각삼각형이다.

개념 α

▶ 변의 길이에 따른 삼각형의 분류
가장 긴 변의 길이의 제곱(c^2)과 나머지 두 변의 길이의 제곱의 합($a^2 + b^2$)의 크기를 비교한다.

개념확인 02 세 변의 길이가 각각 다음과 같은 삼각형은 어떤 삼각형인지 말하여라.

(1) 5, 6, 7　　　　　　　　　(2) 5, 7, 9

(3) 9, 12, 15　　　　　　　　(4) 6, 7, 8

개념확인 03 세 변의 길이가 각각 8, 15, x인 삼각형이 다음과 같은 삼각형이 되도록 하는 자연수 x의 값을 구하여라. (단, x는 가장 긴 변의 길이이다.)

(1) 예각삼각형　　　　　　　(2) 둔각삼각형

개념 ③ 직각삼각형의 닮음을 이용한 성질

$\triangle ABC$에서 $\angle A = 90°$, $\overline{AD} \perp \overline{BC}$일 때,

(1) 피타고라스 정리 $\Rightarrow a^2 = b^2 + c^2$

(2) 직각삼각형의 닮음 $\Rightarrow c^2 = ax$, $b^2 = ay$, $h^2 = xy$

(3) 직각삼각형의 넓이 $\Rightarrow ah = bc$

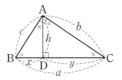

개념 α

▶ 직각삼각형의 닮음
$\triangle ABC \backsim \triangle DBA$에서
$c : x = a : c \Rightarrow c^2 = ax$
$\triangle ABC \backsim \triangle DAC$에서
$b : y = a : b \Rightarrow b^2 = ay$
$\triangle ABD \backsim \triangle CAD$에서
$x : h = h : y \Rightarrow h^2 = xy$

개념확인 04 오른쪽 그림과 같이 $\angle A = 90°$인 직각삼각형 ABC에서 $\overline{AD} \perp \overline{BC}$일 때, $\overline{BD}$의 길이를 구하여라.

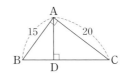

개념 ④ 여러 가지 도형에의 활용

(1) **피타고라스 정리를 이용한 직각삼각형의 성질**

$\angle A = 90°$인 직각삼각형 ABC에서 점 D, E가 각각 $\overline{AB}$, $\overline{AC}$ 위에 있을 때 $\overline{BE}^2 + \overline{CD}^2 = \overline{DE}^2 + \overline{BC}^2$

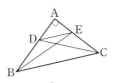

(2) **두 대각선이 직교하는 사각형의 성질**

$\square ABCD$에서 두 대각선이 직교할 때, $\overline{AB}^2 + \overline{CD}^2 = \overline{AD}^2 + \overline{BC}^2$ ← 두 대변의 길이의 제곱의 합은 서로 같다.

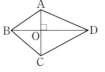

(3) **피타고라스 정리를 이용한 직사각형의 성질**

직사각형 ABCD의 내부에 있는 임의의 점 P에 대하여 $\overline{AP}^2 + \overline{CP}^2 = \overline{BP}^2 + \overline{DP}^2$

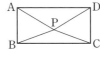

(4) **직각삼각형에서 세 반원 사이의 관계**

$\angle A = 90°$인 직각삼각형 ABC의 각 변을 지름으로 하는 세 반원의 넓이를 각각 S_1, S_2, S_3라 할 때, $S_1 + S_2 = S_3$

(5) **히포크라테스의 원의 넓이**

직각삼각형 ABC의 각 변을 지름으로 하는 세 반원에서 (색칠한 부분의 넓이) $= \triangle ABC = \dfrac{1}{2}bc$

개념 α

▶ (4)에서 $\overline{AB} = c$, $\overline{CA} = b$, $\overline{BC} = a$라 하면 $c^2 + b^2 = a^2$이므로
$S_1 + S_2$
$= \dfrac{1}{2}\pi \times \left(\dfrac{c}{2}\right)^2 + \dfrac{1}{2}\pi \times \left(\dfrac{b}{2}\right)^2$
$= \dfrac{1}{8}\pi(c^2 + b^2) = \dfrac{1}{8}\pi a^2$
$= S_3$

▶ (5)에서 $\overline{AB}$, $\overline{AC}$, $\overline{BC}$를 지름으로 하는 반원의 넓이를 각각 S_1, S_2, S_3라 하면
(색칠한 부분의 넓이)
$= S_1 + S_2 + \triangle ABC - S_3$
$= S_3 + \triangle ABC - S_3$
$= \triangle ABC = \dfrac{1}{2}bc$

개념확인 05 다음 그림에서 x의 값을 구하여라.

(1)

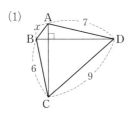

(2)

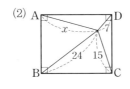

(3)

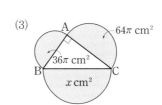

핵심유형 1 삼각형의 변의 길이에 대한 각의 크기 개념②

오른쪽 그림의 △ABC가 예각삼각형일 때, 다음 중 x의 값이 될 수 있는 수를 모두 고르면?
(단, $\overline{BC}$는 가장 긴 변이다.)

(정답 2개)

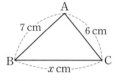

① 8　　　　② 9　　　　③ 10

④ 11　　　　⑤ 12

> **GUIDE**
> △ABC에서 $\overline{AB}=c$, $\overline{BC}=a$, $\overline{CA}=b$이고 c가 가장 긴 변의 길이일 때,
> $c^2<a^2+b^2$이면 $\angle C<90°$(예각삼각형)
> $c^2=a^2+b^2$이면 $\angle C=90°$(직각삼각형)
> $c^2>a^2+b^2$이면 $\angle C>90°$(둔각삼각형)

1-1 세 변의 길이가 5, 7, x인 둔각삼각형을 그리려고 한다. 다음 중 x의 값이 될 수 <u>없는</u> 수를 모두 고르면?
(단, x는 가장 긴 변의 길이이다.) (정답 2개)

① 8　　　　② 9　　　　③ 10

④ 11　　　　⑤ 12

1-2 다음 중 세 변의 길이에 대한 삼각형의 종류가 바르게 연결되지 <u>않은</u> 것은?

① 2 cm, 3 cm, 4 cm − 둔각삼각형

② 3 cm, 3 cm, 4 cm − 예각삼각형

③ 4 cm, 5 cm, 6 cm − 둔각삼각형

④ 6 cm, 8 cm, 10 cm − 직각삼각형

⑤ 12 cm, 13 cm, 17 cm − 예각삼각형

1-3 △ABC의 세 변의 길이가 $\overline{AB}=4$ cm, $\overline{BC}=5$ cm, $\overline{CA}=7$ cm일 때, △ABC는 어떤 삼각형인가?

① 예각삼각형

② $\angle A>90°$인 둔각삼각형

③ $\angle B>90°$인 둔각삼각형

④ $\angle C=90°$인 직각삼각형

⑤ $\angle C>90°$인 둔각삼각형

핵심유형 2 직각삼각형에의 활용 개념③

오른쪽 그림과 같이 $\angle A=90°$인 직각삼각형 ABC에서 $\overline{AH}\perp\overline{BC}$, $\overline{AH}=12$ cm, $\overline{AC}=20$ cm일 때, $x+y$의 값은?

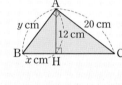

① 23　　　　② 24　　　　③ 25

④ 26　　　　⑤ 27

> **GUIDE**
> $\overline{AB}^2=\overline{BH}\times\overline{BC}$, $\overline{AC}^2=\overline{CH}\times\overline{BC}$, $\overline{AH}^2=\overline{BH}\times\overline{CH}$

2-1 오른쪽 그림과 같이 $\angle A=90°$인 직각삼각형 ABC에서 $\overline{AD}\perp\overline{BC}$, $\overline{AB}=12$ cm, $\overline{AC}=5$ cm일 때, $\overline{AD}$의 길이는?

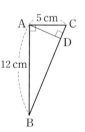

① 3 cm　　　② $\dfrac{50}{13}$ cm

③ 4 cm　　　④ $\dfrac{60}{13}$ cm

⑤ 5 cm

2-2 오른쪽 그림과 같이 ∠B=90°인 직각삼각형 ABC에서 $\overline{BD} \perp \overline{AC}$이고, $\overline{BC}=20$ cm, $\overline{CA}=25$ cm일 때, $x+y+z$의 값은?

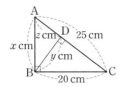

① 28   ② 32   ③ 36

④ 40   ⑤ 45

핵심유형 3   여러 가지 도형에의 활용   개념 ❹

오른쪽 그림의 □ABCD에서 $\overline{AC} \perp \overline{BD}$, $\overline{AB}=10$ cm, $\overline{BC}=2$ cm, $\overline{CD}=5$ cm일 때, $\overline{AD}$의 길이는?

① 9 cm   ② 10 cm

③ 11 cm   ④ 12 cm

⑤ 13 cm

GUIDE
사각형의 두 대각선이 직교할 때, 두 대변의 길이의 제곱의 합은 서로 같다.

3-1 오른쪽 그림과 같이 ∠A=90°인 직각삼각형 ABC에서 $\overline{BC}=9$ cm, $\overline{BE}=6$ cm, $\overline{CD}=8$ cm일 때, $\overline{DE}^2$의 값은?

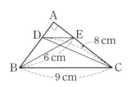

① 16   ② 17   ③ 18

④ 19   ⑤ 20

3-2 오른쪽 그림과 같이 직사각형 ABCD의 내부에 한 점 P가 있다. $\overline{AP}=9$ cm, $\overline{BP}=6$ cm, $\overline{CP}=2$ cm일 때, $\overline{PD}$의 길이를 구하여라.

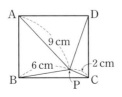

3-3 오른쪽 그림과 같이 ∠B=90°인 직각삼각형 ABC에서 $\overline{AB}$, $\overline{BC}$를 지름으로 하는 반원의 넓이가 각각 4π cm², 3π cm²일 때, $\overline{AC}$를 지름으로 하는 반원의 넓이는?

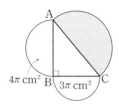

① 5π cm²   ② 6π cm²   ③ 7π cm²

④ 8π cm²   ⑤ 9π cm²

3-4 오른쪽 그림과 같이 ∠A=90°인 직각삼각형 ABC의 각 변을 지름으로 하는 세 반원을 그렸다. $\overline{AB}=8$ cm, $\overline{BC}=10$ cm일 때, 색칠한 부분의 넓이는?

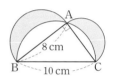

① 16 cm²   ② 18 cm²   ③ 20 cm²

④ 24 cm²   ⑤ 30 cm²

3-5 오른쪽 그림과 같이 ∠A=90°인 직각삼각형 ABC에서 $\overline{AB}$를 지름으로 하는 반원의 넓이가 50π cm², $\overline{AC}$를 지름으로 하는 반원의 넓이가 32π cm²일 때, 색칠한 부분의 넓이는?

① 40 cm²   ② 80 cm²   ③ 160 cm²

④ 240 cm²   ⑤ 320 cm²

01 길이가 각각 다음과 같은 6개의 선분 중에서 3개를 골라 삼각형을 만들 때, 예각삼각형인 것은?

$a=5$	$b=8$	$c=9$
$d=12$	$e=15$	$f=17$

① a, c, d ② a, d, e ③ b, c, e
④ b, e, f ⑤ d, e, f

02 잘나와요 오른쪽 그림의 △ABC에서 ∠C > 90°일 때, 다음 중 x의 값이 될 수 <u>없는</u> 수는?

① 11   ② 12
③ 13   ④ 14
⑤ 15

03 △ABC에서 ∠A, ∠B, ∠C의 대변의 길이를 각각 a, b, c라고 할 때, 다음 중 옳지 <u>않은</u> 것은?

① $a^2+b^2=c^2$이면 ∠A < 90°이다.
② $a^2>b^2+c^2$이면 ∠B < 90°이다.
③ $a^2=b^2+c^2$이면 ∠A = 90°인 직각삼각형이다.
④ $a^2<b^2+c^2$이면 ∠A가 예각인 예각삼각형이다.
⑤ $a^2>b^2+c^2$이면 ∠A가 둔각인 둔각삼각형이다.

04 오른쪽 그림과 같이 ∠A = 90°인 직각삼각형 ABC에서 $\overline{AD} \perp \overline{BC}$, $\overline{AC}=4$ cm, $\overline{BC}=5$ cm일 때, $\overline{AD}$의 길이는?

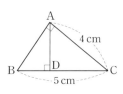

① $\dfrac{8}{5}$ cm   ② 2 cm   ③ $\dfrac{12}{5}$ cm
④ 3 cm   ⑤ $\dfrac{24}{5}$ cm

05 오른쪽 그림과 같이 ∠A = 90°인 직각삼각형 ABC에서 $\overline{AD} \perp \overline{BC}$, $\overline{AB}=8$, $\overline{AC}=6$일 때, $x+y$의 값은?

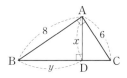

① 9   ② 10   ③ 11
④ $\dfrac{56}{5}$ ⑤ $\dfrac{85}{7}$

06 오른쪽 그림과 같이 ∠A = 90°인 직각삼각형 ABC에서 $\overline{BE}^2+\overline{CD}^2=\overline{DE}^2+\overline{BC}^2$임을 설명하는 과정이다. 다음 중 (가)~(마)에 들어갈 식으로 옳지 <u>않은</u> 것은?

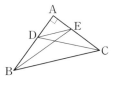

△ABE에서 ∠A = 90°이므로 $\overline{BE}^2=$ ▢ (가) …… ㉠
△ADC에서 ∠A = 90°이므로 $\overline{CD}^2=$ ▢ (나) …… ㉡
㉠+㉡을 하면
$$\overline{BE}^2+\overline{CD}^2=(\overline{AB}^2+\overline{AE}^2)+(\ ▢\ (다)\ )$$
$$=(\overline{AB}^2+\overline{AC}^2)+(\ ▢\ (라)\ )=\ ▢\ (마)$$

① (가) $\overline{AB}^2+\overline{AE}^2$ ② (나) $\overline{AC}^2+\overline{AD}^2$
③ (다) $\overline{AC}^2+\overline{AD}^2$ ④ (라) $\overline{AD}^2+\overline{DE}^2$
⑤ (마) $\overline{BC}^2+\overline{DE}^2$

07 오른쪽 그림과 같이 $\angle A = 90°$인 직각삼각형 ABC에서 $\overline{BC}=8$이고 점 D, E는 각각 $\overline{AB}$, $\overline{AC}$의 중점이다. 이때 $\overline{BE}^2 + \overline{CD}^2$의 값은?

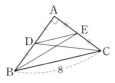

① 72   ② 80   ③ 96

④ 100   ⑤ 112

08 오른쪽 그림과 같이 $\angle C = 90°$인 직각삼각형 ABC에서 $\overline{AB} \perp \overline{CD}$, $\overline{AD} : \overline{BD} = 4 : 1$, $\overline{CD}=6$일 때, $\overline{AD}$의 길이는?

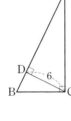

① 8   ② 10

③ 12   ④ 14

⑤ 16

 잘나와요

09 오른쪽 그림의 □ABCD에서 $\overline{AC} \perp \overline{BD}$, $\overline{AB}=5$ cm, $\overline{CD}=11$ cm, $\overline{AO}=4$ cm, $\overline{OD}=9$ cm일 때, $\overline{BC}$의 길이는?

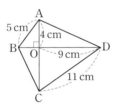

① 6 cm   ② 7 cm   ③ 8 cm

④ 9 cm   ⑤ 10 cm

 내신 up

10 오른쪽 그림의 □ABCD에서 $\overline{AC} \perp \overline{BD}$, $\overline{AB}=6$, $\overline{AD}=5$일 때, $\overline{BC}^2 - \overline{CD}^2$의 값은?

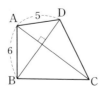

① 11   ② 12

③ 13   ④ 14

⑤ 15

11 오른쪽 그림과 같이 $\angle A = 90°$인 직각삼각형 ABC에서 각 변을 지름으로 하는 세 반원의 넓이를 각각 P, Q, R라 할 때, $P + Q + R$의 값은?

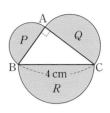

① 2π cm^2 ② 3π cm^2 ③ 4π cm^2

④ 5π cm^2 ⑤ 6π cm^2

서·술·형·문·제   풀이 과정을 자세히 쓰시오.

12 오른쪽 그림과 같이 가로의 길이가 4 cm, 세로의 길이가 3 cm인 직사각형 ABCD의 두 꼭짓점 B, D에서 대각선 AC에 내린 수선의 발을 각각 E, F라 할 때, □BFDE의 넓이를 구하여라.

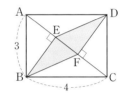

[단계] ❶ $\overline{AC}$, $\overline{BE}$의 길이 구하기

❷ $\overline{AE}$, $\overline{EF}$의 길이 구하기

❸ □BFDE의 넓이 구하기

....

....

....

답 _____

13 오른쪽 그림과 같이 $\angle A = 90°$인 직각삼각형 ABC의 각 변을 지름으로 하는 세 반원이 있다. $\overline{AB}=12$ cm이고, 색칠한 부분의 넓이가 96 cm^{2}일 때, $\overline{BC}$의 길이를 구하여라.

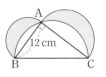

....

....

....

답 _____

----- 122쪽 기출문제로 내신대비 로 반복학습하세요!

12 경우의 수

Ⅶ. 확률

정답 및 풀이 30쪽

개념 ① 사건과 경우의 수

(1) **사건** : 동일한 조건에서 반복할 수 있는 실험이나 관찰에 의하여 일어나는 결과

　　예 동전을 던질 때, '앞면이 나온다.', '뒷면이 나온다.'

(2) **경우의 수** : 어떤 사건이 일어나는 모든 가짓수

　　예 한 개의 주사위를 던질 때

　　　3의 배수의 눈이 나오는 경우는 3, 6이므로

　　　3의 배수의 눈이 나오는 경우의 수는 2이다.

　　참고 경우의 수를 구할 때에는 모든 경우의 수를 빠짐없이, 중복되지 않게 구한다.

개념 α

▶ 사건과 경우의 수

실험	주사위를 던진다.
사건	홀수의 눈이 나온다.
경우	⚀ ⚂ ⚄
경우의 수	3

개념확인 01 한 개의 주사위를 던질 때, 다음 사건이 일어나는 경우의 수를 구하여라.

(1) 짝수의 눈이 나온다.　　　　　(2) 3 미만의 눈이 나온다.

(3) 4 이상의 눈이 나온다.　　　　(4) 6의 약수의 눈이 나온다.

개념 ② 경우의 수의 계산

(1) **사건 A 또는 사건 B가 일어나는 경우의 수 (합의 법칙)**

　두 사건 A와 B가 동시에 일어나지 않을 때,

　사건 A가 일어나는 경우의 수가 m, 사건 B가 일어나는 경우의 수가 n이면

　　　　(사건 A 또는 사건 B가 일어나는 경우의 수)$=m+n$

(2) **두 사건 A, B가 동시에 일어나는 경우의 수 (곱의 법칙)**

　사건 A가 일어나는 경우의 수가 m, 그 각각의 경우에 대하여 사건 B가 일어나는 경우의 수가 n이면

　　　　(두 사건 A, B가 동시에 일어나는 경우의 수)$=m\times n$

개념 α

▶ 합의 법칙
두 사건이 동시에 일어나지 않으며 '또는', '~이거나'라는 말이 있으면 합의 법칙을 이용한다.

▶ 곱의 법칙
'동시에', '그리고', '~와', '~하고 나서'라는 말이 있으면 곱의 법칙을 이용한다.

개념확인 02 오른쪽 표는 서울에서 대전까지 가는 교통편을 조사하여 나타낸 것이다. 고속버스나 기차로 서울에서 대전까지 가는 경우의 수를 구하여라.

고속버스	기차
일반	KTX
우등	새마을호
	무궁화호

개념확인 03 초록색, 보라색, 분홍색, 빨간색의 티셔츠 4종류와 흰색, 갈색, 검정색의 바지 3종류가 있을 때, 티셔츠와 바지를 하나씩 짝지어 입을 수 있는 경우의 수를 구하여라.

---

(1) 동전과 주사위를 동시에 던질 때의 경우의 수

m개의 동전과 n개의 주사위를 동시에 던질 때, 일어나는 모든 경우의 수는 $2^m \times 6^n$

(2) 한 줄로 세우는 경우의 수

① n명을 한 줄로 세우는 경우의 수 : $n \times (n-1) \times (n-2) \times \cdots \times 2 \times 1$

② n명 중에서 2명을 뽑아 한 줄로 세우는 경우의 수 : $n \times (n-1)$

③ 한 줄로 세울 때 이웃하여 세우는 경우의 수

(이웃하는 것을 하나로 묶어 구한 경우의 수) × (묶음 안에서 자리를 바꾸는 경우의 수)

개념 α

▶ n개의 주사위를 동시에 던질 때 일어나는 모든 경우의 수는 6^n이다.

▶ n명 중에서 r명을 뽑아 한 줄로 세우는 경우의 수 : $n \times (n-1) \times (n-2) \times \cdots \times (n-r+1)$ (단, $n \geq r$)

개념확인 04 다음을 구하여라.

(1) 동전 2개와 주사위 1개를 동시에 던질 때, 일어날 수 있는 모든 경우의 수

(2) A, B, C 세 명이 한 줄로 서는 경우의 수

(3) A, B, C, D 네 명이 한 줄로 설 때, A, B가 서로 이웃하여 서는 경우의 수

(1) 0이 포함되어 있지 않은 서로 다른 숫자가 적힌 n장의 카드 중에서

① 2장을 뽑아 만들 수 있는 두 자리의 정수 : $n \times (n-1)$(개)

② 3장을 뽑아 만들 수 있는 세 자리의 정수 : $n \times (n-1) \times (n-2)$(개)

(2) 0을 포함한 서로 다른 숫자가 적힌 n장의 카드 중에서

① 2장을 뽑아 만들 수 있는 두 자리의 정수 : $(n-1) \times (n-1)$(개)

② 3장을 뽑아 만들 수 있는 세 자리의 정수 : $(n-1) \times (n-1) \times (n-2)$(개)

(3) 대표 뽑기

① n명 중에서 자격이 다른 2명을 뽑는 경우의 수 : $n \times (n-1)$

② n명 중에서 자격이 같은 2명을 뽑는 경우의 수 : $\dfrac{n \times (n-1)}{2}$

개념 α

▶ n장의 카드에 0이 포함된 경우 맨 앞자리에는 0이 올 수 없다.

▶ 0을 포함한 서로 다른 숫자가 적힌 n장의 카드에서 2장을 뽑아 만들 수 있는 두 자리의 정수 ⇨

$\underset{\substack{\uparrow \\ 0 \text{ 제외}}}{(n-1)} \times \underset{\substack{\uparrow \\ \text{십의 자리에} \\ \text{사용한 숫자 제외}}}{(n-1)}$ (개)

개념확인 05 다음을 구하여라.

(1) 1, 2, 3, 4의 숫자가 각각 적힌 4장의 카드에서 2장을 뽑아 만들 수 있는 두 자리의 정수의 개수

(2) 0, 1, 2, 3의 숫자가 각각 적힌 4장의 카드에서 2장을 뽑아 만들 수 있는 두 자리의 정수의 개수

개념확인 06 A, B, C, D 4명 중에서 다음과 같이 2명을 뽑는 경우의 수를 구하여라.

(1) 회장 1명, 부회장 1명   (2) 대표 2명

정답 및 풀이 31쪽

핵심유형 1 사건과 경우의 수 개념 ❶

현수는 슈퍼마켓에서 1600원짜리 아이스크림 1개를 사려고 한다. 50원, 100원, 500원짜리 동전이 각각 5개씩 있을 때, 아이스크림 1개의 값을 지불하는 경우의 수는?

① 2 　　　　② 3 　　　　③ 4

④ 5 　　　　⑤ 6

GUIDE
경우의 수를 구할 때에는 순서대로 중복되지 않고, 빠짐없이 구한다.

1-1 한 개의 주사위를 던질 때, 다음 중 옳지 않은 것은?

사건	경우의 수
① 홀수의 눈이 나온다.	3
② 소수의 눈이 나온다.	3
③ 3 미만의 눈이 나온다.	2
④ 4 이상의 눈이 나온다.	2
⑤ 2의 배수의 눈이 나온다.	3

1-2 1에서 12까지의 수가 각각 적힌 12장의 카드에서 임의로 한 장을 뽑을 때, 소수가 적힌 카드를 뽑는 경우의 수는?

① 3 　　　　② 4 　　　　③ 5

④ 6 　　　　⑤ 7

1-3 50원짜리, 100원짜리 동전이 각각 7개씩 있다. 이 동전을 사용하여 700원짜리 음료수 1개의 값을 지불하는 경우의 수는?

① 3 　　　　② 4 　　　　③ 5

④ 6 　　　　⑤ 7

핵심유형 2 경우의 수의 계산 개념 ❷

서로 다른 두 개의 주사위를 동시에 던질 때, 나오는 눈의 수의 합이 3 또는 10인 경우의 수는?

① 5 　　　　② 6 　　　　③ 7

④ 8 　　　　⑤ 9

GUIDE
두 사건이 동시에 일어나지 않으며 '또는', '～이거나'라는 말이 있으면 합의 법칙을 이용한다.

2-1 어느 극장에서 한국영화 3편과 외국영화 4편이 상영되고 있다. 이 극장에서 영화 한 편을 보려고 할 때, 영화를 선택할 수 있는 경우의 수는?

① 7 　　　　② 10 　　　　③ 12

④ 15 　　　　⑤ 20

2-2 어느 가구점에 4종류의 책상과 3종류의 의자가 있다. 책상과 의자를 한 종류씩 묶어 세트로 판매할 때, 가능한 세트의 경우의 수는?

① 7 　　　　② 10 　　　　③ 12

④ 15 　　　　⑤ 20

2-3 3개의 자음 ㄱ, ㄴ, ㄷ과 4개의 모음 ㅏ, ㅑ, ㅓ, ㅕ가 있을 때, 자음 1개와 모음 1개를 짝 지어 만들 수 있는 글자는 모두 몇 개인가?

① 6개 　　　　② 7개 　　　　③ 8개

④ 10개 　　　　⑤ 12개

부모님과 자녀 3명이 한 줄로 서서 기념사진을 촬영할 때, 부모님끼리 이웃하여 서는 경우의 수는?

① 24   ② 36   ③ 48

④ 60   ⑤ 120

GUIDE
한 줄로 설 때, 이웃하여 서는 경우의 수는 (이웃하는 것을 하나로 묶어 한 줄로 서는 경우의 수)×(묶음 안에서 자리를 바꾸는 경우의 수)이다.

3-1 동전 1개와 주사위 2개를 동시에 던질 때, 일어날 수 있는 모든 경우의 수는?

① 12   ② 20   ③ 24

④ 36   ⑤ 72

3-2 체육대회에서 이어달리기의 학급 대표로 출전한 민준, 동호, 예원, 한솔 네 명이 달리는 순서를 정하는 모든 경우의 수는?

① 16   ② 24   ③ 30

④ 36   ⑤ 48

3-3 오른쪽 그림과 같은 사각형을 세 부분으로 나누어 서로 다른 색을 칠하려고 한다. 빨강, 파랑, 노랑의 3가지 색을 한 번씩 사용하여 칠하는 경우의 수는?

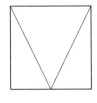

① 3   ② 4   ③ 5

④ 6   ⑤ 7

0, 1, 2, 3, 4의 숫자가 각각 적힌 5장의 카드에서 3장을 뽑아 만들 수 있는 세 자리의 정수의 개수는?

① 16개   ② 24개   ③ 36개

④ 48개   ⑤ 60개

GUIDE
0을 포함한 서로 다른 숫자가 적힌 n장의 카드에서 3장을 뽑아 만들 수 있는 세 자리의 정수는 $(n-1) \times (n-1) \times (n-2)$(개)이다.

4-1 1, 2, 3, 4, 5의 숫자가 각각 적힌 5장의 카드 중에서 2장을 뽑아 만들 수 있는 두 자리의 정수의 개수는?

① 20개   ② 25개   ③ 30개

④ 32개   ⑤ 36개

4-2 0, 1, 2, 3, 4의 숫자가 각각 적힌 5장의 카드에서 2장을 뽑아 두 자리의 정수를 만들 때, 32 이상인 수는 몇 개인가?

① 4개   ② 5개   ③ 6개

④ 7개   ⑤ 8개

4-3 민우네 가족은 설악산, 울릉도, 경주, 남해, 제주도의 5개 지역 중에서 2곳을 골라 가족여행을 하려고 한다. 가족여행지 2곳을 고르는 경우의 수는?

① 5   ② 10   ③ 12

④ 16   ⑤ 20

01 1에서 12까지의 수가 각각 적힌 12장의 카드에서 임의로 한 장을 뽑을 때, 3의 배수가 적힌 카드를 뽑는 경우의 수는?

① 3   ② 4   ③ 5
④ 6   ⑤ 7

02 한 개의 주사위를 두 번 던져서 처음에 나온 눈의 수를 x, 나중에 나온 눈의 수를 y라 할 때, $2x+y=12$가 되는 경우의 수는?

① 2   ② 3   ③ 4
④ 5   ⑤ 6

03 10원, 50원, 100원짜리 동전이 각각 5개씩 있다. 이 동전을 사용하여 600원짜리 음료수 1개의 값을 지불하는 경우의 수는?

① 3   ② 4   ③ 5
④ 6   ⑤ 7

04 서울역에서 광화문까지 가는데 버스로 가는 방법은 4가지, 지하철로 가는 방법은 3가지일 때, 버스 또는 지하철을 타고 가는 경우의 수는?

① 7   ② 9   ③ 12
④ 16   ⑤ 18

05 잘나와요 서로 다른 두 개의 주사위를 동시에 던질 때, 나온 눈의 수의 차가 4 또는 5인 경우의 수는?

① 6   ② 7   ③ 8
④ 9   ⑤ 10

06 수련회의 오전 프로그램으로 체험학습 3종류, 오후 프로그램으로 게임 5종류가 있다. 예원이가 수련회에 참가하여 오전, 오후 프로그램에서 각각 한 종류씩 선택하는 경우의 수는?

① 8   ② 10   ③ 12
④ 15   ⑤ 18

07 오른쪽 그림은 어떤 도서실의 평면도이다. 열람실에서 복도를 거쳐 휴게실로 들어가는 방법의 수는?

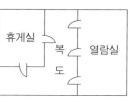

① 5   ② 6   ③ 7
④ 8   ⑤ 9

08 내신 up 오른쪽 그림과 같이 A, B, C 세 지점이 있다. A에서 B로 가는 길이 3가지, B에서 C로 가는 길이 4가지, A에서 B를 거치지 않고 C로 가는 길이 2가지일 때, A에서 C로 가는 모든 경우의 수는?

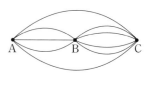

① 5   ② 9   ③ 14
④ 18   ⑤ 21

09 동전 1개와 주사위 2개를 동시에 던질 때, 동전은 앞면이 나오고 주사위는 모두 3의 배수의 눈이 나오는 경우의 수는?

① 4   ② 6   ③ 9

④ 12   ⑤ 15

10 서로 다른 소설책 4권과 시집 3권을 책꽂이에 꽂으려고 한다. 소설책은 소설책끼리, 시집은 시집끼리 이웃하게 꽂는 경우의 수는?

① 120   ② 160   ③ 180

④ 236   ⑤ 288

^{내신} *up*
11 0에서 9까지의 정수가 각각 적힌 10장의 카드에서 2장을 뽑아 두 자리의 정수를 만들 때, 5의 배수가 되는 경우의 수는?

① 17   ② 35   ③ 48

④ 64   ⑤ 81

잘나와요
12 A, B, C, D, E 다섯 명 중에서 회장 1명, 부회장 1명, 총무 1명을 뽑는 경우의 수는?

① 24   ② 36   ③ 60

④ 90   ⑤ 120

^{내신} *up*
13 남학생 4명과 여학생 3명 중에서 남학생과 여학생 대표를 각각 2명씩 뽑는 경우의 수는?

① 12   ② 18   ③ 24

④ 36   ⑤ 48

서·술·형·문·제   풀이 과정을 자세히 쓰시오.

14 A, B, C, D 네 명의 후보 가운데 회장 1명과 부회장 1명을 뽑는 경우의 수를 a, 대의원 2명을 뽑는 경우의 수를 b라 할 때, $a+b$의 값을 구하여라.

> [단계] ❶ 자격이 다른 2명을 뽑는 경우의 수 a의 값 구하기
> ❷ 자격이 같은 2명을 뽑는 경우의 수 b의 값 구하기
> ❸ $a+b$의 값 구하기

답 _____

15 0, 1, 2, 3, 4, 5가 각각 적힌 6장의 카드가 있다. 이 중에서 3장을 뽑아 만들 수 있는 세 자리의 정수 중에서 짝수의 개수를 구하여라.

답 _____

126쪽 **기출문제로 내신대비**로 반복학습하세요!

13 확률

정답 및 풀이 33쪽

개념 ① 확률의 뜻과 성질

(1) **사건 A가 일어날 확률** : 일어날 수 있는 모든 경우의 수가 n이고, 사건 A가 일어나는 경우의 수가 a이면 사건 A가 일어날 확률 p는

$$p = \frac{(\text{사건 } A\text{가 일어나는 경우의 수})}{(\text{모든 경우의 수})} = \frac{a}{n}$$

예 동전 한 개를 던질 때, 앞면이 나올 확률은 $\dfrac{(\text{앞면이 나오는 경우의 수})}{(\text{모든 경우의 수})} = \dfrac{1}{2}$ 이다.

(2) **확률의 성질**

① 어떤 사건이 일어날 확률을 p라 하면 $0 \le p \le 1$이다.

② 반드시 일어나는 사건의 확률은 1이다.

③ 절대로 일어날 수 없는 사건의 확률은 0이다.

개념 α

▶ 확률은 probability의 머리글자 p로 나타낸다.

▶ 하나의 사건이 일어날 가능성을 수(분수, 소수, 백분율 등)로 나타낸 것이 확률이다.

▶ 확률은 0 이상 1 이하의 값을 가지므로 음수나 1보다 큰 값은 없다.

[개념확인] 01 1에서 15까지의 자연수가 각각 적힌 15장의 카드가 있다. 이 중에서 임의로 한 장의 카드를 뽑을 때, 다음을 구하여라

(1) 3의 배수가 나올 확률
(2) 15의 약수가 나올 확률

[개념확인] 02 두 개의 주사위를 동시에 던질 때, 다음을 구하여라.

(1) 두 눈의 수의 합이 7일 확률
(2) 두 눈의 수의 합이 12 이하일 확률
(3) 두 눈의 수의 합이 1일 확률

개념 ② 어떤 사건이 일어나지 않을 확률

사건 A가 일어날 확률을 p라 하면

$$(\text{사건 } A\text{가 일어나지 않을 확률}) = 1 - p$$

예 어떤 사격 선수가 목표물에 명중할 확률이 $\dfrac{4}{5}$일 때,

명중하지 못할 확률은 $1 - (\text{명중할 확률}) = 1 - \dfrac{4}{5} = \dfrac{1}{5}$이다.

[참고] 사건 A가 일어날 확률을 p, 사건 A가 일어나지 않을 확률을 q라 하면
$0 \le p \le 1$, $0 \le q \le 1$, $p + q = 1$

개념 α

▶ 사건 A가 일어날 확률을 직접 계산하기 복잡할 때에는 A가 일어나지 않을 확률을 이용한다. 일반적으로 문제에 '~이 아닐', '적어도' 등의 표현이 있을 때 이용한다.

[개념확인] 03 세 개의 동전을 동시에 던질 때, 적어도 한 개는 앞면이 나올 확률은?

① $\dfrac{1}{6}$
② $\dfrac{5}{8}$
③ $\dfrac{2}{3}$

④ $\dfrac{5}{6}$
⑤ $\dfrac{7}{8}$

개념 ③   확률의 계산(1)

(1) **확률의 덧셈**

사건 A와 사건 B가 동시에 일어나지 않을 때,

사건 A가 일어날 확률을 p, 사건 B가 일어날 확률을 q라 하면

(사건 A 또는 사건 B가 일어날 확률)$=p+q$

(2) **확률의 곱셈**

사건 A와 사건 B가 서로 영향을 주지 않는 경우,

사건 A가 일어날 확률을 p, 사건 B가 일어날 확률을 q라 하면

(사건 A와 사건 B가 동시에 일어날 확률)$=p\times q$

개념 α

▶ 확률의 덧셈
두 사건이 동시에 일어나지 않으며 '또는', '~이거나'라는 말로 표현된다.

▶ 확률의 곱셈
두 사건이 서로 영향을 끼치지 않으며 '동시에', '그리고', '~와'라는 말로 표현된다.

개념확인 04 오른쪽 표는 예원이네 반 학생들의 취미를 조사하여 나타낸 것이다. 임의로 한 학생을 선택할 때, 취미가 독서 또는 영화감상일 확률을 구하여라.

취미	학생 수(명)
독서	10
축구	8
영화감상	12
합계	30

개념확인 05 한 개의 주사위를 연속해서 두 번 던질 때, 처음에는 소수의 눈, 나중에는 6의 약수의 눈이 나올 확률을 구하여라.

개념 ④   확률의 계산(2)

(1) **연속하여 뽑는 경우의 확률**

  ① 꺼낸 것을 다시 넣고 뽑는 경우의 확률 : 처음과 나중에 뽑는 조건이 같다.

  ② 꺼낸 것을 다시 넣지 않고 뽑는 경우의 확률 : 처음과 나중에 뽑는 조건이 다르다.

(2) **도형에서의 확률**

도형으로 제시된 조건을 이용하여 확률을 구할 때

$$(\text{확률})=\frac{(\text{해당하는 부분의 넓이})}{(\text{도형의 전체 넓이})}$$

개념 α

▶ 꺼낸 것을 다시 넣을 때

$\boxed{\begin{array}{c}\text{처음의}\\\text{전체 개수}\end{array}}=\boxed{\begin{array}{c}\text{나중의}\\\text{전체 개수}\end{array}}$

▶ 꺼낸 것을 다시 넣지 않을 때

$\boxed{\begin{array}{c}\text{처음의}\\\text{전체 개수}\end{array}}\neq\boxed{\begin{array}{c}\text{나중의}\\\text{전체 개수}\end{array}}$

개념확인 06 10개의 제비 중에서 당첨 제비가 4개 들어 있는 상자가 있다. 이 상자에서 A, B 두 사람이 차례로 제비를 1개씩 뽑을 때, 다음을 구하여라.

(1) A가 뽑은 제비를 다시 넣을 때, 2명 모두 당첨될 확률

(2) A가 뽑은 제비를 다시 넣지 않을 때, 2명 모두 당첨될 확률

개념확인 07 오른쪽 그림과 같이 12등분된 원판을 돌려 바늘이 가리키는 수를 읽을 때, 다음을 구하여라. (단, 바늘이 경계선에 있는 경우는 없다.)

(1) 소수가 나올 확률   (2) 4의 배수가 나올 확률

정답 및 풀이 33쪽

핵심유형 1 확률의 뜻과 성질   개념 ❶

상자 안에 귤 5개, 사과 4개, 복숭아 3개가 들어 있다. 이 상자에서 한 개의 과일을 꺼낼 때, 사과가 나올 확률은?

① $\dfrac{1}{4}$ ② $\dfrac{1}{3}$ ③ $\dfrac{1}{2}$

④ $\dfrac{2}{3}$ ⑤ $\dfrac{3}{4}$

GUIDE

(사건 A가 일어날 확률)$=\dfrac{(\text{사건 } A \text{가 일어나는 경우의 수})}{(\text{모든 경우의 수})}$

1-1 한 개의 주사위를 던질 때, 3의 배수의 눈이 나올 확률은?

① $\dfrac{1}{4}$ ② $\dfrac{1}{3}$ ③ $\dfrac{1}{2}$

④ $\dfrac{2}{3}$ ⑤ $\dfrac{3}{4}$

1-2 1, 2, 3, 4, 5의 자연수가 각각 적힌 5장의 카드에서 2장을 뽑아 두 자리의 정수를 만들 때, 소수일 확률은?

① $\dfrac{1}{6}$ ② $\dfrac{1}{4}$ ③ $\dfrac{3}{10}$

④ $\dfrac{3}{8}$ ⑤ $\dfrac{2}{5}$

1-3 다음 중 확률이 가장 작은 것은?

① 동전 한 개를 던질 때, 앞면이 나올 확률

② 한 개의 주사위를 던질 때, 6 이하의 눈이 나올 확률

③ 두 개의 주사위를 던질 때, 눈의 수의 합이 13 이상이 나올 확률

④ A, B, C 세 사람이 한 줄로 설 때, A가 맨 앞에 설 확률

⑤ 당첨 제비가 2개 있는 10개의 제비 중 1개를 뽑을 때 당첨될 확률

핵심유형 2 어떤 사건이 일어나지 않을 확률   개념 ❷

A, B, C 세 사람이 수학인증 시험에 합격할 확률은 각각 $\dfrac{2}{3}$, $\dfrac{1}{2}$, $\dfrac{3}{4}$이라 한다. A, B, C 세 사람 중 적어도 한 사람이 합격할 확률은?

① $\dfrac{1}{24}$ ② $\dfrac{1}{4}$ ③ $\dfrac{1}{3}$

④ $\dfrac{2}{3}$ ⑤ $\dfrac{23}{24}$

GUIDE

(A, B, C 세 사람 중 적어도 한 사람이 합격할 확률)
$=1-$(A, B, C 세 사람 모두 불합격할 확률)

2-1 오늘 일기예보에 비가 올 확률이 $60\ \%$라 하였다. 오늘 비가 오지 않을 확률은?

① $\dfrac{1}{6}$ ② $\dfrac{1}{5}$ ③ $\dfrac{1}{4}$

④ $\dfrac{2}{5}$ ⑤ $\dfrac{3}{4}$

2-2 사건 A가 일어날 확률을 p, 일어나지 않을 확률을 q라 할 때, 다음 중 옳지 <u>않은</u> 것은?

① $0 \le p \le 1$ ② $0 \le q \le 1$

③ $q = 1 - p$ ④ $p + q = 1$

⑤ $p \times q = 1$

2-3 ○, ×로 답을 표시하는 3개의 문제에서 임의로 답을 표시할 때, 적어도 한 문제는 맞힐 확률은?

① $\dfrac{1}{8}$ ② $\dfrac{1}{3}$ ③ $\dfrac{2}{3}$

④ $\dfrac{5}{6}$ ⑤ $\dfrac{7}{8}$

두 개의 주사위를 동시에 던질 때, 나온 눈의 수의 합이 3 또는 9일 확률은?

① $\dfrac{1}{8}$ ② $\dfrac{1}{6}$ ③ $\dfrac{1}{4}$

④ $\dfrac{3}{4}$ ⑤ $\dfrac{5}{6}$

> **GUIDE**
> (사건 A 또는 사건 B가 일어날 확률)
> =(사건 A가 일어날 확률)+(사건 B가 일어날 확률)

3-1 1에서 10까지의 자연수가 각각 적힌 10장의 카드에서 임의로 한 장의 카드를 뽑을 때, 3의 배수 또는 10의 약수가 나올 확률은?

① $\dfrac{1}{5}$ ② $\dfrac{3}{10}$ ③ $\dfrac{1}{2}$

④ $\dfrac{3}{5}$ ⑤ $\dfrac{7}{10}$

3-2 동전 한 개와 주사위 한 개를 동시에 던질 때, 동전은 앞면이 나오고 주사위는 3의 배수의 눈이 나올 확률은?

① $\dfrac{1}{3}$ ② $\dfrac{1}{4}$ ③ $\dfrac{1}{6}$

④ $\dfrac{1}{8}$ ⑤ $\dfrac{1}{10}$

3-3 일기예보에 의하면 토요일에 비가 올 확률은 20 %, 일요일에 비가 올 확률은 40 %라 한다. 이때 토요일과 일요일에 연속하여 비가 올 확률은?

① $\dfrac{1}{10}$ ② $\dfrac{2}{25}$ ③ $\dfrac{7}{100}$

④ $\dfrac{3}{50}$ ⑤ $\dfrac{4}{75}$

주머니 속에 파란 구슬 4개, 빨간 구슬 5개, 노란 구슬 3개가 들어 있다. A, B 두 사람이 차례로 구슬을 꺼낼 때, 모두 파란 구슬을 꺼낼 확률은? (단, 꺼낸 구슬은 다시 넣지 않는다.)

① $\dfrac{1}{12}$ ② $\dfrac{1}{11}$ ③ $\dfrac{2}{15}$

④ $\dfrac{1}{6}$ ⑤ $\dfrac{7}{20}$

> **GUIDE**
> 꺼낸 것을 다시 넣지 않을 때,
> (처음 뽑을 때의 전체 개수)≠(나중에 뽑을 때의 전체 개수)

4-1 필통 안에 노란색 형광펜 6개, 빨간색 형광펜 4개가 들어 있다. 이 중에서 1개를 꺼내 색을 확인한 후 다시 넣고 1개를 꺼내 색을 확인 할 때, 2개 모두 노란색 형광펜일 확률은?

① $\dfrac{1}{5}$ ② $\dfrac{4}{15}$ ③ $\dfrac{3}{10}$

④ $\dfrac{7}{20}$ ⑤ $\dfrac{9}{25}$

4-2 검은 공이 4개, 흰 공이 5개 들어 있는 주머니에서 연속해서 2개의 공을 꺼낼 때, 2개 모두 같은 색의 공일 확률은? (단, 꺼낸 공은 다시 넣지 않는다.)

① $\dfrac{2}{5}$ ② $\dfrac{4}{9}$ ③ $\dfrac{9}{20}$

④ $\dfrac{7}{15}$ ⑤ $\dfrac{7}{12}$

4-3 오른쪽 그림과 같이 16개의 정사각형으로 나누어진 과녁에 화살을 두 번 쏠 때, 두 번 모두 색칠한 부분을 맞힐 확률은? (단, 화살은 과녁을 벗어나지 않는다.)

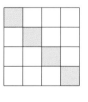

① $\dfrac{1}{4}$ ② $\dfrac{1}{6}$ ③ $\dfrac{1}{8}$

④ $\dfrac{1}{12}$ ⑤ $\dfrac{1}{16}$

정답 및 풀이 34쪽

01 서로 다른 두 개의 주사위를 동시에 던질 때, 나온 눈의 수의 차가 4일 확률은?

① $\dfrac{1}{9}$ ② $\dfrac{1}{6}$ ③ $\dfrac{1}{4}$

④ $\dfrac{3}{8}$ ⑤ $\dfrac{5}{12}$

02 흰 공 4개, 검은 공 5개, 파란 공 x개가 들어 있는 주머니에서 임의로 한 개의 공을 꺼낼 때, 파란 공일 확률이 $\dfrac{1}{4}$이다. 이때 파란 공의 개수는?

① 2개 ② 3개 ③ 4개

④ 5개 ⑤ 6개

03 다음 확률에 대한 설명 중 옳은 것은?

① 사건 A가 일어날 확률을 p라 하면 $0 < p < 1$이다.

② 사건 A가 일어날 확률을 p라 하면 사건 A가 일어나지 않을 확률은 $p-1$이다.

③ 주사위 한 개를 던질 때, 6 이하의 눈이 나올 확률은 0이다.

④ 동전 한 개를 던질 때, 앞면 또는 뒷면이 나올 확률은 1이다.

⑤ 주사위 한 개를 던질 때, 6의 눈이 나올 확률은 1의 눈이 나올 확률보다 크다.

04 내신 up / A를 포함한 6명의 후보 중에서 대표 2명을 뽑을 때, A가 뽑히지 않을 확률은?

① $\dfrac{3}{4}$ ② $\dfrac{2}{3}$ ③ $\dfrac{1}{3}$

④ $\dfrac{1}{4}$ ⑤ $\dfrac{1}{6}$

05 아이스크림 10종류 중에서 초코 맛은 3가지, 딸기 맛은 5가지, 커피 맛은 2가지이다. 임의로 한 종류의 아이스크림을 살 때, 초코 맛 또는 딸기 맛 아이스크림을 살 확률은?

① $\dfrac{1}{4}$ ② $\dfrac{3}{4}$ ③ $\dfrac{1}{5}$

④ $\dfrac{2}{5}$ ⑤ $\dfrac{4}{5}$

06 두 개의 주사위를 동시에 던질 때, 나오는 눈의 수의 합이 6의 배수일 확률은?

① $\dfrac{1}{6}$ ② $\dfrac{1}{5}$ ③ $\dfrac{1}{4}$

④ $\dfrac{4}{15}$ ⑤ $\dfrac{5}{18}$

07 잘나와요 동전 2개와 주사위 1개를 동시에 던질 때, 동전은 서로 같은 면이 나오고, 주사위는 3의 배수의 눈이 나올 확률은?

① $\dfrac{1}{3}$ ② $\dfrac{1}{4}$ ③ $\dfrac{1}{6}$

④ $\dfrac{1}{8}$ ⑤ $\dfrac{1}{10}$

08 어떤 문제를 A가 풀 확률은 $\dfrac{3}{4}$, B가 풀 확률은 $\dfrac{2}{3}$일 때, 두 사람 모두 이 문제를 풀지 못할 확률은?

① $\dfrac{2}{5}$ ② $\dfrac{3}{10}$ ③ $\dfrac{1}{4}$

④ $\dfrac{1}{8}$ ⑤ $\dfrac{1}{12}$

09 컴퓨터 활용능력 시험에서 민수가 합격할 확률은 $\frac{3}{5}$, 예원이가 합격할 확률은 $\frac{3}{4}$일 때, 두 사람 중 적어도 한 사람이 합격할 확률은?

① $\frac{5}{8}$ ② $\frac{4}{5}$ ③ $\frac{7}{9}$

④ $\frac{9}{10}$ ⑤ $\frac{11}{12}$

10 잘나와요
A주머니에는 흰 공 3개, 검은 공 2개, B주머니에는 흰 공 1개, 검은 공 4개가 들어 있다. A, B 주머니에서 각각 1개씩 공을 꺼낼 때, 같은 색의 공이 나올 확률은?

① $\frac{5}{18}$ ② $\frac{2}{5}$ ③ $\frac{11}{25}$

④ $\frac{17}{30}$ ⑤ $\frac{23}{36}$

11 내신 up
어느 날 비가 왔다면 그 다음날 비가 올 확률은 $\frac{1}{3}$이고, 비가 오지 않았다면 그 다음날 비가 올 확률은 $\frac{1}{4}$이라 한다. 목요일에 비가 왔을 때, 이틀 후인 토요일에 비가 올 확률은?

① $\frac{5}{18}$ ② $\frac{7}{18}$ ③ $\frac{11}{20}$

④ $\frac{13}{20}$ ⑤ $\frac{17}{24}$

12 A주머니에는 1, 2, 3, 4가 적힌 구슬이 들어 있고, B주머니에는 5, 6, 7이 적힌 구슬이 들어 있다. 두 개의 주머니에서 각각 한 개의 구슬을 뽑아 구슬에 적힌 수를 a, b라 할 때, $a+b$가 홀수가 될 확률은?

① $\frac{1}{2}$ ② $\frac{3}{5}$ ③ $\frac{2}{3}$

④ $\frac{7}{10}$ ⑤ $\frac{3}{4}$

13 오른쪽 그림과 같은 과녁에 화살을 쏘아서 맞힌 부분에 적힌 숫자를 점수로 얻는다고 할 때, 화살을 한 번 쏘아서 8점을 얻을 확률을 구하여라. (단, 화살은 과녁을 벗어나지 않는다.)

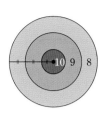

서·술·형·문·제   풀이 과정을 자세히 쓰시오.

14 다음 그림과 같이 한 점 P가 수직선 위의 원점에 놓여 있다. 동전 한 개를 던져 앞면이 나오면 오른쪽으로 3만큼, 뒷면이 나오면 왼쪽으로 2만큼 움직이기로 할 때, 동전을 4번 던져 움직인 점 P가 2에 위치할 확률을 구하여라.

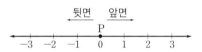

[단계]
❶ 모든 경우의 수 구하기
❷ 점 P가 2에 위치하는 경우의 수 구하기
❸ 점 P가 2에 위치할 확률 구하기

답 _____

15 A상자에는 흰 공 5개, 검은 공 3개, B상자에는 흰 공 2개, 검은 공 6개가 들어 있다. A, B 두 상자 중 하나를 선택하여 공을 한 개 꺼낼 때, 흰 공일 확률을 구하여라.

답 _____

128쪽 기출문제로 내신대비 로 반복학습하세요!

숨마쿰라우데® 중학수학 실전문제집

Part 2

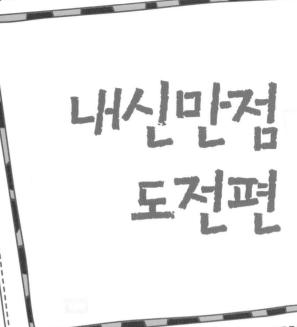

내신만점
도전편

2-하

01 이등변삼각형의 성질과 직각삼각형의 합동

정답 및 풀이 36쪽

01 다음 설명에 알맞은 삼각형은?

> △ABC는 $\overline{AB}=\overline{AC}$인 이등변삼각형이다.

①   ②   ③

④   ⑤

02 오른쪽 그림의 △ABC에서 $\overline{AB}=\overline{AC}$이고 ∠C=62°일 때, ∠A 의 크기를 구하여라.

03 오른쪽 그림과 같이 $\overline{AB}=\overline{AC}$인 삼각형 ABC에서 '변 BC의 수직이등분선'과 같은 것은 모두 몇 개인가?

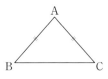

┤ 보기 ├
ㄱ. ∠A의 이등분선
ㄴ. 변 AB의 수직이등분선
ㄷ. 점 A에서 변 BC에 내린 수선
ㄹ. ∠B와 ∠C의 이등분선의 교점
ㅁ. 점 A와 변 BC의 중점을 이은 선분

① 1개　　　② 2개　　　③ 3개
④ 4개　　　⑤ 5개

04 오른쪽 그림과 같이 $\overline{AB}=\overline{AC}$인 이등 변삼각형 ABC에서 $\overline{CB}=\overline{CD}$, ∠B=70°일 때, ∠ACD의 크기를 구 하여라.

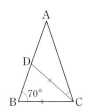

05 오른쪽 그림에서 $\overline{AD}\,/\!/\,\overline{BC}$이고 $\overline{AC}=\overline{BC}$, ∠C=40°일 때, ∠EAD의 크기는?

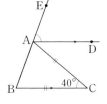

① 40°　　　② 50°
③ 68°　　　④ 70°
⑤ 100°

06 다음 중 이등변삼각형의 성질이 <u>아닌</u> 것은?

① 이등변삼각형의 두 밑각의 크기는 같다.
② 두 각의 크기가 같은 삼각형은 이등변삼각형이다.
③ 이등변삼각형의 꼭지각의 이등분선은 밑변을 이등 분한다.
④ 이등변삼각형의 두 밑각의 크기의 합은 다른 한 각 의 크기보다 항상 크다.
⑤ 이등변삼각형의 꼭지각의 이등분선은 밑변과 수직 으로 만난다.

07 다음 △ABC에 대한 설명 중 옳지 <u>않은</u> 것은?

① $\overline{AC}=\overline{BC}$이면 ∠A=∠B이다.
② $\overline{AB}=\overline{BC}$이면 ∠B=∠C이다.
③ ∠B=∠C이면 $\overline{AB}=\overline{AC}$이다.
④ ∠A=∠B=∠C이면 $\overline{AB}=\overline{BC}=\overline{AC}$이다.
⑤ $\overline{AB}=\overline{BC}=\overline{AC}$이면 ∠A=∠B=∠C이다.

08 다음 중 △ABC가 이등변삼각형이 <u>아닌</u> 것은?

① $\overline{AB}=4$ cm, $\overline{AC}=4$ cm, $\overline{BC}=4$ cm
② $\overline{AB}=5$ cm, $\overline{AC}=5$ cm
③ $\overline{AB}=5$ cm, ∠A=50°
④ ∠A=50°, ∠B=50°
⑤ ∠A=50°, ∠B=80°

09 다음 중 두 직각삼각형이 서로 합동이 <u>아닌</u> 것은?

① 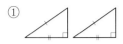   ②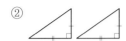

③ 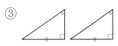   ④

⑤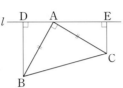

10 오른쪽 그림과 같이 $\overline{AB}=\overline{AC}$인 직각이등변삼각형 ABC의 꼭짓점 A를 지나는 직선 l을 긋고, 꼭짓점 B, C에서 직선 l에 내린 수선의 발을 각각 D, E라 할 때, 다음 중 옳지 <u>않은</u> 것은?

① $\overline{BD}=\overline{AE}$ ② $\angle DBA=\angle EAC$

③ $\angle BAD=\angle ACE$ ④ $\overline{DE}=\overline{DB}+\overline{CE}$

⑤ $\triangle DBA \equiv \triangle EAC$(RHS 합동)

11 오른쪽 그림과 같이 $\angle C=90°$인 직각삼각형 ABC에서 $\overline{AD}=\overline{DE}=\overline{EC}$일 때, $\angle ABE$의 크기는?

① 22.5°   ② 25°

③ 27.5°   ④ 30°

⑤ 32°

12 오른쪽 그림과 같이 $\angle C=90°$인 직각삼각형 ABC에서 $\overline{AC}=\overline{AE}$, $\overline{AB}\perp\overline{DE}$이다. $\overline{AB}=10$ cm, $\overline{BC}=8$ cm, $\overline{AC}=6$ cm일 때, $\triangle BED$의 둘레의 길이는?

① 12 cm   ② 13 cm   ③ 14 cm

④ 15 cm   ⑤ 16 cm

서·술·형·문·제

풀이 과정을 자세히 쓰시오.

13 오른쪽 그림의 $\triangle ABC$는 $\angle A=40°$이고 $\overline{AB}=\overline{AC}$인 이등변삼각형이다. 변 BC, AC, AB 위에 각각 $\overline{CD}=\overline{BF}$, $\overline{CE}=\overline{BD}$가 되는 점 D, E, F를 잡을 때, $\angle FDE$의 크기를 구하여라.

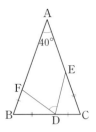

[단계] ❶ $\angle B$, $\angle C$의 크기를 각각 구하기

❷ $\angle FDB+\angle EDC$의 크기 구하기

❸ $\angle FDE$의 크기 구하기

답 _____

14 민우는 자기 집의 벽면의 높이를 사다리를 사용하여 알아보기로 하였다. 민우는 다음과 같은 방법으로 사다리를 타고 지붕까지 올라가지 않고서도 벽면의 높이를 구할 수가 있었다. 민우의 방법을 직각삼각형의 합동을 이용하여 설명하여라.

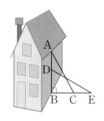

㉠ 사다리 AC를 한쪽 끝이 처마 밑에 닿도록 벽에 기대어 놓고 $\overline{BC}$의 길이를 잰다.

㉡ $\overline{BC}=\overline{BD}$만큼의 높이에 사다리의 한쪽 끝이 오도록 사다리 DE를 놓는다. (단, 사다리 DE는 사다리 AC와 길이가 같다.)

㉢ $\overline{BE}$의 길이를 잰다.

㉣ $\overline{BE}$의 길이가 벽면의 높이가 된다.

정답 및 풀이 37쪽

01 다음 중 삼각형의 외심에 대한 설명으로 옳지 않은 것은?

① 삼각형의 외접원의 중심이다.

② 외심은 단 하나 존재한다.

③ 외심은 삼각형의 외부에 있을 수도 있다.

④ 외심은 삼각형의 세 내각의 이등분선의 교점이다.

⑤ 외심에서 삼각형의 한 꼭짓점까지의 거리를 반지름 으로 하는 원을 그리면 나머지 두 꼭짓점을 모두 지 난다.

02 오른쪽 그림에서 점 O는 △ABC의 외 심이다. 이때 x, y의 값은?

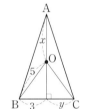

① $x=3$, $y=5$

② $x=4$, $y=3$

③ $x=5$, $y=3$

④ $x=5$, $y=4$

⑤ $x=6$, $y=5$

03 다음 삼각형 중에서 외심이 반드시 삼각형의 내부에 있는 것은?

① 이등변삼각형   ② 정삼각형

③ 직각삼각형   ④ 둔각삼각형

⑤ 직각이등변삼각형

04 오른쪽 그림과 같이 ∠B=90°인 직각 삼각형 ABC에서 점 M은 빗변 AC 의 중점이다. $\overline{AC}=10$ cm, ∠A=30° 일 때, △MCB의 둘레의 길이는?

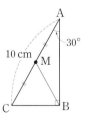

① 12 cm   ② 15 cm

③ 16 cm   ④ 18 cm

⑤ 20 cm

05 오른쪽 그림에서 점 O는 △ABC 의 두 변 AB, BC의 수직이등분선 의 교점이다. ∠OBC=25°일 때, ∠x의 크기는?

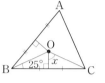

① 45°   ② 50°   ③ 55°

④ 60°   ⑤ 65°

06 오른쪽 그림에서 점 O는 △ABC의 외심이다. ∠OAC=48°, ∠OCB=30°일 때, ∠OBA의 크기는?

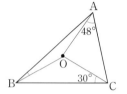

① 12°   ② 15°

③ 24°   ④ 30°

⑤ 48°

07 오른쪽 그림에서 점 O는 △ABC 의 외심이다. ∠ABO=20°, ∠ACO=30°일 때, ∠x＋∠y의 크기는?

① 110°   ② 120°

③ 130°   ④ 140°

⑤ 150°

08 오른쪽 그림에서 점 I가 △ABC 의 내심이고, ∠BAI=30°, ∠ACI=35°일 때, ∠x의 크기 는?

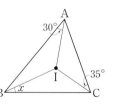

① 25°   ② 30°

③ 35°   ④ 40°

⑤ 45°

09 오른쪽 그림에서 점 I는 △ABC의 내심이다. ∠A=40°일 때, ∠BIC의 크기는?

① 80° ② 90°
③ 100° ④ 110°
⑤ 120°

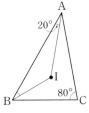

10 오른쪽 그림에서 점 I는 △ABC의 내심이다. ∠IAB=20°, ∠C=80°일 때, ∠ABI의 크기는?

① 20° ② 25°
③ 30° ④ 35°
⑤ 40°

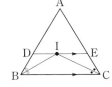

11 오른쪽 그림과 같이 △ABC의 내심 I를 지나고 변 BC에 평행한 직선과 변 AB, AC의 교점을 각각 D, E라 하자. $\overline{DB}$=3 cm, $\overline{EC}$=4 cm일 때, $\overline{DE}$의 길이는?

① 3 cm ② 4 cm ③ 5 cm
④ 6 cm ⑤ 7 cm

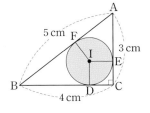

12 오른쪽 그림에서 점 I는 직각삼각형 ABC의 내심이다. $\overline{AB}$=5 cm, $\overline{BC}$=4 cm, $\overline{AC}$=3 cm일 때, △ABC의 내접원의 넓이를 구하여라.

13 오른쪽 그림에서 점 I가 △ABC의 내심이고, △ABC의 둘레의 길이가 18 cm, $\overline{IH}$=2 cm일 때, 삼각형 ABC의 넓이를 구하여라.

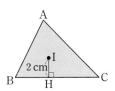

서·술·형·문·제

풀이 과정을 자세히 쓰시오.

14 오른쪽 그림의 △ABC에서 $\overline{DO}$는 $\overline{AB}$의 수직이등분선이고, $\overline{EO}$는 $\overline{BC}$의 수직이등분선이다. ∠EBO=20°일 때, ∠A의 크기를 구하여라.

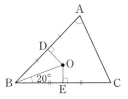

[단계] ❶ ∠OCB의 크기 구하기
       ❷ ∠BOC의 크기 구하기
       ❸ ∠A의 크기 구하기

답 _____

15 오른쪽 그림에서 점 O와 점 I는 각각 △ABC의 외심과 내심이다. ∠BOC=80°일 때, ∠A+∠BIC의 크기를 구하여라.

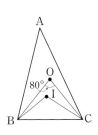

답 _____

01 오른쪽 그림과 같이 $\overline{AB}=\overline{AC}$인 이등변삼각형 ABC에서 ∠A의 크기는?

① 30°　　② 35°

③ 40°　　④ 45°

⑤ 50°

02 오른쪽 그림과 같이 $\overline{AB}=\overline{AC}$인 이등변삼각형 ABC에서 ∠B의 이등분선과 변 AC의 교점을 D라 하자. ∠C=72°일 때, ∠BDC의 크기는?

① 65°　　② 68°

③ 70°　　④ 72°

⑤ 75°

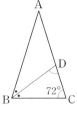

03 오른쪽 그림에서 $\overline{AB}=\overline{AC}=\overline{CD}$이고 ∠B=40°일 때, ∠DCE의 크기는?

① 100°　　② 110°　　③ 120°

④ 130°　　⑤ 140°

04 오른쪽 그림과 같이 $\overline{AB}=\overline{AC}$인 △ABC에서 ∠B의 이등분선과 ∠C의 외각의 이등분선과의 교점을 D라 하자. ∠A=60°일 때, ∠BDC의 크기는?

① 15°　　② 20°　　③ 25°

④ 30°　　⑤ 35°

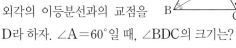

05 오른쪽 그림과 같이 $\overline{AB}=\overline{AC}$인 이등변삼각형 ABC에서 ∠A의 이등분선과 밑변 BC의 교점을 D라 하고, 선분 AD 위의 한 점 E를 잡을 때, 다음 중 옳지 <u>않은</u> 것은?

① ∠EBD=∠ECD　　② △EBD≡△ECD

③ △ABE≡△BCE　　④ $\overline{BE}=\overline{CE}$

⑤ △BDE는 직각삼각형이다.

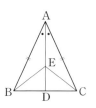

06 오른쪽 그림과 같이 ∠C=90°인 직각이등변삼각형 ABC에서 ∠ABD=∠CBD, ∠BED=90°일 때, 다음 중 옳지 <u>않은</u> 것은?

① $\overline{BE}=\overline{BC}$　　　② $\overline{DE}=\overline{DA}$

③ $\overline{DE}=\overline{DC}$　　　④ $\overline{BC}=\overline{BE}=\overline{AC}$

⑤ △AED는 직각이등변삼각형이다.

07 오른쪽 그림과 같이 직각삼각형 ABC에서 $\overline{AC}\perp\overline{DE}$, $\overline{AB}=\overline{AD}$이고 ∠BAE=40°일 때, ∠DEC의 크기를 구하여라.

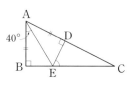

08 다음 중 삼각형 ABC의 외심을 찾는 방법은?

① △ABC에서 세 내각의 이등분선의 교점이다.

② △ABC에서 세 변의 수직이등분선의 교점이다.

③ △ABC의 세 변의 중점을 지나는 선분의 교점이다.

④ △ABC에서 세 꼭짓점에서 대변에 내린 수선의 교점이다.

⑤ △ABC에서 $\overline{AB}$의 수직이등분선과 ∠B의 이등분선의 교점이다.

09 오른쪽 그림에서 점 O는 둔각삼각형 ABC의 외심이다. 다음 중 옳지 않은 것은?

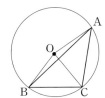

① $\overline{AC}=\overline{BC}$

② $\overline{OA}=\overline{OB}=\overline{OC}$

③ ∠OAB=∠OBA

④ ∠OAC=∠OCA

⑤ ∠OBC=∠ABC+∠OAB

10 오른쪽 그림과 같이 ∠B=90°인 직각삼각형 ABC에서 ∠BAD=35°, $\overline{AC}$의 중점을 D라 할 때, ∠DBC의 크기는?

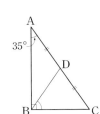

① 40°   ② 45°

③ 50°   ④ 55°

⑤ 60°

11 오른쪽 그림에서 점 O는 △ABC의 외심이다. ∠BAO=20°, ∠OBC=30°일 때, ∠AOC의 크기는?

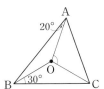

① 100°   ② 105°

③ 110°   ④ 115°

⑤ 120°

12 오른쪽 그림에서 원 O는 △ABC의 외접원이고, ∠A=64°일 때, ∠OBC의 크기는?

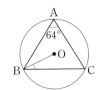

① 24°   ② 26°

③ 28°   ④ 30°

⑤ 32°

13 오른쪽 그림과 같은 △ABC에서 $\overline{AB}=\overline{AC}$, ∠A=40°이고, ∠B와 ∠C의 이등분선의 교점을 O라 할 때, ∠BOC의 크기는?

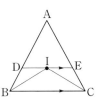

① 110°   ② 120°

③ 130°   ④ 135°

⑤ 140°

14 오른쪽 그림에서 △ABC의 내심을 I라 하고, $\overline{AB}=\overline{AC}$라 하자. $\overline{DE}/\!/\overline{BC}$이고 △ADE의 둘레의 길이가 12 cm일 때, $\overline{AB}$의 길이는?

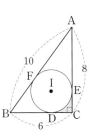

① 4 cm   ② 5 cm   ③ 6 cm

④ 7 cm   ⑤ 8 cm

15 오른쪽 그림과 같이 ∠C=90°인 직각삼각형 ABC에서 $\overline{AB}=10$, $\overline{BC}=6$, $\overline{CA}=8$이고, 점 I가 △ABC의 내심일 때, 색칠한 부분의 넓이는?

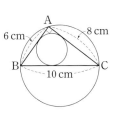

① $4-\pi$ ② $6-\pi$

③ $8-\pi$ ④ $10-\pi$

⑤ $12-\pi$

16 오른쪽 그림은 세 변의 길이가 $\overline{AB}=6$ cm, $\overline{BC}=10$ cm, $\overline{AC}=8$ cm, ∠A=90°인 삼각형 ABC의 내접원과 외접원을 그린 것이다. 내접원의 반지름의 길이를 r cm, 외접원의 반지름의 길이를 R cm라 할 때, $R+r$의 값은?

① 6   ② 7   ③ 8

④ 9   ⑤ 10

17 오른쪽 그림에서 $\overline{BA}=\overline{BC}$, $\overline{CA}=\overline{CD}$, $\angle DAE=75°$일 때, $\angle B$의 크기를 구하여라.

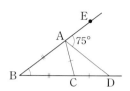

서술형

18 오른쪽 그림에서 $\overline{DB}=\overline{DE}=\overline{AE}=\overline{AC}$이고, $\angle ACE=\angle DBE+40°$일 때, $\angle DBE$의 크기를 구하여라.

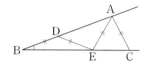

....

....

....

19 오른쪽 그림과 같은 직각이등변삼각형 ABC에서 $\angle B$의 외각과 $\angle C$의 외각의 이등분선의 교점을 P라 하자. 이때 $\angle BPC$의 크기를 구하여라.

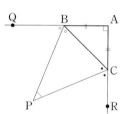

20 오른쪽 그림에서 $\overline{AD}$, $\overline{DE}$는 각각 $\angle BAC$, $\angle ADC$의 이등분선이고, 점 F는 $\overline{AB}$, $\overline{ED}$의 연장선의 교점이다. $\angle C=60°$, $\angle F=18°$일 때, $\angle BAC$의 크기를 구하여라.

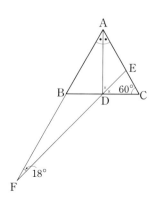

21 오른쪽 그림에서 △ABC는 ∠A=90°, ∠C=30°인 직각삼각형이고, 사각형 BDEC는 직사각형이다. $\overline{BC}$의 길이는 $\overline{BD}$의 2배이고 $\overline{BC}$와 $\overline{AD}$의 교점을 F라 할 때, ∠AFC의 크기를 구하여라.

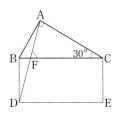

서술형

22 오른쪽 그림에서 점 I는 △ABC의 내심이고 ∠B=50°일 때, ∠ADC+∠AEC의 크기를 구하여라.

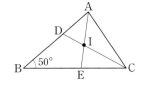

....

....

....

23 오른쪽 그림과 같이 △ABC의 내심 I와 외심 O가 꼭짓점 A와 $\overline{BC}$의 중점 M을 이은 선분 AM 위에 있다. ∠BAC=80°, $\overline{AE}=\overline{EC}$일 때, ∠EPC의 크기를 구하여라.

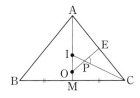

24 오른쪽 그림에서 점 I는 정삼각형 ABC의 내심이다. $\overline{AB}/\!/\overline{ID}$, $\overline{AC}/\!/\overline{IE}$, $\overline{AB}=12$ cm일 때, $\overline{DE}$의 길이를 구하여라.

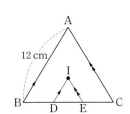

정답 및 풀이 40쪽

01 오른쪽 그림과 같은 평행사변형 ABCD에서 ∠BAC=95°, ∠D=60° 일 때, ∠ACB의 크기는?

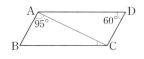

① 25°　　② 30°　　③ 45°

④ 60°　　⑤ 95°

02 오른쪽 그림과 같은 평행사변형 ABCD에서 $\overline{AD}$의 길이는?

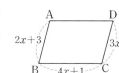

① 10　　② 12

③ 15　　④ 18

⑤ 21

03 오른쪽 그림과 같은 평행사변형 ABCD에서 ∠A와 ∠B의 크기의 비가 7 : 5일 때, ∠C의 크기는?

① 100°　　② 105°

③ 110°　　④ 115°

⑤ 120°

04 오른쪽 그림은 평행사변형 ABCD의 내부에 있는 한 점 P를 지나고 $\overline{AD}$, $\overline{AB}$에 각각 평행한 선분 EF, GH를 그은 것이다. 다음 중 옳지 <u>않은</u> 것은?

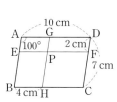

① $\overline{PF}$=6 cm　　　② $\overline{PH}$=5 cm

③ ∠EPG=100°　　④ ∠EBH=80°

⑤ ∠PFC=100°

05 오른쪽 그림과 같은 평행사변형 ABCD에서 $\overline{AB}=\overline{ED}$=7 cm, $\overline{BC}$=10 cm일 때, $\overline{CE}$의 길이는?

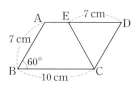

① 6 cm　　② 7 cm　　③ 8 cm

④ 9 cm　　⑤ 10 cm

06 오른쪽 그림과 같은 평행사변형 ABCD에서 △ABO의 둘레의 길이는?

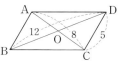

① 12　　② 13　　③ 14

④ 15　　⑤ 16

07 오른쪽 그림과 같은 평행사변형 ABCD에서 ∠B, ∠D의 이등분선이 $\overline{AD}$, $\overline{BC}$와 만나는 점을 각각 E, F라 할 때, $\overline{DE}$의 길이는?

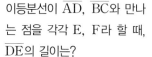

① 1 cm　　② 1.5 cm　　③ 2 cm

④ 2.5 cm　　⑤ 3 cm

08 다음 중 □ABCD가 평행사변형인 것은?

① ∠A+∠B=180°, ∠B+∠C=180°

② $\overline{AD}$ // $\overline{BC}$, $\overline{AB}$=7 cm, $\overline{CD}$=7 cm

③ $\overline{AB}$=5 cm, $\overline{DC}$=8 cm, $\overline{BC}$=5 cm, $\overline{AD}$=8 cm

④ ∠A=60°, ∠B=60°, ∠C=120°, ∠D=120°

⑤ ∠A=80°, ∠C=120°, $\overline{AD}$=5 cm, $\overline{BC}$=5 cm

09 오른쪽 그림과 같은 평행사변형 ABCD의 두 대각선의 교점 O를 지나는 직선이 $\overline{AD}$, $\overline{BC}$와 만나는 점을 각각 P, Q라 하자. ∠APO=90°일 때, △OCQ의 넓이는?

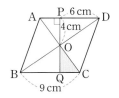

① 4 cm²   ② 5 cm²   ③ 6 cm²

④ 7 cm²   ⑤ 8 cm²

10 오른쪽 그림과 같이 평행사변형 ABCD에서 $\overline{BD}$ 위에 $\overline{BE}=\overline{DF}$가 되도록 점 E, F를 잡으면 □AECF는 평행사변형이 된다. 다음은 □AECF가 평행사변형임을 설명하는 과정이다. (가)~(마)에 알맞은 것을 써넣어라.

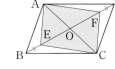

□ABCD가 평행사변형이므로
$\overline{OA}=$ ㈎ , $\overline{OB}=$ ㈏
이때 $\overline{BE}=\overline{DF}$이므로
$\overline{OE}=\overline{OB}-\overline{BE}=$ ㈐ $-\overline{DF}=$ ㈑
따라서 두 대각선이 서로 다른 것을 ㈒ 하므로
□AECF는 평행사변형이다.

11 오른쪽 그림과 같은 평행사변형 ABCD의 내부의 한 점 P에 대하여 △PAB=14 cm², △PBC=12 cm², △PCD=26 cm²일 때, △PDA의 넓이는?

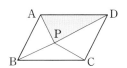

① 24 cm²   ② 28 cm²   ③ 32 cm²

④ 36 cm²   ⑤ 38 cm²

12 오른쪽 그림과 같이 넓이가 50 cm²인 평행사변형 ABCD의 변 AD 위에 점 E를 잡을 때, $\overline{AE}:\overline{ED}=3:2$이다. 이때 △ABE의 넓이를 구하여라.

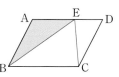

서·술·형·문·제   풀이 과정을 자세히 쓰시오.

13 오른쪽 그림과 같은 평행사변형 ABCD에서 ∠C=114°, ∠APB=90°, ∠DAP=2∠BAP일 때, ∠PBC의 크기를 구하여라.

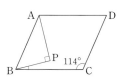

[단계] ❶ ∠BAP의 크기 구하기
        ❷ ∠ABP의 크기 구하기
        ❸ ∠PBC의 크기 구하기

답 _____

14 오른쪽 그림에서 △ABD, △BCE, △ACF는 △ABC의 세 변을 각각 한 변으로 하는 정삼각형이다. $\overline{AB}=3$ cm, $\overline{BC}=6$ cm, $\overline{AC}=4$ cm일 때, □AFED의 둘레의 길이를 구하여라.

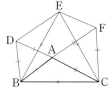

답 _____

정답 및 풀이 41쪽

01 오른쪽 그림과 같은 직사각형 ABCD에서 $\overline{BD}$=12 cm일 때, $\overline{AO}$의 길이는?

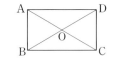

① 4 cm　　② 5 cm　　③ 6 cm

④ 7 cm　　⑤ 8 cm

02 오른쪽 그림과 같이 $\overline{AD}$=8 cm, $\overline{DC}$=5 cm인 직사각형 ABCD에서 $\overline{AD}$, $\overline{BC}$의 중점을 각각 M, N이라 하고 $\overline{AN}$과 $\overline{MC}$가 $\overline{BD}$와 만나는 점을 각각 E, F라 할 때, □ENCF의 넓이는?

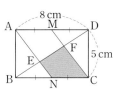

① 10 cm^2　　② 12 cm^2　　③ 15 cm^2

④ 16 cm^2　　⑤ 18 cm^2

03 오른쪽 그림의 □ABCD는 마름모이다. ∠BAD의 크기는?

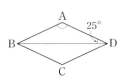

① 100°　　② 120°

③ 130°　　④ 150°

⑤ 160°

04 오른쪽 그림과 같은 직사각형 ABCD에서 $\overline{AO}$=$\overline{CO}$, $\overline{AC}\perp\overline{EF}$, $\overline{BC}$=9 cm, $\overline{ED}$=3 cm일 때, $\overline{AF}$의 길이는?

① 4 cm　　② 5 cm　　③ 6 cm

④ 7 cm　　⑤ 8 cm

05 오른쪽 그림에서 사각형 ABCD는 마름모이고, 삼각형 ABP는 정삼각형이다. ∠ABC=70°일 때, ∠APD의 크기는?

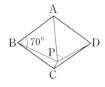

① 45°　　② 50°　　③ 55°

④ 60°　　⑤ 65°

06 오른쪽 그림과 같이 $\overline{AD}$=2$\overline{AB}$인 평행사변형 ABCD에서 $\overline{CD}$를 연장하여 $\overline{CD}$=$\overline{CE}$=$\overline{DF}$가 되도록 두 점 E, F를 잡고 $\overline{AE}$, $\overline{BF}$가 만나는 점을 G라 할 때, ∠FGE의 크기는?

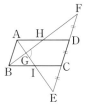

① 80°　　② 90°　　③ 95°

④ 100°　　⑤ 105°

07 오른쪽 그림과 같이 마름모 ABCD의 점 A에서 $\overline{BC}$에 내린 수선의 발을 H라 하고 $\overline{BH}$=$\overline{CH}$일 때, ∠x−∠y의 크기는?

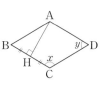

① 45°　　② 50°　　③ 55°

④ 60°　　⑤ 65°

08 오른쪽 그림과 같은 정사각형 ABCD에서 $\overline{BD}$는 대각선이고, ∠DAE=22°일 때, ∠BEC의 크기를 구하여라.

09 오른쪽 그림과 같은 정사각형 ABCD 에서 변 BC, CD 위에 각각 점 P, Q 를 잡았다. ∠PAQ=45°, ∠APQ=55° 일 때, ∠AQD의 크기는?

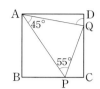

① 65° ② 70° ③ 75°
④ 80° ⑤ 85°

10 다음 설명 중 옳은 것은?

① 한 내각이 직각인 평행사변형은 마름모이다.
② 두 쌍의 대각의 크기가 각각 같은 사각형은 사다리 꼴이다.
③ 두 대각선의 길이가 같은 평행사변형은 마름모이다.
④ 두 대각선의 길이가 같은 사다리꼴은 직사각형이다.
⑤ 이웃하는 두 변의 길이가 같은 평행사변형은 마름모 이다.

11 오른쪽 그림과 같은 평행사변형 ABCD에서 ∠ABD=∠CBD일 때, □ABCD는 어떤 사각형인가?

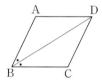

① 사다리꼴 ② 평행사변형
③ 마름모 ④ 직사각형
⑤ 정사각형

12 다음 조건을 만족하는 □ABCD는 어떤 사각형인가?

$$\overline{AB}/\!/\overline{DC}, \ \overline{AB}=\overline{DC}, \ \overline{AC}=\overline{BD}, \ \overline{AC}\perp\overline{BD}$$

① 평행사변형 ② 직사각형 ③ 마름모
④ 정사각형 ⑤ 등변사다리꼴

13 오른쪽 그림의 평행사변형 ABCD에서 $\overline{AP}:\overline{PC}=2:3$이 고 □ABCD=50 cm²일 때, △DPC의 넓이를 구하여라.

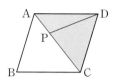

서·술·형·문·제

풀이 과정을 자세히 쓰시오.

14 오른쪽 그림에서 □ABCD는 정사각 형이고 △EBC는 정삼각형이다. ∠BDE의 크기를 구하여라.

[단계] ❶ ∠CDE의 크기 구하기
❷ ∠BDC의 크기 구하기
❸ ∠BDE의 크기 구하기

답 _____

15 오른쪽 그림과 같은 평행사변형 ABCD에서 두 대각선의 교점 은 O이고, 대각선 AC 위의 한 점 P에 대하여 $\overline{BP}=\overline{DP}$이다. $\overline{OA}=3$ cm, $\overline{OB}=4$ cm일 때, □ABCD의 넓이를 구하여라.

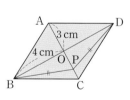

답 _____

01 오른쪽 그림과 같은 평행사변형 ABCD에서 $\overline{DE}$는 ∠D의 이등분선이다. $\overline{BE}=2$ cm, $\overline{CD}=6$ cm일 때, $\overline{AD}$의 길이는?

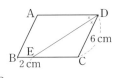

① 6 cm ② 7 cm ③ 8 cm

④ 9 cm ⑤ 10 cm

02 오른쪽 그림과 같이 $\overline{AB}=4$ cm, $\overline{AD}=5$ cm, $\overline{AC}=6$ cm인 평행사변형 ABCD가 있다. $\overline{AB}=\overline{AE}$일 때, $\overline{DE}$의 길이는?

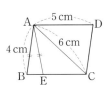

① 5 cm ② 6 cm ③ 7 cm

④ 8 cm ⑤ 9 cm

03 오른쪽 그림에서 □ABCD는 평행사변형이다. ∠D=70°, ∠PAB=∠PAD, ∠APB=90°일 때, ∠CBP의 크기는?

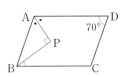

① 20° ② 25° ③ 30°

④ 35° ⑤ 40°

04 오른쪽 그림과 같이 $\overline{AB}=\overline{AC}$인 △ABC에서 $\overline{DE}$ // $\overline{AC}$, $\overline{AB}$ // $\overline{FE}$, $\overline{AC}=10$ cm일 때, □ADEF의 둘레의 길이는?

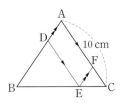

① 14 cm ② 16 cm ③ 18 cm

④ 20 cm ⑤ 24 cm

05 오른쪽 그림에서 점 O는 $\overline{AC}$의 중점이고, □ABCD, □OCDE는 모두 평행사변형이다. $\overline{AB}=3$ cm, $\overline{BC}=4$ cm일 때, $\overline{AF}+\overline{OF}$의 길이는?

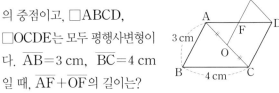

① 3 cm ② $\frac{7}{2}$ cm ③ 4 cm

④ $\frac{9}{2}$ cm ⑤ 5 cm

06 다음 조건을 만족하는 □ABCD가 평행사변형이 <u>아닌</u> 것은? (단, O는 두 대각선 AC와 BD의 교점이다.)

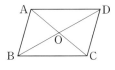

① $\overline{OA}=\overline{OC}=4$, $\overline{OB}=\overline{OD}=9$

② ∠A=130°, ∠B=50°

③ ∠ABD=∠CDB=40°, ∠DAC=∠BCA=60°

④ $\overline{AB}=\overline{DC}=8$, ∠ABD=∠CDB=50°

⑤ $\overline{AB}=10$, $\overline{BC}=20$, $\overline{CD}=10$, $\overline{DA}=20$

07 오른쪽 그림과 같이 평행사변형 ABCD의 각 변의 중점을 각각 P, Q, R, S라 하고 $\overline{AQ}$와 $\overline{CP}$가 만나는 점을 E, $\overline{AR}$와 $\overline{CS}$가 만나는 점을 F라 할 때, □AECF는 어떤 도형인가?

① 평행사변형 ② 마름모 ③ 직사각형
④ 정사각형 ⑤ 등변사다리꼴

08 오른쪽 그림과 같이 넓이가 32 cm²인 평행사변형 ABCD에서 $\overline{AH}=\overline{BF}$가 되도록 $\overline{AD}$, $\overline{BC}$ 위에 각각 점 H, F를 잡고, $\overline{AB}$, $\overline{CD}$ 위에 각각 임의의 점 E, G를 잡아 사각형 EFGH를 만들었다. 이때 □EFGH의 넓이는?

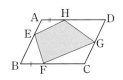

① 8 cm² ② 12 cm² ③ 16 cm²
④ 18 cm² ⑤ 22 cm²

09 오른쪽 그림과 같은 평행사변형 ABCD의 넓이는 60 cm²이다. $\overline{CD}$ 위에 점 P를 $\overline{CP}:\overline{PD}=1:2$가 되도록 잡고 $\overline{AP}$와 $\overline{BD}$의 교점을 Q라 할 때, △AOQ의 넓이는?

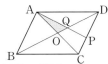

① 3 cm² ② 5 cm² ③ 6 cm²
④ 8 cm² ⑤ 10 cm²

10 오른쪽 그림과 같은 직사각형 ABCD에서 $\overline{AD}=2\overline{AB}$이고, M은 $\overline{AD}$의 중점이다. 이때 ∠BMC의 크기는?

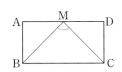

① 80° ② 85° ③ 90°
④ 95° ⑤ 100°

11 오른쪽 그림과 같은 평행사변형 ABCD에서 네 각의 이등분선의 교점으로 이루어진 □PQRS에 대한 설명으로 옳지 <u>않은</u> 것은?

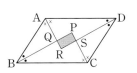

① ∠P=∠Q ② ∠P=∠R
③ $\overline{PQ}=\overline{PS}$ ④ $\overline{PQ}=\overline{RS}$
⑤ $\overline{PR}=\overline{QS}$

12 오른쪽 그림과 같은 평행사변형 ABCD에서 ∠ABO=25°, ∠ACD=65°일 때, ∠ADB의 크기는?

① 20° ② 25° ③ 30°
④ 35° ⑤ 40°

13 다음 중 사각형과 그 사각형의 각 변의 중점을 연결하여 만든 사각형을 짝지은 것으로 옳지 <u>않은</u> 것은?

① 평행사변형–평행사변형
② 등변사다리꼴–직사각형
③ 마름모–직사각형
④ 정사각형–정사각형
⑤ 직사각형–마름모

14 오른쪽 그림의 평행사변형 ABCD가 직사각형이 되는 조건이 <u>아닌</u> 것은?

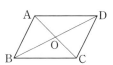

① ∠AOD=90°
② ∠A=∠B
③ ∠A=90°
④ $\overline{AC}=\overline{BD}$
⑤ $\overline{OA}=\overline{OB}$

15 오른쪽 그림과 같은 평행사변형 ABCD에서 ∠AOD=90°일 때, □ABCD에 대한 다음 설명 중 옳은 것을 모두 고르면? (정답 2개)

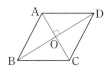

① 네 변의 길이가 모두 같다.
② 네 각의 크기가 모두 같다.
③ 두 대각선의 길이가 같다.
④ 한 내각의 크기가 90°이다.
⑤ 두 대각선이 서로 다른 것을 수직이등분한다.

16 오른쪽 그림과 같은 평행사변형 ABCD에서 점 E는 $\overline{CD}$의 중점이고, 점 A에서 $\overline{BE}$에 내린 수선의 발을 H라 하자. ∠EBC=20°일 때, ∠ADH의 크기를 구하여라.

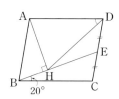

17 오른쪽 그림의 □ABCD는 평행사변형이다. $\overline{BE}:\overline{EC}=3:4$, □ABCD=42 cm²일 때, △CEF의 넓이를 구하여라.

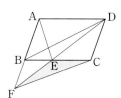

서술형

18 오른쪽 그림과 같은 평행사변형 ABCD에서 $\overline{DF}$는 ∠D의 이등분선이고, $\overline{AE}\perp\overline{DF}$일 때, $\overline{FE}$의 길이를 구하여라.

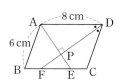

19 오른쪽 그림과 같은 평행사변형 ABCD에서 ∠A의 이등분선이 $\overline{BC}$와 만나는 점을 E, ∠D의 이등분선이 $\overline{AE}$, $\overline{BC}$, $\overline{AB}$의 연장선과 만나는 점을 각각 F, G, H라 하자. ∠ABC=80°일 때, ∠AEC+∠BGH의 크기를 구하여라.

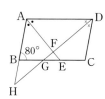

20 오른쪽 그림과 같이 직사각형 ABCD의 점 B에서 $\overline{CD}$ 위의 한 점 E를 지나는 선을 그어 $\overline{AD}$의 연장선과 만나는 점을 F라 할 때, $\overline{EF}=2\overline{BD}$이다. 이때 ∠EBC의 크기를 구하여라.

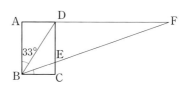

21 오른쪽 그림의 평행사변형 ABCD에서 ∠A, ∠B의 이등분선이 $\overline{CD}$의 연장선과 만나는 점을 각각 E, F라 할 때, $\overline{EF}$의 길이를 구하여라.

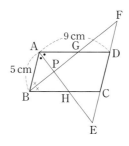

22 오른쪽 그림에서 △ABC는 ∠A=90°인 직각삼각형이고 □AEDB, □ACFG는 △ABC의 변 AB, AC를 각각 한 변으로 하는 정사각형이다. 점 A, D, F에서 $\overline{BC}$의 연장선 위에 내린 수선의 발을 각각 A′, D′, F′이라 하고, $\overline{DD'}=3$ cm, $\overline{FF'}=6$ cm일 때, $\overline{BC}$의 길이를 구하여라.

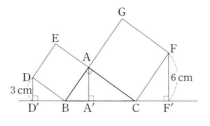

서술형

23 선생님이 칠판에 사각형 하나를 그린 후 어떤 사각형인지 물었다. 다음 네 명의 학생 중 세 명의 말은 옳고, 나머지 한 명의 말은 틀렸다. 틀린 학생을 찾고, 선생님이 칠판에 그린 사각형의 이름을 말하여라.

> A : 두 쌍의 대변이 각각 평행하므로 평행사변형입니다.
> B : 네 변의 길이가 모두 같으니까 마름모예요.
> C : 넓은 범위에서 보면 사다리꼴입니다.
> D : 제가 보기엔 정사각형이네요.

정답 및 풀이 45쪽

01 다음 중 닮은 도형에 대한 설명으로 옳은 것을 모두 고르면? (정답 2개)

① 닮은 두 평면도형에서 대응하는 변의 길이는 각각 같다.

② 닮은 두 평면도형에서 대응하는 각의 크기의 비는 같다.

③ 두 원의 닮음비는 둘레의 길이의 비로 알 수 없다.

④ 닮은 두 입체도형에서 닮음비는 대응하는 모서리의 길이의 비이다.

⑤ 닮음비가 1 : 1인 두 도형은 서로 합동이다.

02 다음 두 도형 중 항상 닮은 도형이 <u>아닌</u> 것을 모두 고르면? (정답 2개)

① 두 정사각형　　　② 두 마름모

③ 두 정육면체　　　④ 두 원뿔

⑤ 중심각의 크기가 같은 두 부채꼴

03 다음 그림에서 □ABCD∽□A′B′C′D′일 때, ∠C′의 크기는?

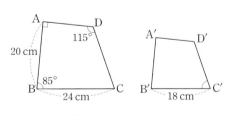

① 60°　　　② 65°　　　③ 70°

④ 75°　　　⑤ 80°

04 다음 그림에서 □ABCD∽□EFGH이고 닮음비가 3 : 4일 때, □ABCD의 둘레의 길이를 구하여라.

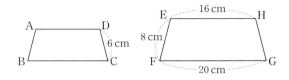

05 다음 그림에서 △ABC∽△DEF일 때, 보기의 설명 중 옳은 것을 모두 고른 것은?

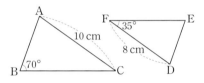

┤ 보기 ├

ㄱ. 두 삼각형의 닮음비는 5 : 4이다.

ㄴ. ∠A=75°

ㄷ. $\overline{BC}$: $\overline{EF}$=5 : 4

① ㄱ　　　② ㄴ　　　③ ㄱ, ㄷ

④ ㄴ, ㄷ　　　⑤ ㄱ, ㄴ, ㄷ

06 오른쪽 그림과 같이 A4 용지를 반으로 접으면 A5 용지 크기가 되고, A5 용지를 반으로 접으면 A6 용지 크기가 된다. 이와 같은 방법으로 A5, A6, A7, … 용지를 만들었을 때, A5 용지와 A9 용지의 닮음비는?

① 2 : 1　　　② 4 : 1　　　③ 6 : 1

④ 8 : 1　　　⑤ 16 : 1

[07~08] 다음 그림에서 두 삼각기둥이 서로 닮은 도형이고 $\overline{BC}$에 대응하는 모서리가 $\overline{B'C'}$일 때, 물음에 답하여라.

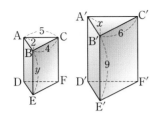

07 다음 설명 중 옳지 <u>않은</u> 것은?

① 점 C에 대응하는 점은 점 C′이다.
② $\overline{AD} : \overline{A'D'} = 1 : 3$
③ $\overline{D'E'}$에 대응하는 모서리는 $\overline{DE}$이다.
④ 면 ADFC와 면 A′D′F′C′은 서로 대응하는 면이다.
⑤ 두 삼각기둥의 닮음비는 2 : 3이다.

08 $\overline{A'B'} = x$, $\overline{BE} = y$라 할 때, $x + y$의 값은?

① 6   ② 7   ③ 8
④ 9   ⑤ 10

09 다음 두 원기둥 A, B가 서로 닮은 도형일 때, 원기둥 A, B의 밑면의 지름의 길이의 비는?

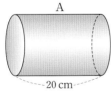

① 2 : 1   ② 3 : 2   ③ 4 : 3
④ 5 : 3   ⑤ 8 : 7

10 오른쪽 그림과 같이 원뿔을 밑면에 평행한 평면으로 자를 때 생기는 단면이 반지름의 길이가 4 cm인 원일 때, 처음 원뿔의 밑면의 반지름의 길이를 구하여라.

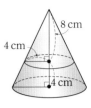

서·술·형·문·제   풀이 과정을 자세히 쓰시오.

11 오른쪽 그림에서 △OAB∽△OBC, △OBC∽△OCD 일 때, $\overline{OC} + \overline{OD}$의 길이를 구하여라.

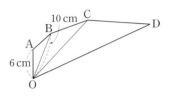

[단계] ❶ $\overline{OC}$의 길이 구하기
        ❷ $\overline{OD}$의 길이 구하기
        ❸ $\overline{OC} + \overline{OD}$의 길이 구하기

답 _____

12 다음 두 사각뿔은 닮은 도형이고, $\overline{AB}$와 $\overline{FG}$가 대응하는 모서리일 때, 사각뿔 F−GHIJ의 부피를 구하여라.

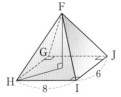

답 _____

06 삼각형의 닮음 조건

기출문제로
내신대비

정답 및 풀이 45쪽

01 다음 삼각형 중 서로 닮음인 것을 모두 찾아 기호 ∽로 나타내고, 그때의 닮음 조건을 말하여라.

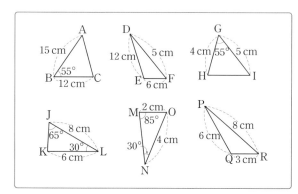

02 오른쪽 그림에서 △ABD와 닮음인 삼각형과 닮음 조건을 차례로 말하여라.

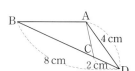

03 다음 중 아래 그림의 △ABC와 △DEF가 닮은 도형이 되기 위한 조건이 <u>아닌</u> 것은?

① $\overline{BC}=10$, $\overline{EF}=15$, $\angle F=45°$

② $\angle A=70°$, $\angle E=65°$

③ $\overline{BC}=8$, $\overline{EF}=12$, $\overline{AC}=6$, $\overline{DF}=9$

④ $\overline{BC}=6$, $\overline{EF}=9$, $\angle B=\angle E$

⑤ $\angle A=70°$, $\angle F=45°$

04 오른쪽 그림에서 $\overline{AB}/\!/\overline{DE}$, $\overline{AD}/\!/\overline{BC}$일 때, $\overline{DE}$의 길이는?

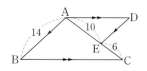

① 8   ② $\dfrac{35}{4}$

③ 9   ④ $\dfrac{39}{4}$

⑤ 10

05 오른쪽 그림의 △ABC에서 $\overline{AB}=12$ cm, $\overline{AD}=9$ cm, $\overline{DC}=5$ cm, $\overline{BC}=6$ cm일 때, $\overline{AC}$의 길이는?

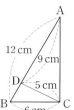

① 8 cm   ② 9 cm

③ 10 cm   ④ 11 cm

⑤ 12 cm

06 오른쪽 그림과 같은 △ABC에서 ∠ACD=∠B일 때, $\overline{AD}$의 길이는?

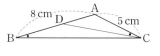

① $\dfrac{17}{5}$ cm   ② $\dfrac{25}{8}$ cm   ③ $\dfrac{7}{2}$ cm

④ $\dfrac{9}{2}$ cm   ⑤ 5 cm

07 오른쪽 그림과 같은 평행사변형 ABCD에서 △EFC의 둘레의 길이를 구하여라.

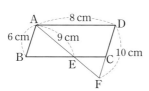

08 오른쪽 그림의 △ABC에서 $\overline{AE}$의 길이를 구하여라.

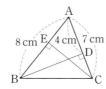

09 오른쪽 그림과 같이 ∠A=90°인 직각삼각형 ABC의 꼭짓점 A에서 $\overline{BC}$에 내린 수선의 발을 D라 할 때, $\overline{AD}^2$의 값을 구하여라.

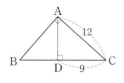

10 오른쪽 그림과 같이 ∠A=90°인 직각삼각형 ABC의 꼭짓점 A에서 $\overline{BC}$에 내린 수선의 발을 D라 할 때, △ADC의 넓이를 구하여라.

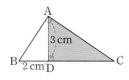

11 오른쪽 그림과 같은 직사각형 ABCD의 두 꼭짓점 A, C에서 대각선 BD에 내린 수선의 발을 각각 E, F라 할 때, $\overline{EF}$의 길이를 구하여라.

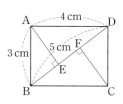

서·술·형·문·제

풀이 과정을 자세히 쓰시오.

12 오른쪽 그림과 같이 직사각형 모양의 종이를 꼭짓점 C가 $\overline{AD}$ 위의 점 F에 오도록 접을 때, $\overline{BF}$의 길이를 구하여라.

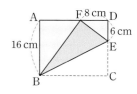

[단계] ❶ △ABF∽△DFE임을 설명하기
　　　 ❷ $\overline{AF}$의 길이 구하기
　　　 ❸ $\overline{BF}$의 길이 구하기

답 _____

13 오른쪽 그림에서 점 O는 △ABC의 외심일 때, $\overline{OD}$의 길이를 구하여라.

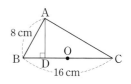

답 _____

01 다음 그림에서 □ABCD∽□EFGH일 때, 다음 중 옳지 않은 것은?

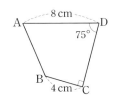

① $\angle H = 75°$

② $\dfrac{\overline{AB}}{\overline{EF}} = 2$

③ $\angle B : \angle F = 2 : 1$

④ $\overline{FG} = 2$ cm

⑤ $\overline{BC}$에 대응하는 변은 $\overline{FG}$이다.

02 다음 중 항상 닮은 도형인 것을 모두 고르면? (정답 2개)

① 두 마름모　　② 두 정팔면체　　③ 두 원뿔

④ 두 정사각형　　⑤ 두 직육면체

03 다음 그림에서 △ABC∽△DEF이고 닮음비가 2 : 1일 때, △DEF의 둘레의 길이는?

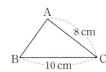

① 9 cm　　　② 10 cm　　　③ 11 cm

④ 12 cm　　　⑤ 13 cm

04 오른쪽 그림과 같은 두 삼각뿔이 닮은 도형이고 $\overline{VA}$와 $\overline{V'A'}$이 대응하는 모서리일 때, $x+y$의 값은?

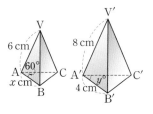

① 60　　　② 61　　　③ 62

④ 63　　　⑤ 64

05 다음 중 닮은 두 삼각형을 찾을 수 없는 것은?

① 　　②

③ 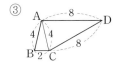　　④

⑤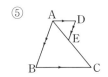

06 오른쪽 그림과 같은 △ABC에서 $\overline{AD} = 4$ cm, $\overline{DB} = 5$ cm, $\overline{BC} = 8$ cm, $\overline{AC} = 6$ cm일 때, $\overline{CD}$의 길이는?

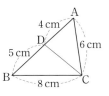

① 3 cm　　　② $\dfrac{15}{4}$ cm　　　③ 4 cm

④ $\dfrac{16}{3}$ cm　　　⑤ 6 cm

07 오른쪽 그림에서 $\overline{BC} /\!/ \overline{DE}$일 때, $x-y$의 값은?

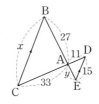

① 34 ② 35
③ 36 ④ 37
⑤ 38

08 오른쪽 그림과 같이 △ABC 위의 각 변에 있는 점 D, E, F를 연결하여 만든 사각형 DBEF가 마름모일 때, $\overline{BE}$의 길이를 구하여라.

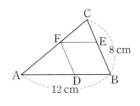

09 오른쪽 그림과 같이 정삼각형 모양의 종이를 꼭짓점 A가 $\overline{BC}$ 위의 점 F에 오도록 접었을 때, $\overline{CE}$의 길이는?

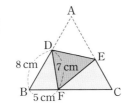

① $\dfrac{25}{4}$ cm ② 8 cm
③ $\dfrac{35}{4}$ cm ④ 9 cm
⑤ $\dfrac{39}{4}$ cm

10 오른쪽 그림에서 다음 중 나머지 네 개의 삼각형과 닮은 삼각형이 <u>아닌</u> 것은?

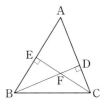

① △ABD ② △ACE
③ △CBE ④ △FBE
⑤ △FCD

11 오른쪽 그림의 직사각형 ABCD에서 $\overline{EF}$는 대각선 BD의 수직이등분선일 때, $\overline{EG}$의 길이는?

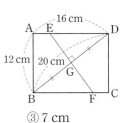

① 6 cm ② $\dfrac{13}{2}$ cm ③ 7 cm
④ $\dfrac{15}{2}$ cm ⑤ 8 cm

12 오른쪽 그림과 같이 ∠A$=90°$인 직각삼각형 ABC에서 $\overline{AD}\perp\overline{BC}$일 때, $x+y+z$의 값은?

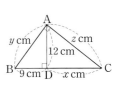

① 45 ② 48 ③ 51
④ 54 ⑤ 57

13 다음 보기 중 항상 닮은 도형인 것을 모두 찾아라.

┤ 보기 ├
ㄱ. 꼭지각의 크기가 같은 두 이등변삼각형
ㄴ. 한 예각의 크기가 같은 두 직각삼각형
ㄷ. 넓이가 같은 두 직사각형
ㄹ. 중심각의 크기가 같은 두 부채꼴
ㅁ. 높이가 서로 같은 두 직육면체
ㅂ. 밑면의 반지름의 길이가 같은 두 원기둥

14 오른쪽 그림과 같이 A4 용지를 반으로 접으면 A5 용지 크기가 되고, A5 용지를 반으로 접으면 A6 용지 크기가 된다. 이와 같은 방법으로 A5, A6, A7, … 용지를 만들었을 때, A9 용지의 가로의 길이와 세로의 길이를 각각 구하여라. (단, A4 용지의 가로의 길이는 210 mm, 세로의 길이는 297 mm 이다.)

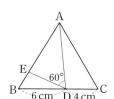

15 오른쪽 그림과 같은 정삼각형 ABC의 $\overline{BC}$ 위에 점 D를 잡고, $\angle ADE = 60°$인 점 E를 $\overline{AB}$ 위에 잡을 때, $\overline{AE}$의 길이를 구하여라.

서술형

16 오른쪽 그림과 같은 △ABC에서 ∠ABD=∠BCE=∠CAF이
고, $\overline{AB}$=7 cm, $\overline{BC}$=13 cm, $\overline{AC}$=10 cm, $\overline{DF}$=5 cm일
때, △DEF의 둘레의 길이를 구하여라.

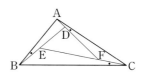

....

....

....

17 오른쪽 그림과 같은 △ABC에서 $\overline{AD}\perp\overline{BC}$, $\overline{AC}\perp\overline{BE}$이고, $\overline{BE}$와
$\overline{AD}$의 교점을 P라 할 때, $\overline{AP}$의 길이를 구하여라.

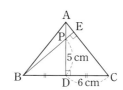

18 오른쪽 그림과 같이 직사각형 모양의 종이를 대각선 BD를 접는 선
으로 하여 접었을 때, $\overline{EF}$의 길이를 구하여라.

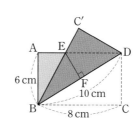

서술형

19 오른쪽 그림과 같이 ∠A=90°인 직각삼각형 ABC에서
$\overline{BM}=\overline{CM}$, $\overline{AG}\perp\overline{BC}$, $\overline{AM}\perp\overline{GH}$이다. $\overline{BG}$=8 cm,
$\overline{CG}$=2 cm일 때, $\overline{AH}$의 길이를 구하여라.

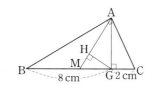

....

....

....

정답 및 풀이 48쪽

01 오른쪽 그림에서 $\overline{BC} /\!/ \overline{DE}$일 때, $\overline{AC}$의 길이를 구하여라.

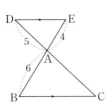

02 오른쪽 그림과 같은 △ABC에서 $\overline{BC} /\!/ \overline{DE}$일 때, $x+y$의 값을 구하여라.

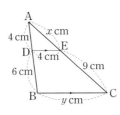

03 오른쪽 그림에서 $\overline{BC} /\!/ \overline{DE} /\!/ \overline{GF}$일 때, xy의 값을 구하여라.

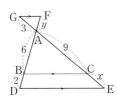

04 오른쪽 그림과 같은 △ABC에서 $\overline{BC} /\!/ \overline{DE}$일 때, $\overline{FE}$의 길이를 구하여라.

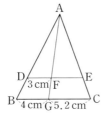

05 오른쪽 그림과 같은 △ABC에서 $\overline{FE} /\!/ \overline{DC}$, $\overline{DE} /\!/ \overline{BC}$이고 $\overline{AF} : \overline{FD}=2 : 1$이다. $\overline{AD}=6\,cm$일 때, $\overline{BD}$의 길이를 구하여라.

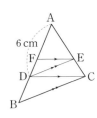

06 다음 중 $\overline{BC} /\!/ \overline{DE}$인 것은?

①
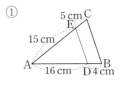

②
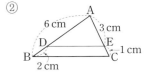

③
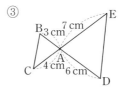

④
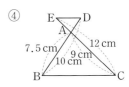

⑤

07 오른쪽 그림과 같은 △ABC에서 $\overline{AB} : \overline{BD}=\overline{AC} : \overline{CE}$일 때, 다음 중 옳지 <u>않은</u> 것은?

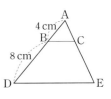

① $\overline{AB} : \overline{AD}=\overline{AC} : \overline{AE}=\overline{BC} : \overline{DE}$
② △ABC∽△ADE
③ $\overline{BC} /\!/ \overline{DE}$
④ $\overline{BC} : \overline{DE}=1 : 2$
⑤ ∠ABC=∠ADE

08 오른쪽 그림과 같은 △ABC에서 $\overline{\text{AD}}$가 ∠A의 이등분선일 때, $\overline{\text{CD}}$의 길이를 구하여라.

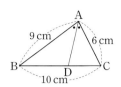

09 오른쪽 그림과 같은 △ABC에서 $\overline{\text{AD}}$는 ∠A의 이등분선이고, ∠A의 외각의 이등분선이 $\overline{\text{BC}}$의 연장선과 만나는 점을 E라 할 때, $\overline{\text{CE}}$의 길이를 구하여라.

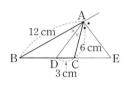

10 오른쪽 그림에서 $l /\!/ m /\!/ n$일 때, y를 x에 관한 식으로 나타내면?

① $y = \dfrac{5}{9}x$　　② $y = \dfrac{9}{5}x$

③ $y = \dfrac{45}{x}$　　④ $y = \dfrac{x}{45}$

⑤ $y = 45x$

11 오른쪽 그림에서 $l /\!/ m /\!/ n /\!/ p$일 때, xy의 값을 구하여라.

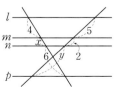

12 오른쪽 그림과 같은 사다리꼴 ABCD에서 $\overline{\text{AD}} /\!/ \overline{\text{MN}} /\!/ \overline{\text{BC}}$일 때, $\overline{\text{AD}}$의 길이를 구하여라.

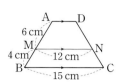

서·술·형·문·제 풀이 과정을 자세히 쓰시오.

13 오른쪽 그림에서 $\overline{\text{AB}}$, $\overline{\text{EF}}$, $\overline{\text{DC}}$가 모두 $\overline{\text{BC}}$에 수직일 때, $\overline{\text{EF}}$의 길이를 구하여라.

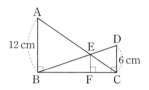

[단계] ❶ △ABE ∽ △CDE임을 설명하기
　　　 ❷ $\overline{\text{BE}} : \overline{\text{BD}}$ 구하기
　　　 ❸ $\overline{\text{EF}}$의 길이 구하기

답 _____

14 오른쪽 그림과 같은 △ABC에서 점 D는 ∠A의 외각의 이등분선과 $\overline{\text{BC}}$의 연장선의 교점이다. $\overline{\text{AD}} /\!/ \overline{\text{EC}}$일 때, $\overline{\text{EC}}$의 길이를 구하여라.

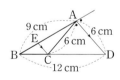

답 _____

01 오른쪽 그림과 같은 △ABC에서 두 점 M, N은 각각 $\overline{BC}$, $\overline{AC}$의 중점일 때, $x+y$의 값을 구하여라.

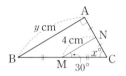

02 오른쪽 그림과 같은 △ABC에서 점 D, E, F는 각각 $\overline{AB}$, $\overline{BC}$, $\overline{CA}$의 중점이다. △ABC의 둘레의 길이가 26 cm일 때, △DEF의 둘레의 길이는?

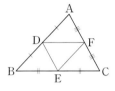

① 11 cm   ② 12 cm   ③ 13 cm

④ 14 cm   ⑤ 15 cm

03 오른쪽 그림에서 $\overline{AB}/\!\!/\overline{CD}$이고 점 M, N은 각각 $\overline{BC}$, $\overline{AD}$의 중점이다. 이때 $\overline{CD}$의 길이를 구하여라.

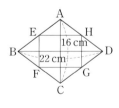

04 오른쪽 그림과 같은 마름모 ABCD에서 $\overline{AC}=16$ cm, $\overline{BD}=22$ cm일 때, 각 변의 중점을 연결하여 만든 □EFGH의 둘레의 길이는?

① 34 cm   ② 36 cm   ③ 38 cm

④ 40 cm   ⑤ 42 cm

05 오른쪽 그림과 같은 △ABC, △DBE에서 $\overline{AD}=\overline{AB}$, $\overline{AM}=\overline{MC}$이고 $\overline{BC}=12$ cm일 때, $\overline{EC}$의 길이를 구하여라.

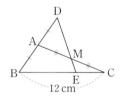

06 오른쪽 그림과 같은 △ABC에서 $\overline{AD}$는 △ABC의 중선이고, 점 G는 △ABC의 무게중심이다. $\overline{BE}:\overline{EC}=1:2$이고, △ABC=90 cm²일 때, △AEG의 넓이는?

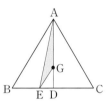

① 6 cm²   ② 10 cm²   ③ 12 cm²

④ 15 cm²   ⑤ 18 cm²

07 오른쪽 그림에서 점 G가 △ABC의 무게중심이고 $\overline{EF}/\!\!/\overline{BC}$일 때, $x+y$의 값을 구하여라.

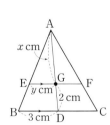

08 오른쪽 그림에서 점 G는 △ABC의 무게중심이고 $\overline{AB}=\overline{AC}$이다. $\overline{BE} /\!/ \overline{DF}$일 때, $x+y$의 값을 구하여라.

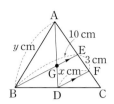

09 오른쪽 그림에서 점 G가 △ABC의 무게중심이고, $\overline{AD}$와 $\overline{FE}$의 교점을 H라 하자. $\overline{AD}=24$ cm일 때, $\overline{HG}$의 길이를 구하여라.

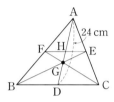

10 오른쪽 그림과 같이 $\overline{AB}=\overline{AC}$인 이등변삼각형 ABC에서 $\overline{BC}$의 중점을 M, △ABM, △ACM의 무게중심을 각각 G, G'이라 하자. $\overline{GG'}=12$ cm일 때, $\overline{BC}$의 길이를 구하여라.

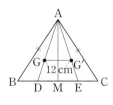

11 오른쪽 그림과 같은 평행사변형 ABCD에서 점 M, N은 각각 $\overline{BC}$, $\overline{CD}$의 중점이다. $\overline{BP}=5$ cm일 때, $\overline{MN}$의 길이를 구하여라.

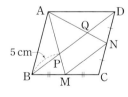

12 오른쪽 그림에서 점 G는 △ABC의 무게중심이고, 점 M은 $\overline{GC}$의 중점이다. △ABC$=48$ cm^{2}일 때, △AGM의 넓이를 구하여라.

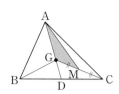

서·술·형·문·제

풀이 과정을 자세히 쓰시오.

13 오른쪽 그림과 같은 □ABCD에서 $\overline{AD} /\!/ \overline{BC}$이고 두 점 M, N은 각각 $\overline{AB}$, $\overline{CD}$의 중점일 때, $\overline{BC}$의 길이를 구하여라.

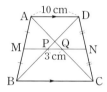

[단계] ❶ $\overline{MP}$의 길이 구하기
❷ $\overline{MQ}$의 길이 구하기
❸ $\overline{BC}$의 길이 구하기

....
....
....

답 _____

14 오른쪽 그림과 같은 평행사변형 ABCD에서 점 E가 $\overline{BC}$의 중점이고, □OFEC$=6$ cm^{2}일 때, □ABCD의 넓이를 구하여라.

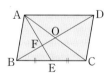

....
....
....

답 _____

정답 및 풀이 50쪽

01 오른쪽 그림과 같은 △ABC에서 두 점 D, E는 각각 $\overline{AC}$, $\overline{BC}$의 중점이다. △DEC의 넓이가 12 cm²일 때, △ABC의 넓이를 구하여라.

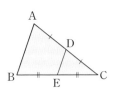

02 오른쪽 그림과 같은 △ABC에서 ∠ABC＝∠ACD, △ACD＝32 cm²일 때, △ABC의 넓이를 구하여라.

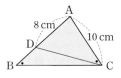

03 오른쪽 그림과 같이 두 개의 동심원이 있다. $\overline{AB}＝\overline{BC}＝\overline{CD}$ 이고, 작은 원의 넓이가 8π cm² 일 때, 큰 원의 넓이를 구하여라.

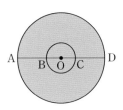

04 가로, 세로의 길이가 각각 0.8 m, 1.2 m인 직사각형 모양의 벽지 가격이 4000원이다. 벽지 가격이 벽지의 넓이에 정비례하여 정해진다고 할 때, 같은 벽지로 가로, 세로의 길이가 각각 3.2 m, 4.8 m인 직사각형 모양의 벽지를 살 때, 벽지의 가격은?

① 32000원   ② 48000원   ③ 56000원

④ 60000원   ⑤ 64000원

05 오른쪽 그림에서 두 사면체는 닮은 도형이고, 밑면의 둘레의 길이의 비가 3 : 4이다. 작은 사면체의 옆넓이가 180 cm²일 때, 큰 사면체의 옆넓이를 구하여라.

06 다음 그림과 같이 서로 닮은 두 직육면체 A, B가 있다. 두 직육면체의 겉넓이의 비가 4 : 9이고 직육면체 B의 부피가 540 cm³일 때, 직육면체 A의 부피를 구하여라.

A   B

07 오른쪽 그림과 같이 원뿔 모양의 그릇에 높이의 $\frac{1}{2}$까지 물을 넣었더니 채워진 물의 부피가 25 mL가 되었다. 이때 이 그릇에 물을 가득 채우려면 몇 mL의 물을 더 부어야 하는지 구하여라.

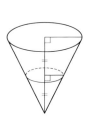

08 지름이 각각 21 cm, 28 cm인 구 모양의 수박 두 종류가 있다. 작은 수박의 가격이 한 통에 5400원일 때, 큰 수박의 가격을 구하여라. (단, 껍질의 두께는 생각하지 않으며 수박의 가격은 부피에 정비례한다.)

09 실제 거리가 3 km인 두 지점 사이의 거리가 어떤 지도에서 6 cm였다고 한다. A와 B 지점 사이의 실제 거리가 4 km일 때, 지도에서 두 지점 사이의 거리를 구하여라.

10 다음 그림의 △DFE는 C 지점에서 강 건너편의 A 지점까지의 거리를 측정하기 위하여 직각삼각형 ABC를 축소하여 그린 것이다. 두 지점 A와 C 사이의 실제 거리를 구하여라. (단, 단위는 m이다.)

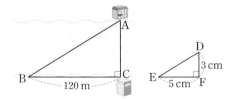

11 다음 그림과 같이 높이가 5 m인 나무의 그림자가 나무로부터 x m 떨어진 학교 건물의 벽면에 1 m 높이까지 생겼다. 같은 시각에 높이가 1 m인 막대의 그림자의 길이가 1.4 m일 때, x의 값을 구하여라.

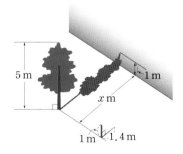

풀이 과정을 자세히 쓰시오.

12 오른쪽 그림과 같이 $\overline{AD} /\!/ \overline{BC}$인 사다리꼴 ABCD에서 △OBC의 넓이가 12 cm²일 때, △ACD의 넓이를 구하여라.

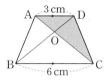

[단계] ❶ △AOD와 △COB의 넓이의 비 구하기
❷ △AOD의 넓이 구하기
❸ △DOC의 넓이 구하기
❹ △ACD의 넓이 구하기

답 _____

13 정육면체 모양의 크기가 같은 2개의 상자 A, B 안에 다음 그림과 같이 각 면에 접하도록 구슬을 가득 채웠다. A 상자 안의 큰 구슬의 겉넓이가 40 cm²일 때, 상자 B 안에 있는 작은 구슬 8개의 겉넓이를 구하여라. (단, 작은 구슬은 모두 같은 크기이다.)

답 _____

01 오른쪽 그림과 같은 △ABC에서 $\overline{BC} /\!/ \overline{DE}$일 때, xy의 값은?

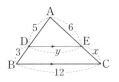

① 15 　② 18

③ 21 　④ 24

⑤ 27

02 오른쪽 그림과 같은 △ABC에서 $\overline{BC} /\!/ \overline{DE}$, $\overline{BE} /\!/ \overline{DF}$이고, $\overline{AD} : \overline{DB} = 2 : 1$일 때, $\overline{AF} : \overline{FE} : \overline{EC}$의 값은?

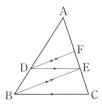

① 2 : 1 : 3 　② 3 : 1 : 2

③ 4 : 1 : 2 　④ 4 : 2 : 3

⑤ 5 : 2 : 3

03 오른쪽 그림과 같은 △ABC에서 다음 중 옳은 것을 모두 고르면? (정답 2개)

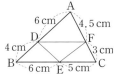
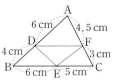

① △ABC∽△ADF

② △BAC∽△BDE

③ $\overline{AB} /\!/ \overline{EF}$

④ $\overline{DF} /\!/ \overline{BC}$

⑤ $\overline{AC} /\!/ \overline{DE}$

04 오른쪽 그림에서 점 I는 △ABC의 내심일 때, $\overline{AE}$의 길이는?

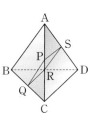

① 2 cm 　② $\dfrac{17}{8}$ cm

③ 3 cm 　④ $\dfrac{25}{8}$ cm

⑤ 4 cm

05 오른쪽 그림에서 $l /\!/ m /\!/ n$일 때, $x+y$의 값은?

① 11 　② 12

③ 13 　④ 14

⑤ 15

06 오른쪽 그림과 같이 한 모서리의 길이가 10 cm인 정사면체 A-BCD의 네 모서리 AC, BC, BD, AD의 중점을 연결하여 만든 □PQRS의 둘레의 길이는?

① 10 cm 　② 15 cm 　③ 20 cm

④ 25 cm 　⑤ 30 cm

07 오른쪽 그림과 같이 $\overline{AD}\,/\!/\,\overline{BC}$인 사다리꼴 ABCD에서 두 점 M, N은 각각 $\overline{AB}$, $\overline{DC}$의 중점이고, $\overline{MN}$과 두 대각선의 교점을 각각 P, Q라 하자. $\overline{MP}=\overline{PQ}=\overline{QN}=4$ cm일 때, $\overline{AD}+\overline{BC}$의 길이는?

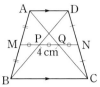

① 20 cm   ② 22 cm   ③ 24 cm

④ 26 cm   ⑤ 28 cm

08 오른쪽 그림과 같이 $\angle A = 90°$인 직각삼각형 ABC에서 점 G가 △ABC의 무게중심일 때, △ABC의 외접원의 둘레의 길이는?

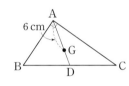

① 8π cm   ② 16π cm   ③ 18π cm

④ 20π cm   ⑤ 22π cm

09 오른쪽 그림과 같은 평행사변형 ABCD에서 점 M은 $\overline{AD}$의 중점이다. △ABP의 넓이가 16 cm²일 때, 평행사변형 ABCD의 넓이를 구하여라.

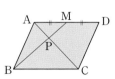

10 오른쪽 그림과 같은 △ABC에서 $\overline{AB}$의 삼등분점을 D, E라 하고 $\overline{AC}$의 삼등분점을 F, G라 하자. □EBCG의 넓이가 20 cm²일 때, □DEGF의 넓이를 구하여라.

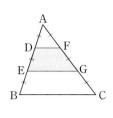

11 어느 피자 가게에는 원 모양의 피자가 2개 있다. 지름의 길이가 30 cm인 피자의 가격이 8000원일 때, 지름의 길이가 45 cm인 피자의 가격은? (단, 피자의 두께는 같고 가격은 넓이에 정비례한다.)

① 14000원   ② 16000원   ③ 18000원

④ 20000원   ⑤ 22000원

12 오른쪽 그림과 같은 원뿔 모양의 그릇에 전체 높이의 $\frac{1}{2}$까지 물을 채우는 데 5분이 걸렸다. 이 그릇에 물을 가득 채우려면 몇 분 동안 물을 더 넣어야 하는가? (단, 물을 채우는 속도는 일정하다.)

① 30분   ② 32분   ③ 35분

④ 38분   ⑤ 45분

13 오른쪽 그림에서 $\overline{AB} /\!/ \overline{CD} /\!/ \overline{EF}$, $\overline{BC} /\!/ \overline{DE}$이고 $\overline{AB}=4$, $\overline{EF}=9$
일 때, $\overline{CD}$의 길이를 구하여라.

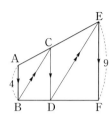

서술형
14 오른쪽 그림과 같은 $\triangle ABC$에서 $\overline{AE}$는 $\angle DAC$의 이등분선이고,
$\angle BAD = \angle ACB$일 때, $\overline{DE}$의 길이를 구하여라.

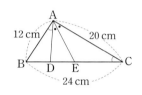

....

....

....

15 오른쪽 그림과 같은 $\overline{AD} /\!/ \overline{BC}$인 등변사다리꼴 ABCD에서 두 점 P,
Q는 각각 $\overline{AD}$, $\overline{BC}$의 중점이고, 점 M은 $\overline{BD}$의 중점이다.
$\angle ABD=35°$, $\angle BDC=80°$일 때, $\angle MPQ$의 크기를 구하여라.

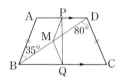

16 오른쪽 그림과 같은 $\triangle ABC$에서 $\overline{AD}=\overline{BD}$, $\overline{AE}=2\,\overline{EC}$일 때,
$\triangle ABC$의 넓이는 $\triangle PCE$의 넓이의 몇 배인지 구하여라.

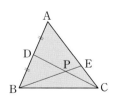

서술형

17 오른쪽 그림의 평행사변형 ABCD에서 두 점 M, N은 각각 $\overline{AD}$, $\overline{BC}$의 중점일 때, △APM의 둘레의 길이를 구하여라.

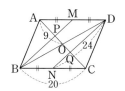

---

18 오른쪽 그림에서 점 G는 △ABC의 무게중심이고, 점 G를 지나고 $\overline{BC}$에 평행한 직선이 $\overline{AB}$, $\overline{AC}$와 만나는 점을 각각 D, E라 하자. △ABC의 넓이가 30 cm²일 때, △GDM의 넓이를 구하여라.

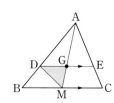

19 오른쪽 그림과 같은 △ABC의 내부의 한 점 P를 지나 세 변 BC, CA, AB에 평행한 직선을 그어 세 변과 만나는 점을 각각 D, E, F, G, H, I라 하자. △GDP, △HPE, △PIF의 넓이가 각각 16 cm², 9 cm², 64 cm²일 때, △ABC의 넓이를 구하여라.

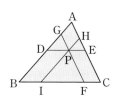

서술형

20 오른쪽 그림과 같이 윗부분과 아랫부분의 반지름의 길이가 각각 12 cm, 8 cm인 원뿔대 모양의 컵에 높이의 $\frac{1}{2}$만큼 물을 채웠다. 컵의 부피가 304 cm³일 때, 채워진 물의 부피를 구하여라.

---

01 오른쪽 그림에서
∠B=∠ACD=90°이고,
$\overline{AB}=12$, $\overline{BC}=9$, $\overline{CD}=8$일 때,
$\overline{AD}$의 길이는?

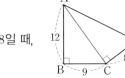

① 16　　② 17

③ 18　　④ 19

⑤ 20

02 오른쪽 그림에서 △ABC가
직각삼각형이고 □ACDE가
정사각형일 때, □ACDE의
넓이를 구하여라.

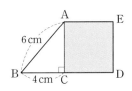

03 두 점 A(2, 1), B(5, 5) 사이의 거리는?

① 3　　　② 4　　　③ 5

④ 6　　　⑤ 7

04 오른쪽 그림과 같은 직각삼각형
ABC에서 점 M이 $\overline{AB}$의 중
점이고, $\overline{AC}=6$ cm,
$\overline{BC}=8$ cm일 때, $\overline{CM}$의 길이
는?

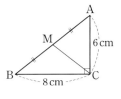

① 2 cm　　② 3 cm　　③ 4 cm

④ 5 cm　　⑤ 6 cm

05 오른쪽 그림과 같이
$\overline{BC}=\overline{CA}=4$ cm인 직각이등
변삼각형 ABC에서 $\overline{AB}$의 연
장선 위에 $\overline{AD}=3\overline{AB}$인 점 D
를 잡았을 때, $\overline{CD}$의 길이는?

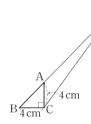

① 8 cm　　② 12 cm

③ 16 cm　　④ 20 cm

⑤ 24 cm

06 오른쪽 그림에서 $\overline{AE}=12$이고
$\overline{AB}=\overline{BC}=\overline{CD}=\overline{DE}=x$일 때, x의
값을 구하여라.

07 오른쪽 그림은 한 변의 길이가
7 cm인 정사각형 ABCD의 각
변 위에
$\overline{AE}=\overline{BF}=\overline{CG}=\overline{DH}=4$ cm
가 되도록 네 점 E, F, G, H를
잡은 것이다. 이때 □EFGH의
넓이를 구하여라.

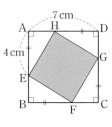

08 오른쪽 그림과 같이 직각삼각형
ABC의 각 변을 한 변으로 하는
세 정사각형을 그렸다. $\overline{AB}$, $\overline{BC}$
를 한 변으로 하는 정사각형의
넓이가 각각 41 cm², 16 cm²일
때, $\overline{AC}$의 길이를 구하여라.

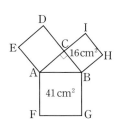

09 오른쪽 그림은 ∠A=90°인 △ABC의 각 변을 한 변으로 하는 세 정사각형을 그린 것이다. □BFML의 넓이가 64 cm²이고 $\overline{BC}$=10 cm일 때, △BCH의 넓이는?

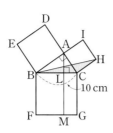

① 8 cm²　　② 12 cm²　　③ 15 cm²

④ 16 cm²　　⑤ 18 cm²

10 오른쪽 그림에서 4개의 직각삼각형은 모두 합동이고, $\overline{AB}$=5 cm, $\overline{AE}$=4 cm일 때, □EFGH의 넓이는?

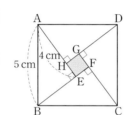

① 1 cm²　　② 2 cm²

③ 3 cm²　　④ 4 cm²

⑤ 5 cm²

11 오른쪽 그림과 같이 $\overline{AB}$=$\overline{BC}$=8 cm인 직각이등변삼각형 ABC를 점 A가 변 BC 위의 점 E에 오도록 접었을 때, $\overline{EC}$의 길이를 구하여라.

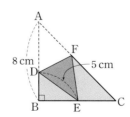

12 세 변의 길이가 각각 4, 5, x인 삼각형이 직각삼각형이 되도록 하는 x에 대하여 x^2의 값을 모두 구하여라.

서·술·형·문·제　　　　　　풀이 과정을 자세히 쓰시오.

13 오른쪽 그림과 같은 △ABC에서 $\overline{AD}\perp\overline{BC}$이고, $\overline{AC}$=17, $\overline{BC}$=28, $\overline{AD}$=15일 때, $\overline{AB}$의 길이를 구하여라.

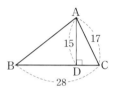

[단계]　❶ $\overline{CD}$의 길이 구하기

　　　　❷ $\overline{BD}$의 길이 구하기

　　　　❸ $\overline{AB}$의 길이 구하기

답 _____

14 오른쪽 그림과 같은 이등변삼각형 ABC에서 $\overline{AB}$=$\overline{AC}$=10 cm, $\overline{BC}$=12 cm일 때, △ABC의 넓이를 구하여라.

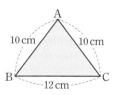

답 _____

정답 및 풀이 54쪽

01 세 변의 길이가 각각 다음과 같은 삼각형 중에서 예각삼각형인 것은?

① 3 cm, 4 cm, 6 cm ② 4 cm, 4 cm, 6 cm
③ 4 cm, 6 cm, 8 cm ④ 7 cm, 8 cm, 9 cm
⑤ 5 cm, 12 cm, 13 cm

02 세 변의 길이가 보기와 같은 삼각형 중에서 둔각삼각형인 것은 모두 몇 개인가?

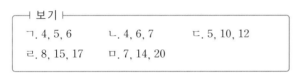

┤ 보기 ├
ㄱ. 4, 5, 6   ㄴ. 4, 6, 7   ㄷ. 5, 10, 12
ㄹ. 8, 15, 17   ㅁ. 7, 14, 20

① 1개   ② 2개   ③ 3개
④ 4개   ⑤ 5개

03 오른쪽 그림과 같은 △ABC에서 $\overline{AB}=7$ cm, $\overline{AC}=6$ cm이다. 다음 중 ∠C가 둔각이 되도록 하는 a의 값을 모두 고르면? (정답 2개)

① 2   ② 3
③ 4   ④ 5   ⑤ 6

04 오른쪽 그림과 같이 직각삼각형 ABC의 꼭짓점 A에서 $\overline{BC}$에 내린 수선의 발을 H라 하자. $\overline{AB}=9$ cm, $\overline{BC}=15$ cm일 때, $\overline{AH}$의 길이를 구하여라.

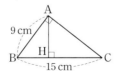

05 오른쪽 그림과 같이 ∠A=90° 인 직각삼각형 ABC에서 $\overline{DE}=3$, $\overline{BE}=4$, $\overline{CD}=6$일 때, $\overline{BC}^2$의 값은?

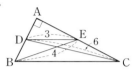

① 40   ② 43   ③ 45
④ 48   ⑤ 50

06 오른쪽 그림의 □ABCD에서 $\overline{AC}\perp\overline{BD}$이고 $\overline{AB}=6$ cm, $\overline{CD}=8$ cm일 때, $\overline{AD}^2+\overline{BC}^2$의 값을 구하여라.

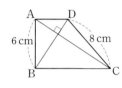

07 오른쪽 그림의 □ABCD에서 $\overline{AC}\perp\overline{BD}$이고 $\overline{OC}=6$, $\overline{OD}=8$, $\overline{BC}=7$, $\overline{AD}=11$일 때, x^2의 값은?

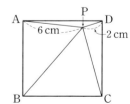

① 30   ② 40
③ 50   ④ 60
⑤ 70

08 오른쪽 그림과 같이 직사각형 ABCD의 내부에 한 점 P가 있다. $\overline{PA}=6$ cm, $\overline{PD}=2$ cm 일 때, $\overline{PB}^2-\overline{PC}^2$의 값은?

① 30   ② 32
③ 34   ④ 36
⑤ 40

09 오른쪽 그림의 직사각형 ABCD에서 $\overline{PQ}$는 $\overline{AD}$에 평행하다. $\overline{AP}=3$, $\overline{BP}=7$, $\overline{PQ}=3$, $\overline{CQ}=11$일 때, $\overline{DQ}$의 길이는?

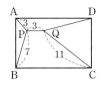

① 6　　　　② 7　　　　③ 8

④ 9　　　　⑤ 10

10 오른쪽 그림과 같이 $\overline{AB}=6$ cm, $\overline{AD}=8$ cm인 직사각형 ABCD가 있다. $\overline{BC}$ 위의 점 P를 지나 $\overline{AC}$에 수직인 직선이 $\overline{AD}$와 만나는 점을 Q라 할 때, $\overline{PQ}$의 길이는?

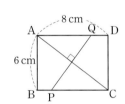

① $\dfrac{11}{2}$ cm　　② $\dfrac{15}{2}$ cm　　③ $\dfrac{22}{3}$ cm

④ $\dfrac{25}{3}$ cm　　⑤ $\dfrac{35}{4}$ cm

11 오른쪽 그림과 같이 $\angle A=90°$인 직각삼각형 ABC에서 $\overline{AB}$, $\overline{AC}$를 지름으로 하는 반원의 넓이를 각각 P, Q라 할 때, $P+Q$의 값은?

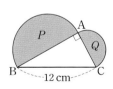

① 14π cm^2　　② 16π cm^2　　③ 18π cm^2

④ 20π cm^2　　⑤ 22π cm^2

12 오른쪽 그림과 같이 원에 내접하는 직사각형 ABCD에서 각 변을 지름으로 하는 네 반원과 대각선 AC를 지름으로 하는 원을 그렸을 때, 색칠한 부분의 넓이를 구하여라.

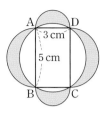

서·술·형·문·제　　　　　　　　　　풀이 과정을 자세히 쓰시오.

13 오른쪽 그림에서 두 직각삼각형 ABE와 CDB는 서로 합동이고, 세 점 A, B, C는 한 직선 위에 있다. $\overline{AB}=8$ cm, $\triangle BDE=50$ cm^{2}일 때, $\triangle ABE$의 넓이를 구하여라.

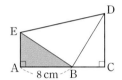

[단계] ❶ $\overline{BE}$의 길이 구하기
　　　　❷ $\overline{AE}$의 길이 구하기
　　　　❸ $\triangle ABE$의 넓이 구하기

답 _____

14 오른쪽 그림과 같이 $\angle A=90°$인 직각삼각형 ABC의 각 변을 지름으로 하는 세 반원이 있다. $\overline{AB}=6$ cm이고, 색칠한 부분의 넓이가 24 cm^{2}일 때, $\overline{BC}$의 길이를 구하여라.

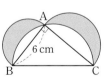

답 _____

01 오른쪽 그림과 같은 직사각형 ABCD에서 $\overline{BC}=9$, $\overline{CD}=12$일 때, 대각선의 길이는?

① 14   ② 15
③ 16   ④ 17
⑤ 18

02 오른쪽 그림과 같은 △ABC에서 $\overline{AD}\perp\overline{BC}$이고 $\overline{AC}=5$, $\overline{AD}=4$, $\overline{BC}=10$일 때, $\overline{BD}$의 길이는?

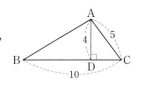

① 4   ② 5   ③ 6
④ 7   ⑤ 8

03 오른쪽 그림에서 $\overline{OA}=\overline{OA'}$, $\overline{OB}=\overline{OB'}$일 때, 점 D의 좌표는?

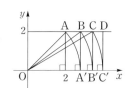

① (2.5, 2)   ② (3, 2)
③ (3.5, 2)   ④ (4, 2)
⑤ (4.5, 2)

04 오른쪽 그림은 ∠A=90°인 △ABC의 각 변을 한 변으로 하는 세 정사각형을 그린 것이다. □LMGC의 넓이가 25 cm² 이고 $\overline{BC}=13$ cm일 때, △BCE의 넓이는?

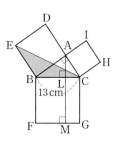

① 64 cm²   ② 66 cm²   ③ 68 cm²
④ 70 cm²   ⑤ 72 cm²

05 오른쪽 그림과 같이 한 변의 길이가 8 cm인 정사각형 ABCD에서
$\overline{AP}=\overline{BQ}=\overline{CR}=\overline{DS}$
$=3$ cm,
∠SPQ=∠PQR=∠QRS=∠RSP=90°
일 때, □PQRS의 넓이는?

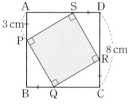

① 32 cm²   ② 33 cm²   ③ 34 cm²
④ 36 cm²   ⑤ 38 cm²

06 오른쪽 그림과 같이 가로, 세로의 길이가 각각 16 cm, 12 cm인 직사각형 ABCD에서 대각선 BD를 접는 선으로 하여 접었을 때, $\overline{AD}$와 $\overline{BC'}$의 교점 E에서 $\overline{BD}$에 내린 수선의 발 F까지의 거리는?

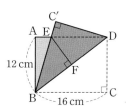

① 4 cm   ② 4.5 cm   ③ 5 cm
④ 7.5 cm   ⑤ 8.5 cm

07 오른쪽 그림과 같이 ∠A=90°인 직각삼각형 ABC의 각 변을 지름으로 하는 세 반원을 그렸다. $\overline{AB}=12$ cm, $\overline{BC}=13$ cm일 때, 색칠한 부분의 넓이는?

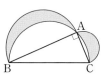

① 18 cm²   ② 20 cm²   ③ 24 cm²
④ 28 cm²   ⑤ 30 cm²

08 좌표평면 위의 세 점 $O(0, 0)$, $A(3, 4)$, $B(-8, 15)$에 대하여 $\overline{AO}+\overline{BO}$의 길이를 구하여라.

09 오른쪽 그림에서 $\square ABCD$는 한 변의 길이가 8 cm인 정사각형이고, 점 E는 $\overline{CF}$와 $\overline{AD}$의 연장선의 교점이다. $\overline{CF}=10$ cm일 때, $\triangle AEF$의 넓이를 구하여라.

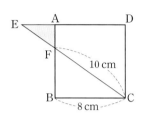

10 오른쪽 그림과 같은 직사각형 ABCD에서 $\overline{AB}=3$ cm, $\overline{AD}=4$ cm 이고 $\overline{AF}\perp\overline{BD}$이다. 이때 $\overline{BF}$의 길이를 구하여라.

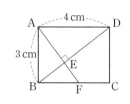

11 오른쪽 그림과 같이 $\overline{AB}=3$ cm, $\overline{BF}=6$ cm, $\overline{AD}=5$ cm인 직육면체의 꼭짓점 A에서 겉면을 따라 모서리 BC, FG를 지나 점 H에 이르는 최단 거리를 구하여라.

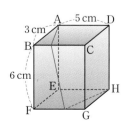

정답 및 풀이 56쪽

01 10원짜리, 50원짜리, 100원짜리 동전이 각각 5개씩 있다. 이 동전을 사용하여 학용품 값 400원을 지불하는 경우의 수는?

① 4   ② 5   ③ 6
④ 8   ⑤ 10

02 서로 다른 두 개의 주사위를 던질 때, 나오는 눈의 수의 합이 5 또는 7인 경우의 수는?

① 6   ② 8   ③ 10
④ 12   ⑤ 14

03 서로 다른 티셔츠 5개와 바지 4개가 있을 때, 티셔츠와 바지를 한 개씩 짝지어 입을 수 있는 경우의 수는?

① 9   ② 12   ③ 15
④ 20   ⑤ 24

04 오른쪽 그림과 같은 벽면의 각 부분에 빨강, 노랑, 파랑, 보라, 분홍의 5가지 색을 한 번씩만 사용하여 칠하는 방법은 모두 몇 가지인가?

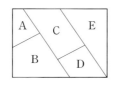

① 36가지   ② 60가지   ③ 80가지
④ 100가지   ⑤ 120가지

05 A, B, C, D 4명이 한 줄로 서는데, A가 B보다 앞에 서는 경우의 수는?

① 6   ② 12   ③ 18
④ 20   ⑤ 24

06 서로 다른 수학 참고서 5권과 영어 참고서 3권을 책꽂이에 꽂으려고 한다. 수학 참고서는 수학 참고서끼리, 영어 참고서는 영어 참고서끼리 이웃하게 꽂는 방법의 수는?

① 120   ② 360   ③ 720
④ 1024   ⑤ 1440

07 0, 1, 2, 3, 4의 숫자가 적힌 5장의 카드에서 2장을 뽑아 두 자리의 정수를 만들 때, 10 이상의 정수의 개수는?

① 16개   ② 18개   ③ 20개
④ 24개   ⑤ 28개

08 0, 1, 2, 3, 4의 숫자가 적힌 5장의 카드에서 3장을 뽑아 세 자리의 정수를 만들 때, 홀수의 개수는?

① 12개   ② 18개   ③ 24개
④ 36개   ⑤ 48개

09 A, B, C, D, E, F 6명 중에서 회장 1명, 부회장 1명, 총무 1명을 뽑는 경우의 수는?

① 20   ② 36   ③ 60

④ 90   ⑤ 120

10 서로 다른 수학 참고서 5권과 영어 참고서 4권 중에서 수학 참고서와 영어 참고서를 각각 2권씩 선택하는 경우의 수는?

① 18   ② 24   ③ 36

④ 48   ⑤ 60

11 15개의 역이 있는 지하철 노선이 있다. 각 역마다 다른 역으로 가는 표를 발행할 때, 15개의 역에서 발행되는 표는 모두 몇 가지인가?

① 30가지   ② 60가지   ③ 120가지

④ 180가지   ⑤ 210가지

12 몇 개의 농구팀이 모여 모두 서로 한 번씩 경기를 하였더니 모두 45게임이었다. 경기를 한 팀은 모두 몇 팀인가?

① 7팀   ② 8팀   ③ 9팀

④ 10팀   ⑤ 11팀

13 A, B, C, D, E 다섯 명이 한 줄로 설 때, D, E는 이웃하고 D가 E 뒤에 서는 경우의 수는?

① 24   ② 26   ③ 30

④ 32   ⑤ 36

서·술·형·문·제

풀이 과정을 자세히 쓰시오.

14 오른쪽 그림과 같은 A, B, C, D 네 도시 사이의 도로망이 있다. A시에서 D시로 가는 경우의 수를 구하여라.
(단, 한 번 지나간 도시는 다시 지나지 않는다.)

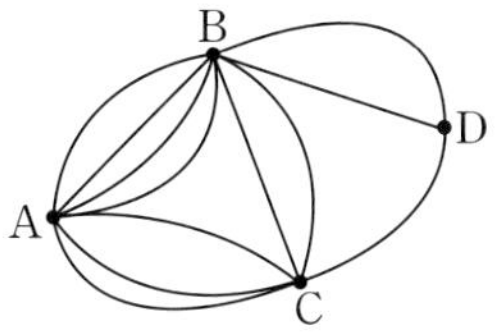

[단계] ❶ A시에서 B시를 거쳐 D시로 가는 경우의 수 구하기
❷ A시에서 C시를 거쳐 D시로 가는 경우의 수 구하기
❸ A시에서 B시와 C시를 차례로 거쳐 D시로 가는 경우의 수 구하기
❹ A시에서 C시와 B시를 차례로 거쳐 D시로 가는 경우의 수 구하기
❺ A시에서 D시로 가는 경우의 수 구하기

답 _____

15 1, 2, 3, 4, 5의 숫자가 각각 적힌 5장의 카드가 있다. 이 중에서 1장씩 3번을 뽑아 만들 수 있는 세 자리의 정수 중에서 424보다 큰 정수의 개수를 구하여라. (단, 같은 수가 적힌 카드를 다시 뽑을 수 있다.)

답 _____

13 확률

정답 및 풀이 57쪽

01 1에서 4까지 자연수가 적혀 있는 정사면체 2개를 동시에 던질 때, 밑면에 적힌 수의 합이 6일 확률은?

① $\dfrac{1}{8}$ ② $\dfrac{3}{16}$ ③ $\dfrac{5}{16}$

④ $\dfrac{3}{8}$ ⑤ $\dfrac{5}{8}$

02 다음 확률에 대한 설명 중 옳지 <u>않은</u> 것은?

① 절대로 일어날 수 없는 사건의 확률은 0이다.
② 반드시 일어나는 사건의 확률은 1이다.
③ 두 개의 동전을 동시에 던질 때, 서로 다른 면이 나올 확률은 $\dfrac{1}{2}$이다.
④ 한 개의 주사위를 던질 때, 6의 약수인 눈이 나올 확률은 $\dfrac{2}{3}$이다.
⑤ 두 개의 주사위를 동시에 던질 때, 모두 홀수인 눈이 나올 확률은 $\dfrac{1}{2}$이다.

03 서로 다른 두 개의 주사위를 동시에 던질 때, 두 눈의 수의 차가 1이 아닐 확률은?

① $\dfrac{1}{9}$ ② $\dfrac{1}{6}$ ③ $\dfrac{2}{9}$

④ $\dfrac{5}{18}$ ⑤ $\dfrac{13}{18}$

04 동전 3개를 동시에 던질 때, 세 개의 동전 중 적어도 한 개는 다른 면이 나올 확률은?

① $\dfrac{1}{8}$ ② $\dfrac{1}{4}$ ③ $\dfrac{3}{8}$

④ $\dfrac{5}{8}$ ⑤ $\dfrac{3}{4}$

05 주머니 속에 흰 공 3개, 붉은 공 5개, 검은 공 4개가 들어 있다. 이 중에서 한 개의 공을 꺼낼 때, 흰 공 또는 붉은 공을 꺼낼 확률은?

① $\dfrac{1}{4}$ ② $\dfrac{1}{3}$ ③ $\dfrac{1}{2}$

④ $\dfrac{2}{3}$ ⑤ $\dfrac{3}{4}$

06 서로 다른 2개의 주사위를 동시에 던질 때, 나온 두 눈의 수의 차가 3 또는 5일 확률은?

① $\dfrac{1}{6}$ ② $\dfrac{2}{9}$ ③ $\dfrac{3}{5}$

④ $\dfrac{7}{9}$ ⑤ $\dfrac{5}{6}$

07 0, 1, 2, 3, 4의 숫자가 적힌 5장의 카드 중에서 2장을 뽑아 두 자리의 자연수를 만들 때, 20 미만이거나 40보다 클 확률은?

① $\dfrac{1}{4}$ ② $\dfrac{4}{15}$ ③ $\dfrac{7}{16}$

④ $\dfrac{11}{18}$ ⑤ $\dfrac{13}{20}$

08 오성이와 한음이가 가위바위보를 할 때, 처음에는 오성이가 이기고, 두 번째는 서로 비길 확률은?

① $\dfrac{1}{9}$ ② $\dfrac{2}{9}$ ③ $\dfrac{7}{18}$

④ $\dfrac{5}{9}$ ⑤ $\dfrac{13}{18}$

09 A주머니에는 흰 공 2개와 검은 공 4개가 들어 있고, B주머니에는 흰 공 3개와 검은 공 3개가 들어 있다. A, B 두 주머니에서 각각 공을 1개씩 꺼낼 때, 공 2개가 모두 검은 공일 확률은?

① $\dfrac{1}{6}$　　② $\dfrac{1}{3}$　　③ $\dfrac{2}{5}$

④ $\dfrac{7}{12}$　　⑤ $\dfrac{2}{3}$

10 어떤 문제를 풀 확률이 갑은 $\dfrac{4}{7}$, 을은 $\dfrac{5}{6}$일 때, 갑과 을 두 사람 중에서 적어도 한 사람이 문제를 풀 확률은?

① $\dfrac{1}{7}$　　② $\dfrac{1}{6}$　　③ $\dfrac{2}{7}$

④ $\dfrac{5}{7}$　　⑤ $\dfrac{13}{14}$

11 민석이가 학교에 지각할 확률이 $\dfrac{1}{6}$일 때, 2일 중 하루만 지각할 확률은?

① $\dfrac{5}{18}$　　② $\dfrac{3}{10}$　　③ $\dfrac{7}{15}$

④ $\dfrac{7}{12}$　　⑤ $\dfrac{5}{6}$

12 A상자의 제품은 200개 중에서 6개가 불량품이고, B상자의 제품은 20개 중에서 1개가 불량품이라 한다. 두 상자 중 어느 한 상자에서 임의로 한 개의 제품을 꺼낼 때, 불량품일 확률은?

① $\dfrac{1}{25}$　　② $\dfrac{1}{20}$　　③ $\dfrac{2}{15}$

④ $\dfrac{3}{20}$　　⑤ $\dfrac{4}{25}$

13 A주머니에는 흰 공 5개와 검은 공 3개가 들어 있고, B주머니에는 흰 공 4개와 검은 공 6개가 들어 있다. A, B 두 주머니에서 각각 공을 1개씩 꺼낼 때, 같은 색의 공이 나올 확률을 구하여라.

서·술·형·문·제
풀이 과정을 자세히 쓰시오.

14 다음 그림과 같이 한 점 P가 수직선 위의 원점에 놓여 있다. 동전 한 개를 던져 앞면이 나오면 오른쪽으로 2만큼, 뒷면이 나오면 왼쪽으로 1만큼 움직이기로 할 때, 동전을 4번 던져 움직인 점 P가 -1에 위치할 확률을 구하여라.

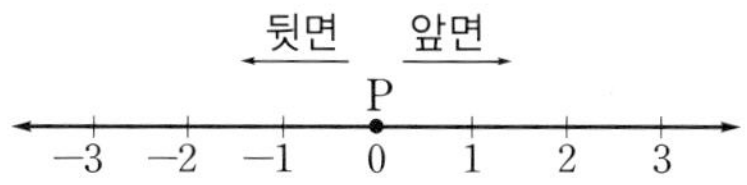

뒷면　앞면
P
-3　-2　-1　0　1　2　3

[단계]　❶ 모든 경우의 수 구하기
　　　❷ 점 P가 -1의 위치에 있는 경우의 수 구하기
　　　❸ 점 P가 -1의 위치에 있는 확률 구하기

답 _____

15 A, B, C 세 사람이 술래잡기를 하려고 한다. 가위바위보를 하여 진 사람 한 명을 술래로 정하려고 할 때, 가위바위보를 한 번 하여 A가 술래가 될 확률을 구하여라.

답 _____

01 모양과 크기가 같은 공 7개를 서로 다른 바구니 2개에 나누어 담는 방법의 수는? (단, 바구니에는 공이 반드시 담겨야 한다.)

① 4   ② 6   ③ 8
④ 10   ⑤ 12

02 주사위 한 개를 두 번 던져서 처음 나온 눈의 수를 x, 나중에 나온 눈의 수를 y라 할 때, $3x+2y=15$가 되는 경우의 수는?

① 2   ② 3   ③ 4
④ 5   ⑤ 6

03 다음 그림과 같은 5장의 카드에서 3장을 뽑아 만들 수 있는 글자를 사전식 순서로 늘어놓을 때, 9번째에 올 글자는?

ㄱ ㄴ ㅇ ㅏ ㅜ

① 악   ② 욱   ③ 안
④ 운   ⑤ 눅

04 세 쌍의 부부를 한 줄로 세울 때, 부부끼리 이웃하여 서는 경우의 수는?

① 6   ② 12   ③ 24
④ 48   ⑤ 60

05 1에서 5까지의 자연수가 각각 적힌 5장의 카드가 있다. 이 중에서 3장의 카드를 뽑아 만들 수 있는 세 자리의 정수 중에서 340 이상인 수의 개수는?

① 12개   ② 16개   ③ 24개
④ 30개   ⑤ 36개

06 0, 1, 2, 3, 4의 숫자가 각각 적힌 5장의 카드에서 3장의 카드를 뽑아 세 자리의 정수를 만들려고 한다. 이때 세 자리의 정수 중에서 짝수의 개수는?

① 18개   ② 24개   ③ 30개
④ 36개   ⑤ 40개

07 오른쪽 그림과 같이 한 원 위에 7개의 점이 있다. 이 점들을 이어서 삼각형을 만들 때, 만들 수 있는 삼각형의 개수는?

① 16개   ② 24개   ③ 34개
④ 35개   ⑤ 42개

08 남학생 5명, 여학생 4명이 있다. 남학생 중에서 회장 1명, 여학생 중에서 부회장 1명, 총무 1명을 뽑는 경우의 수는?

① 24   ② 36   ③ 48
④ 52   ⑤ 60

09 길이가 3 cm, 4 cm, 5 cm, 7 cm인 막대가 있다. 이 막대 중에서 3개를 골라 삼각형을 만들 때, 삼각형이 만들어질 확률은?

① $\dfrac{1}{4}$ ② $\dfrac{2}{5}$ ③ $\dfrac{1}{2}$

④ $\dfrac{3}{5}$ ⑤ $\dfrac{3}{4}$

10 주사위 2개를 동시에 던질 때, 나온 눈의 수의 합이 5 또는 8일 확률은?

① $\dfrac{1}{6}$ ② $\dfrac{2}{9}$ ③ $\dfrac{1}{4}$

④ $\dfrac{5}{18}$ ⑤ $\dfrac{4}{9}$

11 주사위를 연속하여 세 번 던질 때, 나오는 눈의 수가 첫 번째는 2의 배수, 두 번째는 3의 배수, 세 번째는 4의 배수일 확률은?

① $\dfrac{1}{36}$ ② $\dfrac{1}{18}$ ③ $\dfrac{5}{36}$

④ $\dfrac{5}{18}$ ⑤ $\dfrac{7}{18}$

12 어느 시험에 합격할 확률이 A는 $\dfrac{1}{3}$, B는 $\dfrac{2}{3}$, C는 $\dfrac{3}{4}$이라 한다. 이 시험에서 A는 불합격하고, B와 C는 합격할 확률은?

① $\dfrac{1}{3}$ ② $\dfrac{1}{4}$ ③ $\dfrac{1}{5}$

④ $\dfrac{1}{6}$ ⑤ $\dfrac{1}{8}$

13 두 개의 주사위를 동시에 던질 때, 나온 두 눈의 수의 합이 7이거나 두 눈의 수의 곱이 6일 확률은?

① $\dfrac{1}{18}$ ② $\dfrac{2}{9}$ ③ $\dfrac{5}{18}$

④ $\dfrac{1}{36}$ ⑤ $\dfrac{5}{36}$

14 주머니 속에 붉은 공 3개와 푸른 공 4개가 들어 있다. 이 주머니에서 연속하여 2개의 공을 꺼낼 때, 적어도 한 개는 푸른 공일 확률은? (단, 꺼낸 공은 다시 넣지 않는다.)

① $\dfrac{5}{42}$ ② $\dfrac{1}{7}$ ③ $\dfrac{11}{42}$

④ $\dfrac{5}{7}$ ⑤ $\dfrac{6}{7}$

15 A주머니에는 흰 공 4개, 붉은 공 2개가 들어 있고, B주머니에는 흰 공 4개, 붉은 공 4개가 들어 있다. A주머니와 B주머니에서 공을 한 개씩 꺼낼 때, 하나는 흰 공이고 다른 하나는 붉은 공일 확률은?

① $\dfrac{1}{6}$ ② $\dfrac{1}{3}$ ③ $\dfrac{1}{2}$

④ $\dfrac{2}{3}$ ⑤ $\dfrac{3}{4}$

16 은영이는 버스나 자전거 중 하나를 이용하여 등교한다. 버스로 등교한 다음 날 자전거로 등교할 확률은 $\dfrac{1}{2}$, 자전거로 등교한 다음 날 버스로 등교할 확률은 $\dfrac{1}{3}$이다. 수요일에 버스로 등교했다면 그 주의 금요일에 자전거로 등교할 확률은?

① $\dfrac{1}{6}$ ② $\dfrac{5}{12}$ ③ $\dfrac{7}{12}$

④ $\dfrac{5}{6}$ ⑤ $\dfrac{11}{12}$

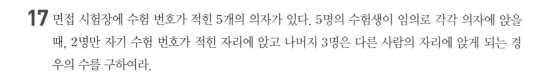

17 면접 시험장에 수험 번호가 적힌 5개의 의자가 있다. 5명의 수험생이 임의로 각각 의자에 앉을 때, 2명만 자기 수험 번호가 적힌 자리에 앉고 나머지 3명은 다른 사람의 자리에 앉게 되는 경우의 수를 구하여라.

18 오른쪽 그림과 같은 도로망이 있다. A 지점에서 P 지점을 거쳐 B 지점까지 최단 거리로 가는 경우의 수를 구하여라.

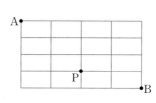

서술형

19 바둑 대회의 결승전에서 A, B 두 팀이 대결하는데, 먼저 세 게임을 이기는 팀이 우승한다고 한다. 이때 우승팀이 가려지는 경우의 수를 구하여라. (단, 비기는 경우는 없다.)

20 10개의 계단을 오르는데, 한 번에 1계단 또는 2계단을 오를 수 있다고 한다. 10개의 계단을 오르는 경우의 수를 구하여라.

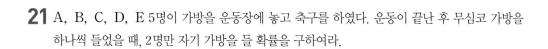

21 A, B, C, D, E 5명이 가방을 운동장에 놓고 축구를 하였다. 운동이 끝난 후 무심코 가방을 하나씩 들었을 때, 2명만 자기 가방을 들 확률을 구하여라.

22 주머니에 흰 공이 a개, 검은 공이 b개, 붉은 공이 3개 들어 있다. 이 주머니에서 한 개의 공을 꺼 낼 때, 흰 공이 나올 확률이 $\frac{1}{3}$, 붉은 공이 나올 확률이 $\frac{1}{5}$이다. 이때 흰 공의 개수를 구하여라.

서술형
23 오른쪽 그림과 같이 점 P가 한 변의 길이가 1인 정사각형 ABCD의 한 꼭 짓점 A를 출발하여 꼭짓점 B의 방향으로 주사위를 던져 나온 눈의 수의 합만큼 변을 따라 움직인다고 한다. 주사위를 두 번 던졌을 때, 점 P가 꼭 짓점 D에 있을 확률을 구하여라.

24 A, B 두 개의 주사위를 동시에 던졌을 때, A 주사위의 눈의 수를 a, B 주사위의 눈의 수를 b 라 하자. 이때 방정식 $ax+b=0$의 해가 -2 또는 -1일 확률을 구하여라.

SUMMA CUM LAUDE
MIDDLE SCHOOL MATHEMATICS

보내는 사람

_____

_____

□ □ □ - □ □

Stamp

받는 사람

서울시 강남구 논현로 16길 4-3 이룸빌딩

(주)이룸이앤비 기획팀

[0] [6] [3] [1] [2]

이룸이앤비
Education & Books
www.erumenb.com

숨마큠라우데
중학수학 실전문제집 2-하

홈페이지를 방문하시면 온라인으로 편리하게 교재 평가에 참여하실 수 있습니다!
(매월 우수 평가자를 선정하여 소정의 교재를 보내드립니다.)
www.erumenb.com

이 름		남☐ 여☐		학교(학원)	학년
Mobile		E-mail			

숨마쿰라우데 중학수학 실전문제집 2-하

■ 교재를 구입하게 된 동기는 무엇입니까?

① 서점에서 보고　　　② 선생님의 추천　　　③ 방과 후 수업용　　　④ 학원 수업용
⑤ 과외 수업용　　　　⑥ 공부방 수업용　　　⑦ 부모, 형제, 친구의 추천　　⑧ 서점에서 추천

■ 교재의 전체적인 디자인 및 내용 구성에 대한 의견을 들려주세요.

❖ 표지디자인:　① 매우 좋다　　　② 좋다　　　③ 보통이다　　　④ 좋지 않다
　그 이유는? _____

❖ 본문디자인:　① 매우 좋다　　　② 좋다　　　③ 보통이다　　　④ 좋지 않다
　그 이유는? _____

❖ 내용 구성:　① 매우 좋다　　　② 좋다　　　③ 보통이다　　　④ 좋지 않다
　그 이유는? _____

■ 교재의 세부적인 내용에 대한 의견을 들려주세요.

[핵심 개념 강의]	내 용	① 매우 좋다	② 좋다	③ 보통이다	④ 좋지 않다
	분 량	① 많다	② 적당하다	③ 조금 부족하다	④ 부족하다

[핵심유형으로 개념 정복하기]	내 용	① 매우 좋다	② 좋다	③ 보통이다	④ 좋지 않다
	분 량	① 많다	② 적당하다	③ 조금 부족하다	④ 부족하다
	난이도	① 쉽다	② 적당하다	③ 약간 어렵다	④ 어렵다

[기출문제로 실력 다지기]	내 용	① 매우 좋다	② 좋다	③ 보통이다	④ 좋지 않다
	분 량	① 많다	② 적당하다	③ 조금 부족하다	④ 부족하다
	난이도	① 쉽다	② 적당하다	③ 약간 어렵다	④ 어렵다

[Part 2 내신만점 도전편]	내 용	① 매우 좋다	② 좋다	③ 보통이다	④ 좋지 않다
	분 량	① 많다	② 적당하다	③ 조금 부족하다	④ 부족하다
	난이도	① 쉽다	② 적당하다	③ 약간 어렵다	④ 어렵다

■ 이 책에 바라는 점을 자유롭게 적어주세요.

_____

_____

_____

성의껏 작성해서 보내주신 엽서는 뽑아서 선물을 보내드립니다.

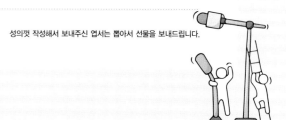

기출문제로 개념 잡고 내신만점 맞자!

숨마쿰라우데 중학수학

실전문제집

2-하

새교육과정

자기주도 학습서 베스트 1위

숨마쿰라우데

정답 및 해설

숨마쿰라우데®

중학수학 실전문제집

2-하

이룸이앤비
Education&Books

Ⅴ 도형의 성질

01. 이등변삼각형의 성질과 직각삼각형의 합동

개 · 념 · 확 · 인   6~7쪽

01 (1) $65°$ (2) $70°$

02 (1) $\angle x=68°$, $\angle y=112°$ (2) $\angle x=56°$, $\angle y=118°$

03 (1) $90°$ (2) 3 cm   **04** (1) 5   (2) 4

05 빗변의 길이와 다른 한 변의 길이가 각각 같은 두 직각삼각형은 서로 합동이다.

06 $x=4$, $\angle y=60°$

01 (1) $\angle x=\dfrac{1}{2}\times(180°-50°)=65°$

(2) $\angle x=180°-(55°+55°)=70°$

02 (1) $\angle x=\dfrac{1}{2}\times(180°-44°)=68°$

$\angle y=44°+\angle x=44°+68°=112°$

(2) $\angle x=180°-(62°+62°)=56°$

$\angle y=62°+\angle x=62°+56°=118°$

03 $\overline{AD}$가 꼭지각 A의 이등분선이므로 $\overline{BD}=\overline{CD}$이고, $\overline{AD}\perp\overline{BC}$이다.

(1) $\angle ADB=\angle ADC=90°$

(2) $\overline{BD}=\overline{CD}=\dfrac{1}{2}\overline{BC}=\dfrac{1}{2}\times6=3(cm)$

04 (1) $\angle C=180°-(50°+65°)=65°=\angle B$

$\therefore x=\overline{AB}=5(cm)$

(2) $\angle ACB=\angle CAD+\angle CDA=35°+35°=70°$이므로

$\angle B=\angle ACB=70°$

$\therefore \overline{AC}=\overline{AB}=4$ cm

$\triangle ACD$에서 $\angle CAD=\angle CDA=35°$이므로

$x=\overline{AC}=4(cm)$

05 두 직각삼각형 ABC와 DEF에서

$\overline{AB}=\overline{DE}=6$ cm, $\overline{BC}=\overline{EF}=5$ cm이다.

즉, 빗변의 길이와 다른 한 변의 길이가 각각 같은 두 직각삼각형은 서로 합동이다.

06 $\triangle ABC\equiv\triangle DEF$이므로

$x=\overline{BC}=4$ cm

$\angle y=180°-(30°+90°)=60°$

핵심유형으로 개 · 념 · 정 · 복 · 하 · 기   8~9쪽

핵심유형 1 ⑤   **1-1** ③   **1-2** ④   **1-3** ③

1-4 ④   **1-5** ②   **1-6** ①   **1-7** ③

핵심유형 2 ②   **2-1** ④   **2-2** ③   **2-3** ④

핵심유형 3 ⑤   **3-1** ④   **3-2** 4 cm   **3-3** 3 cm

핵심유형 1 $\triangle BCD$에서 $\overline{BD}=\overline{CD}$이므로

$\angle DCB=\angle DBC=35°$

$\angle CDA=\angle DBC+\angle DCB=35°+35°=70°$

$\triangle ACD$에서 $\overline{AC}=\overline{CD}$이므로

$\angle x=\angle CDA=70°$

1-1 $\overline{AB}=\overline{AC}$이므로 $\angle B=\angle C=2\angle x-10°$

$\therefore \angle A+\angle B+\angle C=\angle x+(2\angle x-10°)+(2\angle x-10°)$

$\qquad\qquad\qquad\qquad\quad =5\angle x-20°=180°$

$\therefore \angle x=40°$

1-2 $\overline{AB}=\overline{AC}$이므로

$\angle B=\angle C=\dfrac{1}{2}\times(180°-50°)=65°$

$\overline{AD}\,/\!/\,\overline{BC}$이므로 $\angle EAD=\angle B=65°$(동위각)

1-3 $\triangle ABC$에서 $\overline{AB}=\overline{AC}$이므로

$\angle B=\angle C=\dfrac{1}{2}\times(180°-48°)=66°$

$\angle DBC=\dfrac{1}{2}\angle B=33°$이므로

$\triangle BCD$에서 $\angle BDC=180°-(33°+66°)=81°$

1-4 $\triangle ABC$에서 $\overline{AB}=\overline{AC}$이므로

$\angle B=\angle ACB=\dfrac{1}{2}\times(180°-100°)=40°$

$\angle CAD=180°-100°=80°$

$\triangle ACD$에서 $\overline{AC}=\overline{CD}$이므로 $\angle CDA=\angle CAD=80°$

따라서 $\triangle BCD$에서

$\angle DCE=\angle B+\angle CDA=40°+80°=120°$

1–5 △ABC에서 $\overline{AB}=\overline{AC}$이므로

$\angle B=\angle C=\dfrac{1}{2}\times(180°-52°)=64°$

$\angle OBC=\angle OCB=\dfrac{1}{2}\angle B=\dfrac{1}{2}\angle C=\dfrac{1}{2}\times64°=32°$

따라서 △OBC에서

$\angle BOC=180°-(\angle OBC+\angle OCB)$

$\qquad=180°-(32°+32°)=116°$

1–6 ① $\overline{AB}=\overline{AC}$이므로 $\angle B=\angle C$

⑤ △ABD와 △ACD에서

$\overline{AB}=\overline{AC}$, $\angle BAD=\angle CAD$, $\overline{AD}$는 공통

∴ △ABD≡△ACD(SAS 합동)

1–7 $\overline{AD}\perp\overline{BC}$이므로

$\triangle ABC=\dfrac{1}{2}\times\overline{AD}\times\overline{BC}=\dfrac{1}{2}\times\overline{AD}\times4=12$

∴ $\overline{AD}=6$ cm

핵심유형 2 $\angle B=180°-(\angle A+\angle C)=180°-(70°+55°)=55°$

$\angle B=\angle C$이므로 $\overline{AC}=\overline{AB}=5$ cm

2–1 △ABC는 $\overline{AB}=\overline{AC}$인 이등변삼각형이다.

⑤ $\angle BAM=180°-(\angle B+\angle AMB)$

$\qquad=180°-(70°+90°)=20°$

2–2 ① $\overline{AB}=\overline{AC}$인 이등변삼각형

②, ④ $\overline{AB}=\overline{BC}$인 이등변삼각형

⑤ $\overline{AC}=\overline{BC}$인 이등변삼각형

2–3 $\overline{FE}\,/\!/\,\overline{GD}$이므로 $\angle ACB=\angle CBD=65°$(엇각),

$\angle ABC=\angle CBD=65°$(접은 각)

∴ $\angle ABC=\angle ACB=65°$

따라서 △ABC는 두 밑각의 크기가 같으므로 이등변삼각형이다.

핵심유형 3 ① ASA 합동　② RHA 합동

③ RHS 합동　④ SAS 합동

3–1 ④ 빗변의 길이와 다른 한 변의 길이가 각각 같은 두 직각삼각형은 서로 합동이다. (RHS 합동)

3–2 △DBM과 △ECM에서

$\angle D=\angle E=90°$, $\overline{BM}=\overline{CM}$, $\angle B=\angle C$이므로

△DBM≡△ECM(RHA 합동)

∴ $\overline{ME}=\overline{MD}=4$ cm

3–3 △ADE와 △ADC에서

$\angle E=\angle C=90°$, $\overline{AD}$는 공통, $\angle DAE=\angle DAC$이므로

△ADE≡△ADC(RHA 합동)

∴ $\overline{DE}=\overline{DC}=3$ cm

기출문제로 실·력·다·지·기 　10～11쪽

01 ④	**02** ③	**03** ⑤	**04** ②
05 ③	**06** ③	**07** ⑤	**08** ③
09 ①	**10** ②	**11** ④	**12** 90°
13 30°	**14** 72 cm²		

01 △ABC에서 $\overline{AB}=\overline{AC}$이므로

$\angle ABC=\angle C=\dfrac{1}{2}\times(180°-40°)=70°$

△ABD에서 $\overline{DA}=\overline{DB}$이므로

$\angle DBA=\angle A=40°$

∴ $\angle DBC=\angle ABC-\angle DBA=70°-40°=30°$

02 △BCD에서 $\overline{BC}=\overline{CD}$이므로

$\angle D=\angle CBD=\dfrac{1}{2}\times(180°-110°)=35°$

△ABC에서 $\overline{AB}=\overline{BC}$이므로

$\angle A=\angle BCA=180°-\angle BCD=180°-110°=70°$

△ABD에서

$\angle ABD=180°-(\angle A+\angle D)$

$\qquad=180°-(70°+35°)=75°$

03 $\angle B=\angle a$라 하면 △ABC에서 $\overline{AB}=\overline{AC}$이므로

$\angle ACB=\angle B=\angle a$이고,

$\angle CAD=\angle B+\angle ACB=2\angle a$

또, △ACD에서 $\overline{AC}=\overline{CD}$이므로 $\angle CAD=\angle CDA=2\angle a$

△BCD에서

$\angle DCE=\angle B+\angle BDC=\angle a+2\angle a=120°$

∴ $\angle B=\angle a=40°$

04 $\angle ABC=\angle ACB=\dfrac{1}{2}\times(180°-40°)=70°$

$\overline{BD}$가 ∠B의 이등분선이므로 $\angle DBC=\dfrac{1}{2}\times70°=35°$

또, $\overline{CD}$가 ∠C의 외각의 이등분선이므로

$\angle DCE=\dfrac{1}{2}\times(180°-70°)=55°$

△BCD에서 $\angle BDC=55°-35°=20°$

05 ① $\overline{AB}=\overline{AC}$, $\overline{AD}=\overline{AE}$이므로 $\overline{BD}=\overline{CE}$이다.

②, ④ $\overline{BD}=\overline{CE}$, $\angle DBC=\angle ECB$, $\overline{BC}$는 공통이므로

△DBC≡△ECB(SAS 합동)

∴ $\overline{BE}=\overline{CD}$, $\angle BDC=\angle CEB$

⑤ $\overline{AB}=\overline{AC}$, $\overline{AD}=\overline{AE}$, ∠A는 공통이므로

△ABE≡△ACD(SAS 합동)

∴ $\angle ADC=\angle AEB$

06 ①, ② $\overline{AB}=\overline{AC}$이므로

$$\angle ABC=\angle C=\frac{1}{2}\times(180°-36°)=72°$$

$$\angle CBD=\frac{1}{2}\angle B=36°=\angle A$$

③ $\angle BDC=180°-(\angle CBD+\angle C)$
$$=180°-(36°+72°)=72°$$

△ABD에서
$$\angle ADB=180°-\angle BDC$$
$$=180°-72°=108°=\angle C$$

④ $\angle BCD=\angle BDC=72°$이므로 $\overline{BC}=\overline{BD}$

⑤ $\angle A=\angle DBA=36°$이므로 $\overline{AD}=\overline{BD}$, $\overline{BC}=\overline{BD}$

$$\therefore \overline{AD}=\overline{BC}$$

07 $\angle A=\angle a$라 하면 $\angle A=\angle DBE=\angle a$

$\overline{AB}=\overline{AC}$이므로

$\angle ABC=\angle A+\angle EBC=\angle a+18°=\angle C$

△ABC의 내각의 크기의 합은 180°이므로

$\angle a+(\angle a+18°)+(\angle a+18°)=180°$

$$\therefore \angle A=\angle a=48°$$

08 △DBM과 △DAM에서

$\overline{AM}=\overline{BM}$, $\angle BMD=\angle AMD$, $\overline{MD}$는 공통이므로

△DBM≡△DAM(SAS 합동)

$$\therefore \angle B=\angle DAM=\angle DAC$$

이때 △ABC에서 $\angle B+\angle DAM+\angle DAC=90°$이므로

$$\angle B=30°$$

09 △ABD와 △AED에서

$\angle B=\angle AED=90°$, $\angle BAD=\angle EAD$,

$\overline{AD}$는 공통이므로

△ABD≡△AED(RHA 합동)

따라서 $\overline{BD}=\overline{DE}=3$ cm이므로

$$\triangle ADC=\frac{1}{2}\times\overline{DE}\times\overline{AC}=\frac{1}{2}\times3\times8=12(\text{cm}^2)$$

10 △ADC와 △BED에서

$\overline{CD}=\overline{DE}$, $\angle A=\angle B=90°$

$\angle ADC+\angle BDE=\angle ADC+\angle ACD=90°$이므로

$\angle ACD=\angle BDE$

$\therefore$ △ADC≡△BED(RHA 합동)

따라서 $\overline{AD}=\overline{BE}=7$ cm, $\overline{BD}=\overline{AC}=5$ cm이므로

$$\overline{AB}=\overline{AD}+\overline{BD}=12(\text{cm})$$

11 △CME에서 $\angle MCE=90°-\angle EMC=90°-25°=65°$

△BMD와 △CME에서

$\angle BDM=\angle CEM=90°$, $\overline{BM}=\overline{CM}$, $\overline{MD}=\overline{ME}$

$\therefore$ △BMD≡△CME(RHS 합동)

따라서 △ABC는 $\angle ABM=\angle ACM=65°$인 이등변삼각형이

므로 $\angle A=180°-(65°+65°)=50°$

12 △ABE에서 $\angle AEB=50°$, $\angle ABE=90°$이므로

$\angle BAE=40°$

△ABE와 △BCF에서

$\angle ABE=\angle C=90°$, $\overline{AB}=\overline{BC}$, $\overline{BE}=\overline{CF}$

따라서 △ABE≡△BCF(SAS 합동)이므로

$\angle CBF=\angle BAE=40°$

△BEG에서 $\angle GBE=40°$, $\angle GEB=50°$이므로

$$\angle AGF=\angle BGE=180°-(40°+50°)=90°$$

13 [단계 ❶] △BED에서 $\angle DEB=\angle DBE=25°$

$$\therefore \angle ADE=50°$$

[단계 ❷] △ADE에서 $\angle DAE=\angle ADE=50°$

$$\therefore \angle AEC=\angle B+\angle BAE=25°+50°=75°$$

[단계 ❸] △AEC에서 $\angle ACE=\angle AEC=75°$

$$\therefore \angle EAC=180°-2\times75°=30°$$

채점 기준	배점
❶ $\angle ADE$의 크기 구하기	30 %
❷ $\angle AEC$의 크기 구하기	40 %
❸ $\angle EAC$의 크기 구하기	30 %

14 △ABD와 △CAE에서

$\overline{AB}=\overline{CA}$, $\angle D=\angle E=90°$

$\angle DBA+\angle DAB=\angle DAB+\angle EAC=90°$이므로

$\angle DBA=\angle EAC$

$\therefore$ △ABD≡△CAE(RHA 합동) ······ ❶

$\overline{BD}=\overline{AE}=8$ cm, $\overline{AD}=\overline{CE}=12-8=4$(cm) ······ ❷

(사각형 BDEC의 넓이) $=\dfrac{1}{2}\times(8+4)\times12$
$$=72(\text{cm}^2) \qquad ······ ❸$$

채점 기준	배점
❶ △ABD와 △CAE의 합동 설명하기	40 %
❷ $\overline{CE}$의 길이 구하기	30 %
❸ 사각형 BDEC의 넓이 구하기	30 %

02. 삼각형의 외심과 내심

12~13쪽

개·념·확·인

01 (1) 3 cm   (2) $20°$ (3) 9π cm^2

02 4 cm   **03** (1) $\angle x=35°$, $\angle y=35°$ (2) $\angle x=110°$

04 (1) 3 cm   (2) $30°$ (3) 9π cm^2

05 (1) $\angle x=35°$, $\angle y=35°$ (2) $\angle x=115°$

06 2 cm

01 (1) 외심으로부터 각 꼭짓점에 이르는 거리가 같으므로
$\overline{OA}=\overline{OB}=\overline{OC}=3$ cm

(2) △OAB는 $\overline{OA}=\overline{OB}$인 이등변삼각형이므로
$\angle OBA=\angle OAB=20°$

(3) 외접원의 반지름의 길이가 3 cm이므로
(외접원의 넓이)$=\pi\times3^2=9\pi$(cm^2)

02 직각삼각형 ABC의 외심은 빗변의 중점이므로
$\overline{OA}=\overline{OB}=\overline{OC}=4$ cm

03 (1) $25°+30°+\angle y=90°$ $\therefore \angle y=35°$
△AOC가 이등변삼각형이므로 $\angle x=\angle y=35°$

(2) $\angle x=2\times55°=110°$

04 (1) 점 I가 내심이므로
$\overline{ID}=\overline{IE}=\overline{IF}=3$ cm

(2) $\angle IBD=\angle IBE=30°$

(3) 내접원의 반지름의 길이가 3 cm이므로
(내접원의 넓이)$=\pi\times3^2=9\pi$(cm^2)

05 (1) $\overline{BI}$가 $\angle B$의 이등분선이므로 $\angle y=35°$
점 I가 내심이므로 $35°+20°+\angle x=90°$ $\therefore \angle x=35°$

(2) 점 I가 내심이므로 $\angle x=90°+\dfrac{1}{2}\times50°=115°$

06 내접원의 반지름의 길이를 r cm라 하면
직각삼각형 ABC의 넓이는
$\dfrac{1}{2}\times12\times5=\dfrac{1}{2}\times r\times(12+5+13)$ $\therefore r=2$(cm)

핵심유형으로 개·념·정·복·하·기

14~15쪽

핵심유형 1	①, ③	1-1 ①, ④	1-2 ③	1-3 ③
핵심유형 2	②	2-1 ③	2-2 ③	
핵심유형 3	①	3-1 ②	3-2 ④	3-3 ②	3-4 ②
핵심유형 4	⑤	4-1 ④	4-2 ①	

핵심유형 1 ① $\overline{OA}=\overline{OB}=\overline{OC}$
③ $\angle OBE=\angle OCE$, $\angle OAD=\angle OBD$,
$\angle OAF=\angle OCF$

1-1 ②, ③은 내심이다.

1-2 점 O가 △ABC의 외심이므로 $\overline{OA}=\overline{OB}=\overline{OC}$
△AOC의 둘레의 길이가 14 cm이므로
$\overline{OA}+\overline{OC}+6=14$, $2\times\overline{OA}=8$
$\therefore$ (외접원의 반지름의 길이)$=\overline{OA}=4$ cm

1-3 점 O가 △ABC의 외심이므로 $\overline{OA}=\overline{OB}=\overline{OC}$
△OBC에서 $\overline{OB}=\overline{OC}$이므로 $\angle OBC=\angle OCB=40°$
$\therefore \angle BOC=180°-(40°+40°)=100°$

핵심유형 2 $\angle BOC=2\angle A$이므로 $2\angle A=100°$ $\therefore \angle A=50°$

2-1 $\angle x+25°+35°=90°$이므로 $\angle x=30°$
$\angle y=\angle OBC=25°$
$\therefore \angle x+\angle y=30°+25°=55°$

2-2 △OAB는 이등변삼각형이므로
$\angle ABO=\angle BAO=25°$
$\angle ABC=25°+35°=60°$이므로
$\angle AOC=2\angle ABC=2\times60°=120°$

핵심유형 3 ① △AID≡△AIF(RHA 합동),
△CIE≡△CIF(RHA 합동)이므로
$\overline{AF}=\overline{AD}$, $\overline{CF}=\overline{CE}$

3-1 △ABC의 내심 I에서 세 변에 이르는 거리는 같으므로
$\overline{ID}=\overline{IE}=\overline{IF}=3$ cm
$\therefore x+y=3+3=6$

3-2 점 I가 △ABC의 내심이므로
$\angle IBC=\angle ABI=23°$, $\angle ICB=\angle ACI=37°$
따라서 △IBC에서
$\angle x=180°-(23°+37°)=120°$

3-3 $\angle x = \angle IAB = 35°$, $\angle y = \angle IBA = 20°$

$\therefore \angle x + \angle y = 35° + 20° = 55°$

3-4 $\angle DBI = \angle IBC$, $\angle IBC = \angle DIB$(엇각)이므로

$\angle DBI = \angle DIB$ $\therefore \overline{DB} = \overline{DI}$

$\angle ECI = \angle ICB$, $\angle ICB = \angle EIC$(엇각)이므로

$\angle ECI = \angle EIC$ $\therefore \overline{EC} = \overline{IE}$

$\triangle ADE$의 둘레의 길이는

$$\overline{AD} + \overline{DE} + \overline{AE} = \overline{AD} + (\overline{DI} + \overline{IE}) + \overline{AE}$$
$$= \overline{AD} + (\overline{DB} + \overline{EC}) + \overline{AE}$$
$$= (\overline{AD} + \overline{DB}) + (\overline{EC} + \overline{AE})$$
$$= \overline{AB} + \overline{AC} = 8 + 10 = 18(\text{cm})$$

핵심유형 4 $\angle BIC = 90° + \dfrac{1}{2}\angle A$이므로

$130° = 90° + \dfrac{1}{2}\angle A$

$\therefore \angle A = 80°$

4-1 $\angle IAB = \angle IAC = 30°$,

$\angle ICA = \angle ICB = 25°$, $\angle IBA = \angle IBC$

$\angle A + \angle B + \angle C = 60° + 2\angle IBC + 50° = 180°$

$\therefore \angle IBC = 35°$

4-2 내접원의 반지름의 길이를 r cm라 하면

직각삼각형 ABC의 넓이는

$\dfrac{1}{2} \times 3 \times 4 = \dfrac{1}{2} \times r \times (3 + 4 + 5)$

$\therefore r = 1(\text{cm})$

기출문제로 **실·력·다·지·기**   16~17쪽

01 ④   **02** ③   **03** ⑤   **04** ③

05 ①   **06** ②   **07** ①   **08** ③

09 ③   **10** ④   **11** ②   **12** ①

13 24 cm²   **14** 15°   **15** 210°

01 ④ 삼각형의 외심은 세 변의 수직이등분선의 교점이다.

02 삼각형의 외심은 세 변의 수직이등분선의 교점이므로

$\overline{CE} = \overline{BE}$, $\overline{BD} = \overline{AD}$, $\overline{AF} = \overline{CF}$

따라서 $\triangle ABC$의 둘레의 길이는

$2 \times 8 + 2 \times 7 + 2 \times 6 = 42(\text{cm})$

03 점 O가 $\triangle ABC$의 외심이므로 $\overline{OB} = \overline{OC}$

$\angle OCB = \angle OBC = 20°$

$\therefore \angle x = 180° - (90° + 20°) = 70°$

04 점 M은 $\triangle ABC$의 외심이다.

즉, $\overline{AM} = \overline{BM}$이므로 $\triangle ABM$은 이등변삼각형이다.

$\therefore \angle MAB = \angle B = 60°$

따라서 $\triangle ABM$에서

$\angle AMC = 60° + 60° = 120°$

05 점 O가 $\triangle ABC$의 외심이므로 $\overline{OA} = \overline{OB} = \overline{OC}$

$\overline{OB} = \overline{OC}$이므로 $\angle OBC = \angle OCB = 10°$

$\overline{OA} = \overline{OB}$이므로

$\angle OAB = \angle OBA = 30° + 10° = 40°$

06 $\overline{OA} = \overline{OB} = \overline{OC}$이므로

$\angle OBC = \angle OCB = 60° - 35° = 25°$

$\triangle OBC$에서

$\angle BOC = 180° - (25° + 25°) = 130°$

$\therefore \angle BAC = \dfrac{1}{2}\angle BOC = \dfrac{1}{2} \times 130° = 65°$

07 $\triangle OCA$는 이등변삼각형이므로

$\angle OAC = \angle OCA = 35°$

$\angle BAC = \dfrac{1}{2}\angle BOC = 60°$이므로

$\angle OAB = \angle BAC - \angle OAC = 60° - 35° = 25°$

08 $\angle BOC = 360° \times \dfrac{4}{3 + 4 + 5} = 120°$

$\therefore \angle BAC = \dfrac{1}{2}\angle BOC = \dfrac{1}{2} \times 120° = 60°$

09 점 I가 $\triangle ABC$의 내심이므로

$\angle ABI = \angle CBI = 22°$, $\angle IAB = \angle IAC$

$\angle A + \angle B + \angle C = 180°$이므로

$2\angle IAB + 44° + 74° = 180°$

$\therefore \angle IAB = 31°$

10 $\angle BIC = 90° + \dfrac{1}{2}\angle A = 90° + \dfrac{1}{2} \times 56° = 118°$

[다른 풀이]

점 I가 내심이므로

$\angle IBA = \angle IBC = \angle a$, $\angle ICA = \angle ICB = \angle b$라 하면

$56° + 2\angle a + 2\angle b = 180°$에서

$2(\angle a + \angle b) = 124°$

$\therefore \angle a + \angle b = 62°$

△IBC에서 ∠BIC+∠a+∠b=180°

∴ ∠BIC=180°−(∠a+∠b)

=180°−62°=118°

11 ∠A+∠B+∠C=180°이므로

40°+∠B+∠C=180°

∴ ∠B+∠C=140°

∠B : ∠C=3 : 4이므로

∠B=140°×$\frac{3}{7}$=60°

∠C=140°×$\frac{4}{7}$=80°

또, 점 I가 △ABC의 내심이므로

∠IBA=$\frac{1}{2}$∠B=30°, ∠IAB=$\frac{1}{2}$∠A=20°

∴ ∠AIB=180°−(20°+30°)=130°

12 점 I가 내심이므로 $\overline{AD}$=$\overline{AF}$, $\overline{CE}$=$\overline{CF}$, $\overline{BD}$=$\overline{BE}$이다.

따라서 $\overline{AD}$=$\overline{AF}$=4이고,

$\overline{CE}$=$\overline{CF}$=10이므로 $\overline{BD}$=$\overline{BE}$=15−10=5

∴ $\overline{AB}$=$\overline{AD}$+$\overline{BD}$=4+5=9

13 사각형 IDCE가 정사각형이므로

$\overline{CE}$=$\overline{CF}$=2 cm, $\overline{AD}$=$\overline{AF}$=6−2=4(cm),

$\overline{BE}$=$\overline{BD}$=10−4=6(cm)

따라서 $\overline{BC}$=$\overline{BE}$+$\overline{CE}$=6+2=8(cm)이므로

△ABC=$\frac{1}{2}$×8×6=24(cm²)

14 [단계 ❶] △AOB와 △AOC에서

점 O가 △ABC의 외심이므로 $\overline{OB}$=$\overline{OC}$

$\overline{AB}$=$\overline{AC}$, $\overline{AO}$는 공통이므로

△AOB≡△AOC(SSS 합동)

∴ ∠OAB=∠OBA=∠OAC=∠OCA=20°

[단계 ❷] $\overline{AB}$=$\overline{AC}$이므로

∠B=∠C=$\frac{1}{2}$×(180°−40°)=70°

점 I가 △ABC의 내심이므로

∠ABI=$\frac{1}{2}$∠B=35°

[단계 ❸] ∴ ∠OBI=∠ABI−∠ABO=35°−20°=15°

채점 기준	배점
❶ ∠OBA의 크기 구하기	30 %
❷ ∠ABI의 크기 구하기	40 %
❸ ∠OBI의 크기 구하기	30 %

15 ∠A+∠B+∠C=180°이므로

∠A+∠B=100° ……❶

∠DAC=∠DAB, ∠EBA=∠EBC이므로

∠BAD=$\frac{1}{2}$∠A, ∠ABE=$\frac{1}{2}$∠B

∴ ∠BAD+∠ABE=50° ……❷

△ABD에서 ∠ADB=180°−∠B−∠BAD

△ABE에서 ∠AEB=180°−∠A−∠ABE이므로

∠ADB+∠AEB

=360°−(∠A+∠B)−(∠BAD+∠ABE)

=360°−100°−50°=210° ……❸

채점 기준	배점
❶ ∠A+∠B의 크기 구하기	20 %
❷ ∠BAD+∠ABE의 크기 구하기	30 %
❸ ∠ADB+∠AEB의 크기 구하기	50 %

03. 평행사변형

개·념·확·인 18~19쪽

01 (1) 8 cm (2) 6 cm (3) 60° (4) 120°

02 (1) x=5, y=50 (2) x=65, y=5

(3) x=3, y=2 (4) x=3, y=4

03 17 cm **04** ㄱ, ㄷ, ㅁ **05** 40 cm² **06** 18 cm²

01 (1) $\overline{BC}$=$\overline{AD}$=8 cm

(2) $\overline{CD}$=$\overline{AB}$=6 cm

(3) ∠B=180°−∠A=60°

(4) ∠C=∠A=120°

02 (1) 평행사변형의 두 쌍의 대변의 길이는 각각 같다.

(2) 평행사변형의 두 쌍의 대각의 크기는 각각 같다.

(3), (4) 평행사변형의 두 대각선은 서로 다른 것을 이등분한다.

03 $\overline{AO}$=$\frac{1}{2}$$\overline{AC}$=$\frac{1}{2}$×10=5(cm)

$\overline{BO}$=$\frac{1}{2}$$\overline{BD}$=$\frac{1}{2}$×12=6(cm)

따라서 △ABO의 둘레의 길이는

$\overline{AB}$+$\overline{BO}$+$\overline{AO}$=6+6+5=17(cm)

04 ㄱ. 두 쌍의 대변의 길이가 각각 같으므로 평행사변형이다.

ㄷ. 한 쌍의 대변이 평행하고 그 길이가 같으므로 평행사변형이다.

ㅁ. 두 쌍의 대각의 크기가 각각 같으므로 평행사변형이다.

05 $\square ABCD = 4 \times \triangle ABO = 4 \times 10 = 40 \, (\text{cm}^2)$

06 $\triangle ABP + \triangle CDP = \triangle ADP + \triangle BCP$이므로
$\triangle ABP + 12 = 16 + 14$
$\therefore \triangle ABP = 18 \, (\text{cm}^2)$

핵심유형으로 개·념·정·복·하·기   20~21쪽

핵심유형 1 ②	1-1 7	1-2 ②	1-3 ③
1-4 ①	1-5 ②	1-6 ⑤	1-7 ⑤
핵심유형 2 ①, ⑤	2-1 ⑤		

2-2 ㈎ : ∠C, ㈏ : $\overline{CF}$, ㈐ : SAS, ㈑ : $\overline{GF}$, ㈒ : △DGH

| 핵심유형 3 ③ | 3-1 ① | 3-2 ⑤ | 3-3 ② |

핵심유형 1 $\triangle ABE \equiv \triangle FCE$ (ASA 합동)이므로 $\overline{AB} = \overline{CF}$
또한 $\square ABCD$가 평행사변형이므로
$\overline{AB} = \overline{CD} = 6 \, \text{cm}$
$\therefore \overline{CF} = \overline{AB} = 6 \, \text{cm}$

1-1 $\overline{AB} = \overline{CD}$이므로 $3x - 1 = x + 3$에서 $x = 2$
$\therefore \overline{AD} = \overline{BC} = 2x + 3 = 7$

1-2 $\square ABCD$는 평행사변형이므로
$\overline{AB} = \overline{DC} = 4 \, \text{cm}$, $\overline{AD} = \overline{BC}$
따라서 $2(4 + \overline{BC}) = 20$이므로
$\overline{BC} = 6 \, \text{cm}$

1-3 $\angle C = \angle A = 110°$이므로
$\triangle DBC$에서
$\angle CDB = 180° - (110° + 40°) = 30°$

1-4 $\angle A + \angle B = 180°$, $\angle A : \angle B = 3 : 2$이므로
$\angle C = \angle A = 180° \times \dfrac{3}{5} = 108°$

1-5 $\overline{AD} /\!/ \overline{BC}$이므로 $\angle DAE = \angle BEA$
$\triangle ABE$에서 $\angle BAE = \angle BEA$이므로
$\overline{BE} = \overline{AB} = 4 \, \text{cm}$
$\therefore \overline{AD} = \overline{BC} = \overline{BE} + \overline{EC} = 4 + 2 = 6 \, (\text{cm})$

1-6 $\overline{AD} /\!/ \overline{BC}$이므로
$\angle DBC = \angle ADB = 30°$
따라서 $\triangle OBC$에서
$\angle x = \angle OBC + \angle OCB = 30° + 75° = 105°$

1-7 ③ $\overline{AB} /\!/ \overline{DC}$이므로
$\angle BAO = \angle DCO$ (엇각)
①, ②, ④ $\triangle AOP$와 $\triangle COQ$에서
$\overline{OA} = \overline{OC}$, $\angle AOP = \angle COQ$ (맞꼭지각),
$\angle OAP = \angle OCQ$ (엇각)
따라서 $\triangle AOP \equiv \triangle COQ$ (ASA합동)이므로
$\overline{OP} = \overline{OQ}$

핵심유형 2 ① $\overline{AB} /\!/ \overline{DC}$이므로 아래 그림에서
$\angle A = \angle EDC$(동위각)
$\angle A = \angle C$이므로 $\angle EDC = \angle C$

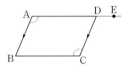

엇각의 크기가 같으므로 $\overline{AD} /\!/ \overline{BC}$
따라서 두 쌍의 대변이 각각 평행하므로 $\square ABCD$는 평행사변형이다.
⑤ 두 쌍의 대각의 크기가 각각 같으므로 평행사변형이다.

2-1 ⑤ 한 쌍의 대변이 평행하고 그 길이가 같아야 한다.
즉, $\overline{AB} = \overline{DC}$, $\overline{AB} /\!/ \overline{DC}$

2-2 $\triangle AEH$와 $\triangle CGF$에서
$\overline{AE} = \overline{CG}$, $\angle A = \boxed{\angle C}$,
$\overline{AH} = \overline{AD} - \overline{HD} = \overline{BC} - \overline{BF} = \boxed{\overline{CF}}$ 이므로
$\triangle AEH \equiv \triangle CGF(\boxed{SAS}$ 합동$)$
$\therefore \overline{EH} = \boxed{\overline{GF}}$ ...... ㉠
같은 방법으로 하면
$\triangle BEF \equiv \boxed{\triangle DGH}$
$\therefore \overline{EF} = \overline{GH}$ ...... ㉡
㉠, ㉡에서 $\square EFGH$는 평행사변형이다.

핵심유형 3 $\triangle APD + \triangle BCP = \dfrac{1}{2} \square ABCD$
$= \dfrac{1}{2} \times 50$
$= 25 \, (\text{cm}^2)$

3-1 $\triangle OBF \equiv \triangle ODE$(ASA 합동)이므로

$$\triangle AOE + \triangle OBF = \triangle AOE + \triangle ODE$$
$$= \triangle AOD$$
$$= \frac{1}{4}\square ABCD = \frac{1}{4} \times 24$$
$$= 6(\text{cm}^2)$$

3-2 (색칠한 부분의 넓이)
$$= \triangle AEP + \triangle BFP + \triangle CGP + \triangle DHP$$
$$= \frac{1}{2}(\square AEPH + \square EBFP + \square PFCG + \square HPGD)$$
$$= \frac{1}{2}\square ABCD$$
$$= \frac{1}{2} \times 32 = 16(\text{cm}^2)$$

3-3 $\square ABNM = \square MNCD = \frac{1}{2}\square ABCD$

$$\triangle MPN = \triangle MQN = \frac{1}{4}\square ABNM$$
$$= \frac{1}{4} \times \frac{1}{2}\square ABCD = \frac{1}{8}\square ABCD$$

$$\therefore \square MPNQ = 2\triangle MPN = \frac{1}{4}\square ABCD$$
$$= \frac{1}{4} \times 32 = 8(\text{cm}^2)$$

기출문제로 실·력·다·지·기 　　　　　22~23쪽

01 ⑤	**02** ②	**03** ④	**04** ③
05 ②	**06** 8 cm	**07** ④	**08** ⑤
09 (가): $\overline{OR}$, (나): $\overline{OS}$		**10** (가): ∠EDF, (나): ∠DFB	
11 ①	**12** 80 cm²	**13** 6 cm	**14** 100°

01 ④ $\overline{AD} /\!/ \overline{BC}$이므로 ∠ADB=∠CBD(엇각)
　⑤ $\overline{AB} /\!/ \overline{CD}$이므로 ∠ABD=∠CDB(엇각)

02 $\overline{AB} /\!/ \overline{DC}$이므로 ∠ODC=∠ABO=40°
　$\overline{AD} /\!/ \overline{BC}$이므로 ∠OCB=∠OAD=55°
　△BCD에서 55°+50°+40°+∠DBC=180°
　∴ ∠DBC=35°

03 $\overline{AB} /\!/ \overline{CD}$이므로
　∠BAO=∠DCO(엇각)
　$\overline{AD} /\!/ \overline{BC}$이므로
　∠DAO=∠BCO=56°(엇각)
　△ABD에서
　∠A+∠ABO+∠ADO=180°

(∠DCO+56°)+∠ABO+42°=180°
　∴ ∠ABO+∠DCO=180°−(56°+42°)=82°

04 ∠B=68°이므로 ∠C=112°
　∠EBC+$\frac{1}{2}$∠C=90°이므로 ∠EBC=34°
　∴ ∠ABE=68°−34°=34°

05 $\overline{BC}$=5이므로 점 D는 점 A를 x축의 방향으로 5만큼 평행이동한 점이다. 　∴ D(4, 4)

06 ∠ABF=∠CBF, ∠ABE=∠CEB(엇각)이므로
　∠CBE=∠CEB
　∴ $\overline{BC}=\overline{CE}=\overline{CD}+\overline{DE}$=5+3=8(cm)

07 ④ ∠ABD=∠CDB=50°이므로
　$\overline{AB} /\!/ \overline{DC}$ 　……㉠
　∠ADB=∠CBD=45°이므로
　$\overline{AD} /\!/ \overline{BC}$ 　……㉡
　㉠, ㉡에 의하여 두 쌍의 대변이 각각 평행하므로 $\square ABCD$는 평행사변형이다.

08 ⑤ 오른쪽 그림과 같은 $\square ABCD$는 평행사변형이 아니다.

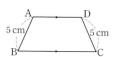

09 $\overline{AP}=\overline{CR}$, $\overline{BQ}=\overline{DS}$이므로
　$\overline{OP}=\overline{OR}$, $\overline{OQ}=\overline{OS}$
　따라서 $\square PQRS$는 두 대각선이 서로 다른 것을 이등분하므로 평행사변형이다.

10 ∠EBF=$\frac{1}{2}$∠B=$\frac{1}{2}$∠D=∠EDF
　∠AEB=∠EBF(엇각), ∠DFC=∠EDF(엇각)이므로
　∠AEB=∠DFC
　∠DEB=180°−∠AEB=180°−∠DFC=∠DFB
　따라서 $\square BFDE$는 두 쌍의 대각의 크기가 각각 같으므로 평행사변형이다.

11 $\square BFED$가 평행사변형이므로
　△CFE=△BCD=$\frac{1}{2}$$\square ABCD$=$\frac{1}{2} \times 20$=10(cm²)

12 오른쪽 그림과 같이 점 E를 지나고 $\overline{AB}$에 평행하게 선을 그어 $\overline{MN}$, $\overline{BC}$와의 교점을 각각 R, S라 하면

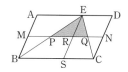

$$\triangle EPQ = \triangle EPR + \triangle ERQ$$
$$= \frac{1}{8}(\square ABSE + \square ESCD)$$
$$= \frac{1}{8}\square ABCD = 10(cm^2)$$
$$\therefore \square ABCD = 80\ cm^2$$

13 [단계 ❶] $\angle BAE = \angle DAE$, $\angle DAE = \angle BEA$(엇각)이므로
$$\angle BAE = \angle BEA$$
$$\therefore \overline{BE} = \overline{AB} = 8\ cm$$
[단계 ❷] $\angle ADF = \angle CDF$, $\angle ADF = \angle CFD$(엇각)이므로
$$\angle CDF = \angle CFD$$
$$\therefore \overline{CF} = \overline{CD} = 8\ cm$$
[단계 ❸] $\overline{BC} = \overline{BE} + \overline{CF} - \overline{EF} = 8 + 8 - \overline{EF} = 10(cm)$
$$\therefore \overline{EF} = 6\ cm$$

채점 기준	배점
❶ $\overline{BE}$의 길이 구하기	40 %
❷ $\overline{CF}$의 길이 구하기	40 %
❸ $\overline{EF}$의 길이 구하기	20 %

14 $\angle EDB = \angle CDB = 40°$(접은 각) ...... ❶
$\overline{AB} /\!/ \overline{DC}$이므로 $\angle ABD = \angle CDB = 40°$(엇각) ...... ❷
$\triangle FBD$에서
$$\angle AFE = 180° - (\angle FBD + \angle FDB)$$
$$= 180° - (40° + 40°) = 100°$$ ...... ❸

채점 기준	배점
❶ $\angle EDB$의 크기 구하기	30 %
❷ $\angle ABD$의 크기 구하기	30 %
❸ $\angle AFE$의 크기 구하기	40 %

04. 여러 가지 사각형

개·념·확·인

24~25쪽

01 (1) 3 cm　　(2) 5 cm　　(3) $\frac{5}{2}$ cm
02 $\angle x = 55°$, $\angle y = 35°$
03 (1) 6 cm　　(2) 90°　　(3) 30°
04 (1) 90°　　(2) 6 cm
05 (1) ㄴ, ㄹ　　(2) ㄱ, ㄴ, ㄷ, ㄹ　　(3) ㄷ, ㄹ
　　(4) ㄹ

01 (1) $\overline{CD} = \overline{AB} = 3(cm)$
(2) 직사각형의 두 대각선의 길이는 같으므로
$$\overline{BD} = \overline{AC} = 5(cm)$$
(3) $\overline{OD} = \frac{1}{2}\overline{BD} = \frac{1}{2}\overline{AC} = \frac{5}{2}(cm)$

02 $\triangle OAB$는 $\overline{OA} = \overline{OB}$인 이등변삼각형이므로
$$\angle OBA = 55°$$
$\therefore \angle y = 90° - 55° = 35°$, $\angle x = \angle DBA = 55°$(엇각)

03 (1) 마름모는 네 변의 길이가 모두 같으므로
$$\overline{CD} = \overline{AB} = 6(cm)$$
(2) 마름모의 두 대각선은 서로 다른 것을 수직이등분하므로
$$\angle AOD = 90°$$
(3) $\triangle ABD$에서 $\overline{AB} = \overline{AD}$이므로 $\angle ABD = \angle ADB = 30°$

04 (1) $\overline{AC} \perp \overline{BD}$이므로 $\angle AOB = 90°$
(2) $\overline{OA} = \overline{OB} = \overline{OC} = \overline{OD}$이므로
$$\overline{BD} = 2\overline{OA} = 2 \times 3 = 6(cm)$$

05 (1) 두 대각선의 길이가 같은 사각형은 직사각형, 정사각형이다.
(2) 두 대각선이 서로 다른 것을 이등분하는 사각형은 평행사변형, 직사각형, 마름모, 정사각형이다.
(3) 두 대각선이 서로 다른 것을 수직이등분하는 사각형은 마름모, 정사각형이다.
(4) 두 대각선의 길이가 같고, 서로 다른 것을 수직이등분하는 사각형은 정사각형이다.

핵심유형으로 개·념·정·복·하·기

26~27쪽

핵심유형 1 ①	1-1 ②	1-2 ③	1-3 ⑤
핵심유형 2 ②	2-1 ③	2-2 ①	2-3 ⑤
핵심유형 3 ①	3-1 ④	3-2 ⑤	3-3 ③
핵심유형 4 ⑤	4-1 ③	4-2 ③	4-3 ⑤

핵심유형 1 $\triangle ABE \equiv \triangle AFE$(RHS 합동)이므로
$$\angle FAE = \angle BAE = 20°$$
$$\angle AEF = \angle AEB = 90° - 20° = 70°$$
$$\therefore \angle FEC = 180° - (\angle AEB + \angle AEF)$$
$$= 180° - (70° + 70°) = 40°$$

1-1 ①, ③ 직사각형

② 마름모

④, ⑤ 직사각형은 평행사변형이므로 평행사변형의 모든 성질을 가지고 있다.

1-2 $\overline{OD}=\overline{OC}=\dfrac{1}{2}\overline{AC}=5(cm)$

$\overline{CD}=\overline{AB}=6(cm)$

따라서 △OCD의 둘레의 길이는 $5+5+6=16(cm)$이다.

1-3 ∠AEF=∠FEC(접은 각)

$\qquad\quad$ =∠AFE(엇각)

$\qquad\qquad$ =$180°-$∠EFD=$180°-100°=80°$

∴ ∠AEB=$180°-160°=20°$

△ABE에서

∠BAE=$180°-($∠B$+$∠AEB$)$

$\qquad\quad$ =$180°-(90°+20°)=70°$

핵심유형 2 ② 마름모의 두 대각선은 서로 다른 것을 수직이등분하지만 두 대각선의 길이가 같지는 않다.

2-1 $\overline{AB}=\overline{BC}$이므로

$3x-2=x+4,\ 2x=6$ $\qquad∴\ x=3$

$∴\overline{CD}=\overline{BC}=x+4=3+4=7$

2-2 $\overline{AB}=\overline{BC}$이므로

∠BAC=∠BCA=$\dfrac{1}{2}\times(180°-60°)=60°$

△ABC는 한 변의 길이가 3 cm인 정삼각형이므로

$\overline{AC}=3(cm)$

2-3 $\overline{OA}=\overline{OC}$, $\overline{OB}=\overline{OD}$, $\overline{AC}\perp\overline{BD}$이므로

△ABO=$\dfrac{1}{2}\times10\times8=40(cm^2)$

△ABO≡△CBO≡△CDO≡△ADO이므로

□ABCD=4△ABO=$4\times40=160(cm^2)$

핵심유형 3 ∠BOC=$90°$이므로 ∠BOP=$90°-$∠POC

∠POQ=$90°$이므로 ∠COQ=$90°-$∠POC

∴ ∠BOP=∠COQ

$\overline{OB}=\overline{OC}$, ∠OBP=∠OCQ=$45°$이므로

△OBP≡△OCQ(ASA 합동)

∴ □OPCQ=△OPC+△OCQ

$\qquad\qquad$ =△OBP+△OPC=△OBC=$\dfrac{1}{4}$□ABCD

$\qquad\qquad$ =$\dfrac{1}{4}\times8\times8=16(cm^2)$

3-1 △ABE≡△BCF(SAS 합동)이므로

∠BAE=∠CBF

∴ ∠AGF=∠BGE=$180°-($∠EBG+∠GEB$)$

$\qquad\qquad$ =$180°-($∠BAE+∠AEB$)=$∠ABC=$90°$

3-2 ∠ABE=$90°-$∠CBE=$90°-30°=60°$

$\overline{AC}$는 정사각형 ABCD의 대각선이므로

∠BAE=$45°$

∴ ∠AEB=$180°-(60°+45°)=75°$

△ABE와 △ADE에서 $\overline{AB}=\overline{AD}$

∠BAE=∠DAE=$45°$, $\overline{AE}$는 공통이므로

△ABE≡△ADE(SAS 합동)

∴ ∠AED=∠AEB=$75°$

3-3 $\overline{AD}=\overline{AE}$이고 □ABCD는

정사각형이므로

$\overline{AB}=\overline{AD}=\overline{AE}$

∴ ∠AEB=∠ABE=$20°$

∠BAE=$90°+$∠DAE=$140°$

이므로 ∠DAE=$50°$

△ADE에서 $\overline{AD}=\overline{AE}$이므로

∠ADE=∠AED=$\dfrac{1}{2}\times(180°-50°)=65°$

핵심유형 4 ①, ② ∠A$+$∠B$=180°$, ∠A$=$∠C이므로

∠A$=$∠B$=$∠C$=$∠D이다.

③ 평행사변형에서 두 대각선의 길이가 같으면 직사각형이 된다.

④ 평행사변형의 두 대각선은 서로 다른 것을 이등분하므로 $\overline{OA}=\overline{OB}$이면 $\overline{AC}=\overline{BD}$이므로 직사각형이 된다.

⑤ 평행사변형이 마름모가 될 조건이다.

4-1 ③ 마름모는 직사각형이 아니고, 직사각형도 마름모가 아니다.

4-2 ③ 두 대각선의 길이가 같으므로 직사각형이 된다.

4-3 □ABCD에서

$\overline{AD}\,/\!/\,\overline{BC}$, $\overline{AB}\,/\!/\,\overline{DC}$이므로 평행사변형이다.

또, 평행사변형 ABCD에서 $\overline{AC}\perp\overline{BD}$, $\overline{AC}=\overline{BD}$이므로 정사각형이다.

01 ②　　　**02** 40°　　　**03** ①　　　**04** ⑤

05 ②　　　**06** ①　　　**07** ③　　　**08** ③

09 ④　　　**10** 8　　　**11** ④　　　**12** 20 cm

13 20 cm²　　　**14** 50 cm²　　　**15** 75°

01 $\overline{MN}$과 $\overline{EF}$의 교점을 O라 하면

$\triangle OAM \equiv \triangle OCN$(ASA 합동)이므로

$\overline{OM} = \overline{ON}$

$\angle MOE = \angle NOF$(맞꼭지각)

$\overline{BM} /\!/ \overline{ND}$이므로 $\angle OME = \angle ONF$(엇각)

$\therefore \triangle OME \equiv \triangle ONF$(ASA 합동)

$\therefore \square MEFD = \triangle MND = \dfrac{1}{2} \times 3 \times 4 = 6(cm^2)$

02 $\angle D'AE = 90° - 70° = 20°$이므로

$\angle DAE + \angle D'AE = 20°$(접은 각)

$\therefore \angle APB = \angle PAD = 2\angle D'AE = 40°$(엇각)

03 $\triangle PBQ$와 $\triangle QCD$에서

$\overline{PB} = \dfrac{1}{2}\overline{AB} = \dfrac{1}{2} \times \dfrac{2}{3}\overline{BC} = \dfrac{1}{3}\overline{BC} = \overline{QC}$

$\angle B = \angle C = 90°$, $\overline{BQ} = \dfrac{2}{3}\overline{BC} = \overline{CD}$

이므로 $\triangle PBQ \equiv \triangle QCD$(SAS 합동)　　$\therefore \overline{PQ} = \overline{QD}$

$\angle PQD = 180° - (\angle PQB + \angle DQC)$

$\qquad\qquad = 180° - (\angle PQB + \angle QPB) = 90°$

$\therefore \angle QPD = \angle QDP = 45°$

$\therefore \angle ADP + \angle BQP = \angle ADP + \angle CDQ = 90° - 45° = 45°$

04 $\square EBFD$가 마름모이므로

$\angle EBD = \angle FBD$, $\angle EDB = \angle FDB$

$\therefore \angle FBD = \angle FDB = \dfrac{1}{3} \times 90° = 30°$

$\triangle FDB$에서 $\angle BFD = 180° - (30° + 30°) = 120°$

05 ①, ③, ④, ⑤ 직사각형과 마름모는 평행사변형이므로 평행사변형의 성질을 만족한다.

② 마름모의 두 대각선은 직교하지만 직사각형의 두 대각선은 직교하지 않는다.

06 $\triangle PBC$는 $\overline{PB} = \overline{BC} = \overline{CP}$인 정삼각형이므로 $\angle PBC = 60°$

$\therefore \angle ABP = 90° - \angle PBC$

$\qquad\qquad = 90° - 60° = 30°$

06 $\triangle ABP$에서 $\overline{AB} = \overline{BP}$이므로

$\angle BAP = \angle BPA = \dfrac{1}{2} \times (180° - 30°) = 75°$

$\therefore \angle PAD = 90° - \angle BAP = 90° - 75° = 15°$

07 사각형 ABCD는 $\angle DAB = 90°$인 마름모이므로 정사각형이다.

$\angle OCB = 45°$이므로 $\triangle EBC$에서

$\angle EBC = \angle AEB - \angle OCB = 65° - 45° = 20°$

08 $\triangle AEO$와 $\triangle DFO$에서

$\overline{AO} = \overline{DO}$, $\angle EAO = \angle FDO = 45°$

$\angle EOA = \angle EOF - \angle AOF = 90° - \angle AOF = \angle FOD$

$\therefore \triangle AEO \equiv \triangle DFO$(ASA 합동)

$\therefore \overline{FD} = \overline{EA} = 2(cm)$

$\overline{AD} = 3 + 2 = 5(cm)$이므로 $\square ABCD = 5 \times 5 = 25(cm^2)$

09 ④ 평행사변형의 이웃하는 두 내각의 크기의 합은 180°이므로 이웃하는 두 내각의 크기가 같으면 한 내각의 크기가 90°인 사각형, 즉 직사각형이다.

10 평행사변형 ABCD에서 $\angle A = 90°$이면 직사각형이고, 직사각형의 두 대각선은 길이가 같고 서로 다른 것을 이등분한다.

$3a - 1 = a + 5$, $2a = 6$　　$\therefore a = 3$

$\overline{OA} = \overline{OC} = \overline{OB} = \overline{OD}$　　$\therefore \overline{OD} = \overline{OA} = 3 \times 3 - 1 = 8$

11 ① 직사각형　　②, ③, ⑤ 평행사변형

④ 두 대각선이 서로 직교하므로 마름모이다.

12 대각선 BD가 $\angle B$를 이등분하므로 $\overline{AB} = \overline{BC}$, 즉 $\square ABCD$는 마름모이다.

따라서 $\square ABCD$의 둘레의 길이는 $5 \times 4 = 20(cm)$

13 $\overline{AC} /\!/ \overline{DE}$이므로 $\triangle ACD = \triangle ACE$

$\therefore \square ABCD = \triangle ABC + \triangle ACD$

$\qquad\qquad\quad = \triangle ABC + \triangle ACE$

$\qquad\qquad\quad = 12 + 8 = 20(cm^2)$

14 [단계 ❶] 점 M, N을 이으면 $\square ABNM$과 $\square MNCD$는 정사각형이므로

$\overline{PM} = \overline{PN}$, $\overline{QM} = \overline{QN}$, $\overline{PM} \perp \overline{PN}$, $\overline{QM} \perp \overline{QN}$

$\angle PMQ = \angle PNQ = 180° - (45° + 45°) = 90°$

따라서 $\square MPNQ$는 정사각형이다.

[단계 ❷] $\therefore \square MPNQ = 2\triangle MPN = 2 \times \dfrac{1}{4}\square ABNM$

$\qquad\qquad\qquad = 2 \times \dfrac{1}{4} \times 10 \times 10 = 50(cm^2)$

채점 기준	배점
❶ □MPNQ가 정사각형임을 설명하기	60 %
❷ □MPNQ의 넓이 구하기	40 %

15 $\overline{CD}$의 연장선 위에 $\overline{BP}=\overline{DR}$가 되도록
점 R를 잡으면

$\triangle ABP \equiv \triangle ADR$(SAS 합동) ······ ❶

이므로 $\overline{AP}=\overline{AR}$ ······ ㉠

$\angle BAP=\angle DAR$,

$\angle BAP+\angle QAD=45°$이므로

$\angle RAQ=\angle DAR+\angle QAD$

$\qquad\qquad =45°=\angle PAQ$ ······ ㉡

$\overline{AQ}$는 공통 ······ ㉢

㉠, ㉡, ㉢에서 $\triangle PAQ \equiv \triangle RAQ$(SAS 합동) ······ ❷

$\therefore \angle AQD=\angle AQP=180°-(45°+60°)=75°$ ······ ❸

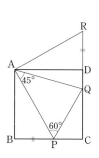

채점 기준	배점
❶ $\triangle ABP$와 $\triangle ADR$가 합동임을 설명하기	40 %
❷ $\triangle PAQ$와 $\triangle RAQ$가 합동임을 설명하기	40 %
❸ $\angle AQD$의 크기 구하기	20 %

 도형의 닮음

05. 도형의 닮음

개·념·확·인

30~31쪽

01 (1) 점 D　(2) $\overline{EF}$　(3) $\angle C$

02 (1) 점 F　(2) $\overline{GH}$　(3) 면 ABD

03 ㄱ, ㄷ, ㅂ

04 (1) 2 : 3　(2) $\dfrac{15}{2}$ cm　(3) 40°

05 (1) 4 : 5　(2) 5 cm　(3) 면 B′E′F′C′

04 (1) $\overline{BC}$에 대응하는 변은 $\overline{EF}$이므로 닮음비는

$\overline{BC} : \overline{EF}=6 : 9=2 : 3$

(2) $2 : 3=\overline{AC} : \overline{DF}$이므로 $2 : 3=5 : \overline{DF}$

$\therefore \overline{DF}=\dfrac{15}{2}$ (cm)

(3) $\angle F$에 대응하는 각은 $\angle C$이므로 $\angle F=\angle C=40°$

05 (1) $\overline{AD}$에 대응하는 모서리는 $\overline{A'D'}$이므로 닮음비는

$\overline{AD} : \overline{A'D'}=8 : 10=4 : 5$

(2) $4 : 5=\overline{DE} : \overline{D'E'}$이므로 $4 : 5=4 : \overline{D'E'}$

$\therefore \overline{D'E'}=5$(cm)

핵심유형으로 개·념·정·복·하·기

32~33쪽

핵심유형 1 ④	1-1 (1) $\overline{IL}$ (2) 면 JLIG	1-2 ⑤
핵심유형 2 ④	2-1 ②	2-2 134	2-3 ④
2-4 24π cm
핵심유형 3 9	3-1 ④	3-2 2 : 3	3-3 $\dfrac{3}{4}$ cm

핵심유형 1 ④ $\overline{EH}$에 대응하는 변은 $\overline{AD}$이다.

핵심유형 2 ① $\angle D$의 크기는 알 수 없다.

②, ⑤ 닮음비는 $\overline{AB} : \overline{EF}=15 : 10=3 : 2$이므로

$3 : 2=\overline{AD} : 8$　$\therefore \overline{AD}=12$(cm)

③ $\angle G=\angle C=70°$

④ $\overline{BC} : \overline{FG}=3 : 2$이므로

$18 : \overline{FG}=3 : 2$　$\therefore \overline{FG}=12$(cm)

2-1 $\angle A=70°$이므로 $\triangle ABC \backsim \triangle EFD$

따라서 닮음비는 $\overline{BC} : \overline{FD}=a : e$

2-2 닮음비가 $\overline{AD} : \overline{EH}=12 : 6=2 : 1$이므로

$2 : 1=8 : \overline{EF}$

$\overline{EF}=4$(cm)이므로 $a=4$

$\angle G=\angle C=360°-(65°+70°+95°)=130°$

이므로 $b=130$

$\therefore a+b=4+130=134$

2-3 $2 : 1=\overline{AB} : \overline{DE}$이므로 $2 : 1=12 : \overline{DE}$

$\therefore \overline{DE}=6$(cm)

$2 : 1=\overline{BC} : \overline{EF}$이므로 $2 : 1=8 : \overline{EF}$

$\therefore \overline{EF}=4$(cm)

따라서 $\triangle DEF$의 둘레의 길이는 $3+4+6=13$(cm)

2-4 두 원의 닮음비는 반지름의 길이의 비와 같으므로 3 : 4이다.

원 O′의 반지름의 길이를 r cm라 하면 $3 : 4=9 : r$

$\therefore r=12$

따라서 원 O′의 둘레의 길이는 $2\pi \times 12=24\pi$(cm)

핵심유형 3 닮음비는 $\overline{DH} : \overline{D'H'} = 6 : 9 = 2 : 3$이므로

$2 : 3 = 4 : x$ $\therefore x = 6$

$2 : 3 = 2 : y$ $\therefore y = 3$

$\therefore x + y = 6 + 3 = 9$

3-1 ② 닮음비는 $\overline{DE} : \overline{JK} = 4 : 6 = 2 : 3$

④ $\overline{EF} : \overline{KL} = 2 : 3$ $\therefore x = 2$

$\overline{AD} : \overline{GJ} = 2 : 3$ $\therefore y = 9$

$\overline{AC} : \overline{GI} = 2 : 3$ $\therefore z = 6$

$\therefore x + y + z = 17$

3-2 밑면인 원의 둘레의 길이의 비는 닮음비와 같으므로

$8 : 12 = 2 : 3$이다.

3-3 두 원뿔은 서로 닮은 도형이고, 닮음비는 높이의 비와 같으므로 $4 : 1$이다. 수면의 반지름의 길이를 $x\,\mathrm{cm}$라 하면

$4 : 1 = 3 : x$ $\therefore x = \dfrac{3}{4}(\mathrm{cm})$

기출문제로 실·력·다·지·기   34~35쪽

01 ⑤   **02** ④, ⑤   **03** ④   **04** 24 cm

05 ⑤   **06** ②   **07** ⑤   **08** ①

09 8π cm   **10** 14 cm   **11** 45 cm

12 (1) 3 : 2 (2) $x = 6$, $y = 8$

---

01 ⑤ 두 직각이등변삼각형은 항상 닮은 도형이다.

02 항상 닮음인 도형은 두 정다각형, 두 직각이등변삼각형, 두 원, 두 구, 두 정다면체 등이다.

03 $\angle A = \angle E = 70°$이므로

$\angle F = \angle B = 360° - (70° + 65° + 80°) = 145°$

04 $2 : 3 = \overline{AB} : 6$이므로 $\overline{AB} = 4(\mathrm{cm})$

□ABCD의 둘레의 길이는 $3 + 4 + 4 + 5 = 16(\mathrm{cm})$이고, 두 사각형의 둘레의 길이의 비는 닮음비와 같으므로 □EFGH의 둘레의 길이를 $l\,\mathrm{cm}$라 하면

$2 : 3 = 16 : l$ $\therefore l = 24(\mathrm{cm})$

05 ㄱ. 닮음비는 $\overline{AB} : \overline{DE} = 6 : 2 = 3 : 1$이다.

ㄴ. $\angle C = \angle F = 30°$이므로

$\angle A = 180° - (70° + 30°) = 80°$

ㄷ. $\overline{AC} : \overline{DF} = 3 : 1$이므로

$\overline{DF} = 3(\mathrm{cm})$

따라서 옳은 것을 모두 고른 것은 ⑤ ㄱ, ㄴ, ㄷ이다.

06 A4 용지와 A8 용지는 서로 닮음이고 닮음비는 4 : 1이다.

07 ⑤ 두 사면체의 닮음비는

$\overline{AB} : \overline{EF} = 3 : 6 = 1 : 2$이다.

08 닮음비가 1 : 2이므로 $1 : 2 = 5 : x$ $\therefore x = 10$

$1 : 2 = 6 : y$ $\therefore y = 12$

$\therefore x - y = 10 - 12 = -2$

09 두 원기둥의 닮음비가 $5 : 10 = 1 : 2$이므로 원기둥 B의 밑면인 원의 반지름의 길이를 $x\,\mathrm{cm}$라 하면 $1 : 2 = 2 : x$

$\therefore x = 4$

따라서 원기둥 B의 밑면의 둘레의 길이는 $2\pi \times 4 = 8\pi(\mathrm{cm})$

10 두 원뿔은 서로 닮음이고 닮음비는

$12 : (12 + 9) = 12 : 21 = 4 : 7$이므로 처음 원뿔의 밑면인 원의 반지름의 길이를 $x\,\mathrm{cm}$라 하면

$4 : 7 = 8 : x$ $\therefore x = 14(\mathrm{cm})$

11 [단계 ❶] $\triangle OAB \backsim \triangle OBC$이고

닮음비는 $\overline{OA} : \overline{OB} = 2 : 3$이므로

$2 : 3 = 12 : \overline{OC}$ $\therefore \overline{OC} = 18(\mathrm{cm})$

[단계 ❷] $\triangle OBC \backsim \triangle OCD$이고

닮음비는 $\overline{OB} : \overline{OC} = 2 : 3$이므로

$2 : 3 = 18 : \overline{OD}$ $\therefore \overline{OD} = 27(\mathrm{cm})$

[단계 ❸] $\therefore \overline{OC} + \overline{OD} = 45(\mathrm{cm})$

채점 기준	배점
❶ $\overline{OC}$의 길이 구하기	40 %
❷ $\overline{OD}$의 길이 구하기	40 %
❸ $\overline{OC} + \overline{OD}$의 길이 구하기	20 %

12 (1) 닮음비는 $\overline{AD} : \overline{IL} = 9 : 6 = 3 : 2$ ……❶

(2) $3 : 2 = x : 4$ $\therefore x = 6$

$3 : 2 = 12 : y$ $\therefore y = 8$ ……❷

채점 기준	배점
❶ 닮음비 구하기	40 %
❷ x, y의 값 구하기	60 %

06. 삼각형의 닮음 조건

개·념·확·인   36~37쪽

01 $\triangle ABC \backsim \triangle PQR$(SAS 닮음), $\triangle DEF \backsim \triangle HIG$(AA 닮음), $\triangle JKL \backsim \triangle NOM$(SSS 닮음)

02 (1) $\triangle ABE \backsim \triangle DCE$(SAS 닮음)
    (2) $\triangle ABC \backsim \triangle ADE$(AA 닮음)

03 (1) $2:3$ (2) 12 cm

04 (1) $\dfrac{32}{5}$ (2) 4 (3) 9 (4) $\dfrac{12}{5}$

---

02 (1) $\triangle ABE$와 $\triangle DCE$에서
$\overline{AE} : \overline{DE} = \overline{BE} : \overline{CE} = 1 : 2$, $\angle AEB = \angle DEC$이므로
$\triangle ABE \backsim \triangle DCE$(SAS 닮음)
  (2) $\triangle ADE$와 $\triangle ABC$에서
$\angle ADE = \angle ABC$, $\angle A$는 공통이므로
$\triangle ABC \backsim \triangle ADE$(AA 닮음)

03 (1) $\triangle ABC$와 $\triangle DEF$에서
$\overline{AB} : \overline{DE} = \overline{BC} : \overline{EF} = 2 : 3$, $\angle ABC = \angle DEF$이므로
$\triangle ABC \backsim \triangle DEF$(SAS 닮음)
따라서 닮음비는 $2:3$이다.
  (2) $2 : 3 = \overline{AC} : \overline{DF}$이므로 $2 : 3 = 8 : \overline{DF}$
$\therefore \overline{DF} = 12$(cm)

04 (1) $\overline{AB}^2 = \overline{BD} \times \overline{BC}$이므로
$8^2 = x \times 10$ $\therefore x = \dfrac{32}{5}$
  (2) $\overline{AC}^2 = \overline{CD} \times \overline{CB}$이므로
$x^2 = 2 \times 8 = 16$ $\therefore x = 4$
  (3) $\overline{AD}^2 = \overline{BD} \times \overline{CD}$이므로
$6^2 = 4 \times x$ $\therefore x = 9$
  (4) $\triangle ABC = \dfrac{1}{2} \overline{AB} \times \overline{AC} = \dfrac{1}{2} \overline{BC} \times \overline{AD}$이므로
$3 \times 4 = 5 \times x$ $\therefore x = \dfrac{12}{5}$

핵심유형으로 개·념·정·복·하·기   38~39쪽

핵심유형 1 ④   **1-1** ③   **1-2** ①
핵심유형 2 ②   **2-1** ②   **2-2** 10   **2-3** 5 cm
          2-4 6 cm
핵심유형 3 12   **3-1** 11   **3-2** $\dfrac{15}{2}$ cm **3-3** ①
         3-4 ②   **3-5** ③

핵심유형 1 ④ 두 쌍의 대응하는 각의 크기가 각각 같은 삼각형이다.

1-1 ①, ④ AA 닮음
   ② SAS 닮음
   ⑤ SSS 닮음

1-2 두 쌍의 대응하는 변의 길이의 비가 같으므로 그 끼인각의 크기가 같으면 닮음이다.

핵심유형 2 $\triangle AED$와 $\triangle ABC$에서
$\angle AED = \angle ABC = 50°$, $\angle A$는 공통이므로
$\triangle AED \backsim \triangle ABC$(AA 닮음)이고 닮음비는
$\overline{ED} : \overline{BC} = 1 : 2$
따라서 $\overline{AD} : \overline{AC} = 1 : 2$이므로
$\overline{AD} : 8 = 1 : 2$ $\therefore \overline{AD} = 4$(cm)

2-1 $\triangle ABD$와 $\triangle CBA$에서
$\overline{AB} : \overline{BC} = \overline{BD} : \overline{AB} = 3 : 4$, $\angle B$는 공통이므로
$\triangle ABD \backsim \triangle CBA$(SAS 닮음)
따라서 $3 : 4 = \overline{AD} : \overline{CA}$이므로
$3 : 4 = \overline{AD} : 8$ $\therefore \overline{AD} = 6$

2-2 $\triangle BDE$와 $\triangle BCA$에서
$\overline{DB} : \overline{BC} = \overline{BE} : \overline{BA} = 1 : 2$, $\angle B$는 공통이므로
$\triangle BDE \backsim \triangle BCA$(SAS 닮음)
따라서 $1 : 2 = \overline{ED} : \overline{AC}$이므로
$1 : 2 = 5 : \overline{AC}$ $\therefore \overline{AC} = 10$

2-3 $\triangle ABD$와 $\triangle CBA$에서
$\angle BAD = \angle BCA$, $\angle B$는 공통이므로
$\triangle ABD \backsim \triangle CBA$(AA 닮음)
$\overline{AB} : \overline{CB} = \overline{BD} : \overline{BA}$이므로 $6 : (4+\overline{CD}) = 4 : 6$
$4(4+\overline{CD}) = 36$, $4+\overline{CD} = 9$ $\therefore \overline{CD} = 5$(cm)

2-4 $\triangle BEF$와 $\triangle CED$에서
$\angle BEF = \angle CED$, $\angle BFE = \angle CDE$이므로
$\triangle BEF \backsim \triangle CED$(AA 닮음)
닮음비는 $\overline{BE} : \overline{CE} = 6 : 9 = 2 : 3$이므로
$2 : 3 = \overline{BF} : \overline{CD}$
$2 : 3 = 4 : \overline{DC}$ $\therefore \overline{DC} = 6$(cm)
$\therefore \overline{AB} = \overline{DC} = 6$(cm)

핵심유형 3 $\overline{BC}^2 = \overline{CH} \times \overline{CA}$이므로
$5^2 = 3(3+x)$, $25 = 9+3x$ $\therefore x = \dfrac{16}{3}$

$\overline{BA}^2 = \overline{AH} \times \overline{AC}$이므로

$$y^2 = \frac{16}{3} \times \left(\frac{16}{3} + 3\right) = \frac{16}{3} \times \frac{25}{3} = \left(\frac{20}{3}\right)^2 \qquad \therefore y = \frac{20}{3}$$

$$\therefore x + y = \frac{16}{3} + \frac{20}{3} = 12$$

3-1 △ABD와 △ACE에서

∠A는 공통, ∠ADB=∠AEC=90°이므로

△ABD∽△ACE(AA 닮음)

따라서 $\overline{AB} : \overline{AC} = \overline{AD} : \overline{AE}$이므로

$(\overline{BE} + 4) : 10 = 6 : 4$, $4(\overline{BE} + 4) = 60$

$\therefore \overline{BE} = 11$

3-2 △ABE와 △ADF에서

∠AEB=∠AFD=90°, ∠B=∠D(대각)이므로

△ABE∽△ADF(AA 닮음)

따라서 $\overline{AE} : \overline{AF} = \overline{AB} : \overline{AD}$이므로

$6 : 8 = \overline{AB} : 10 \qquad \therefore \overline{AB} = \frac{15}{2}$(cm)

3-4 $\overline{AH}^2 = \overline{BH} \times \overline{CH}$이므로

$12^2 = 16 \times \overline{CH} \qquad \therefore \overline{CH} = 9$(cm)

따라서 △AHC의 넓이는 $\frac{1}{2} \times 9 \times 12 = 54$(cm^2)

3-5 $\overline{BC}^2 = \overline{CH} \times \overline{CA}$이므로 $6^2 = \overline{CH} \times 10$

$\therefore \overline{CH} = \frac{18}{5}$(cm), $\overline{AH} = \frac{32}{5}$(cm)

$\overline{BH}^2 = \overline{CH} \times \overline{AH}$이므로 $\overline{BH}^2 = \frac{18}{5} \times \frac{32}{5} = \left(\frac{24}{5}\right)^2$

$\therefore \overline{BH} = \frac{24}{5}$(cm)

기출문제로 실·력·다·지·기　　　　40~41쪽

01 ④	**02** △EDC, SAS 닮음	**03** ①
04 ⑤	**05** ①	**06** ②	**07** 36 cm
08 $\frac{16}{3}$ cm	**09** 12 cm	**10** 45	**11** $\frac{9}{4}$ cm
12 15 cm	**13** 3 cm		

01 △ABC에서 ∠A=180°−(60°+35°)=85°

①, ②, ③, ⑤ AA 닮음

02 △ABC와 △EDC에서

$\overline{BC} : \overline{DC} = \overline{AC} : \overline{EC} = 1 : 3$이고 ∠C는 공통이므로

△ABC∽△EDC(SAS 닮음)

03 ① ∠A=75°이면 ∠C=60°이므로 △ABC∽△DFE(AA 닮음)

04 △ADE와 △CAB에서

∠EAC=∠BCA(엇각), ∠EDA=∠BAD(엇각)이므로

△ADE∽△CAB(AA 닮음)

따라서 $\overline{AE} : \overline{CB} = \overline{AD} : \overline{CA}$이므로

$4 : \overline{CB} = 6 : 11 \qquad \therefore \overline{BC} = \frac{22}{3}$

05 △DBE와 △CBA에서

$\overline{BD} : \overline{BC} = \overline{BE} : \overline{BA} = 8 : 12 = 2 : 3$, ∠B는 공통이므로

△DBE∽△CBA(SAS 닮음)

따라서 $\overline{BD} : \overline{CB} = \overline{DE} : \overline{CA}$이므로

$2 : 3 = 4 : \overline{CA} \qquad \therefore \overline{AC} = 6$(cm)

06 △DAE와 △BAC에서

∠ADE=∠B, ∠A는 공통이므로

△DAE∽△BAC(AA 닮음)

따라서 $\overline{AD} : \overline{AB} = \overline{AE} : \overline{AC}$이므로

$6 : (4 + \overline{BE}) = 4 : 9 \qquad \therefore \overline{BE} = \frac{19}{2}$(cm)

07 △BFE와 △CFD에서

∠BFE=∠CFD, ∠BEF=∠CDF(엇각)이므로

△BFE∽△CFD(AA 닮음)

닮음비는 $\overline{BE} : \overline{CD} = 5 : 10 = 1 : 2$이므로 $\overline{BF} : \overline{CF} = 1 : 2$

$\therefore \overline{BF} = 18 \times \frac{1}{3} = 6$(cm), $\overline{CF} = 12$(cm)

또, $1 : 2 = \overline{FE} : \overline{FD}$이므로

$1 : 2 = 7 : \overline{FD} \qquad \therefore \overline{DF} = 14$(cm)

따라서 △CDF의 둘레의 길이는

$\overline{CD} + \overline{DF} + \overline{CF} = 10 + 14 + 12 = 36$(cm)

08 △AEC와 △ADB에서

∠AEC=∠ADB=90°, ∠A는 공통이므로

△AEC∽△ADB(AA 닮음)

따라서 $\overline{AE} : \overline{AD} = \overline{AC} : \overline{AB}$이므로

$\overline{AE} : 6 = 8 : 9 \qquad \therefore \overline{AE} = \frac{16}{3}$(cm)

09 $\overline{AC}^2 = \overline{CD} \times \overline{CB}$에서 $15^2 = 9 \times \overline{CB}$이므로 $\overline{CB} = 25$(cm)

$\therefore \overline{BD} = 25 - 9 = 16$(cm)

이때 $\overline{AD}^2 = \overline{BD} \times \overline{CD}$이므로

$\overline{AD}^2 = 16 \times 9 = 144$ $\therefore \overline{AD} = 12 \text{(cm)}$

10 $\overline{AD}^2 = \overline{BD} \times \overline{CD}$이므로 $6^2 = \overline{BD} \times 3$ $\therefore \overline{BD} = 12$

따라서 $\triangle ABC$의 넓이는 $\dfrac{1}{2} \times 15 \times 6 = 45$

11 $\overline{AD} = \overline{BC} = 5 \text{(cm)}$이므로 직각삼각형 ABD에서

$\overline{AD}^2 = \overline{DH} \times \overline{BD}$

$5^2 = 4 \times \overline{BD}$ $\therefore \overline{BD} = \dfrac{25}{4} \text{(cm)}$

$\therefore \overline{BH} = \overline{BD} - \overline{DH} = \dfrac{25}{4} - 4 = \dfrac{9}{4} \text{(cm)}$

12 [단계 ❶] $\triangle ABF$와 $\triangle DFE$에서

$\angle A = \angle D = 90°$

$\angle ABF = 90° - \angle AFB = \angle DFE$

$\therefore \triangle ABF \varpropto \triangle DFE \text{(AA 닮음)}$

[단계 ❷] $\overline{AB} : \overline{DF} = \overline{AF} : \overline{DE}$이므로

$9 : 3 = \overline{AF} : 4$, $3\overline{AF} = 36$

$\therefore \overline{AF} = 12 \text{(cm)}$

[단계 ❸] $\therefore \overline{BF} = \overline{BC} = \overline{AD}$

$= \overline{AF} + \overline{FD} = 12 + 3 = 15 \text{(cm)}$

채점 기준	배점
❶ $\triangle ABF \varpropto \triangle DFE$임을 설명하기	40 %
❷ $\overline{AF}$의 길이 구하기	30 %
❸ $\overline{BF}$의 길이 구하기	30 %

13 점 O가 $\triangle ABC$의 외심이므로 $\triangle ABC$는 $\angle A = 90°$인 직각삼각형이다.

$\therefore \overline{BO} = \overline{CO} = 6 \text{(cm)}$ …… ❶

$\overline{AB}^2 = \overline{BD} \times \overline{BC}$이므로 $6^2 = \overline{BD} \times 12$

$\therefore \overline{BD} = 3 \text{(cm)}$ …… ❷

$\therefore \overline{DO} = \overline{BO} - \overline{BD} = 6 - 3 = 3 \text{(cm)}$ …… ❸

채점 기준	배점
❶ $\overline{BO}$의 길이 구하기	40 %
❷ $\overline{BD}$의 길이 구하기	40 %
❸ $\overline{DO}$의 길이 구하기	20 %

07. 삼각형과 평행선

개·념·확·인   42~43쪽

01 (1) 6   (2) 9   (3) 6

02 (1)

03 (1) 2   (2) $\dfrac{5}{3}$

04 (1) 8   (2) 6   (3) $\dfrac{24}{5}$

01 (1) $6 : (6+x) = 10 : 20$ $\therefore x = 6$

(2) $3 : x = 4 : 12$ $\therefore x = 9$

(3) $2 : 4 = 3 : x$ $\therefore x = 6$

02 (1) $\overline{AD} : \overline{DB} = 8 : 4 = 2 : 1$,

$\overline{AE} : \overline{EC} = 6 : 3 = 2 : 1$이므로

$\overline{AD} : \overline{DB} = \overline{AE} : \overline{EC} = 2 : 1$

따라서 $\overline{BC} /\!/ \overline{DE}$이다.

(2) $\overline{AD} : \overline{AB} = 3 : 8$,

$\overline{AE} : \overline{AC} = 4 : 6 = 2 : 3$이므로

$\overline{AD} : \overline{AB} \neq \overline{AE} : \overline{AC}$

따라서 $\overline{BC}$와 $\overline{DE}$는 평행하지 않다.

(3) $\overline{AB} : \overline{BD} = 4 : 2 = 2 : 1$,

$\overline{AC} : \overline{CE} = 6 : 2.5$이므로

$\overline{AB} : \overline{BD} \neq \overline{AC} : \overline{CE}$

따라서 $\overline{BC}$와 $\overline{DE}$는 평행하지 않다.

03 (1) $\overline{AB} : \overline{AC} = \overline{BD} : \overline{CD}$이므로

$6 : 4 = 3 : x$, $6x = 12$

$\therefore x = 2$

(2) $\overline{AB} : \overline{AC} = \overline{BD} : \overline{CD}$이므로

$4 : 3 = (x+5) : 5$

$3 \times (x+5) = 20$, $x+5 = \dfrac{20}{3}$

$\therefore x = \dfrac{5}{3}$

04 (1) $9 : 6 = 12 : x$, $9x = 72$

$\therefore x = 8$

(2) $6 : 4 = 9 : x$, $6x = 36$

$\therefore x = 6$

(3) $4 : 5 = x : 6$, $5x = 24$

$\therefore x = \dfrac{24}{5}$

핵심유형 **1** 22　　　　**1-1** $x=6$, $y=5$　　　　**1-2** 30

1-3 $\dfrac{12}{5}$ cm

핵심유형 **2** ④　　　　**2-1** $\overline{FE}\,/\!/\,\overline{BC}$　　　　**2-2** (1) 9 (2) 24

핵심유형 **3** 5 cm　　　　**3-1** 10 cm　　　　**3-2** 20 cm²

핵심유형 **4** 90　　　**4-1** $\dfrac{24}{5}$　　**4-2** 10　　**4-3** $\dfrac{5}{2}$

4-4 6 cm

핵심유형 **1** $x:8=9:6$, $6x=72$　　∴ $x=12$

$9:6=15:y$, $9y=90$　　∴ $y=10$

∴ $x+y=12+10=22$

1-1 $4:8=x:12$, $8x=48$　　∴ $x=6$

$4:8=y:10$이므로, $8y=40$　　∴ $y=5$

1-2 $8:(8+x)=4:6$이므로

$4\times(8+x)=48$, $8+x=12$　　∴ $x=4$

$4:6=5:y$이므로 $y=\dfrac{15}{2}$　　∴ $xy=30$

1-3 마름모 DBFE의 한 변의 길이를 x cm라 하면

$\overline{AD}:\overline{AB}=\overline{DE}:\overline{BC}$에서

$(6-x):6=x:4$, $6x=4\times(6-x)$　　∴ $x=\dfrac{12}{5}$

핵심유형 **2** ④ $\overline{AE}:\overline{EC}=\overline{AD}:\overline{DB}=2:1$이므로 $\overline{DE}\,/\!/\,\overline{BC}$

2-1 $\overline{AF}:\overline{FB}=\overline{AE}:\overline{EC}=2:3$이므로 $\overline{FE}\,/\!/\,\overline{BC}$

2-2 (1) $x:6=6:4$, $4x=36$　　∴ $x=9$

(2) $15:(x-15)=10:6$

$10\times(x-15)=90$　　∴ $x=24$

핵심유형 **3** $6:4=3:\overline{CD}$, $6\overline{CD}=12$　　∴ $\overline{CD}=2$(cm)

∴ $\overline{BC}=\overline{BD}+\overline{DC}=3+2=5$(cm)

3-1 $\overline{CD}=x$ cm라 하면 $8:5=(6+x):x$이므로

$5\times(6+x)=8x$, $3x=30$　　∴ $x=10$

3-2 $\overline{AB}:\overline{AC}=\overline{BD}:\overline{CD}=4:3$이므로

$\triangle ABD:\triangle ADC=\overline{BD}:\overline{CD}=4:3$

∴ $\triangle ABD=35\times\dfrac{4}{7}=20$(cm²)

핵심유형 **4** $6:8=x:10$, $8x=60$　　∴ $x=\dfrac{15}{2}$

$8:14=y:21$, $14y=168$　　∴ $y=12$

∴ $xy=90$

4-1 $3:5=x:8$, $5x=24$　　∴ $x=\dfrac{24}{5}$

4-2 $k\,/\!/\,l\,/\!/\,m$이므로 $3:4=x:5$

$4x=15$　　∴ $x=\dfrac{15}{4}$

$l\,/\!/\,m\,/\!/\,n$이므로 $4:5=5:y$

$4y=25$　　∴ $y=\dfrac{25}{4}$

∴ $x+y=10$

4-3 $\triangle ABC$에서 $\overline{EF}\,/\!/\,\overline{BC}$이므로

$3:5=x:10$, $5x=30$　　∴ $x=6$

$\triangle CDA$에서 $\overline{FG}\,/\!/\,\overline{AD}$이므로

$2:5=y:6$, $5y=12$　　∴ $y=\dfrac{12}{5}$

∴ $\dfrac{x}{y}=6\times\dfrac{5}{12}=\dfrac{5}{2}$

4-4 점 A를 지나면서 $\overline{DC}$에 평행한 직선이 $\overline{EF}$, $\overline{BC}$와 만나는 점을 각각 G, H라 하자.

$\overline{HC}=\overline{GF}=\overline{AD}=5$(cm)이므로

$\overline{BH}=3$(cm)

$\triangle ABH$에서

$\overline{AE}:\overline{AB}=\overline{EG}:\overline{BH}$이므로

$3:9=\overline{EG}:3$, $9\overline{EG}=9$　　∴ $\overline{EG}=1$(cm)

∴ $\overline{EF}=\overline{EG}+\overline{GF}=1+5=6$(cm)

01 8 cm　　**02** $\dfrac{37}{3}$　　**03** $x=15$, $y=12$

04 8 cm　　**05** $\dfrac{9}{2}$　　**06** ⑤　　**07** 3

08 8 cm　　**09** 10 cm　　**10** $\dfrac{15}{4}$　　**11** $\dfrac{25}{4}$

12 4 cm　　**13** 6 cm　　**14** $\dfrac{12}{5}$ cm

01 $\overline{AE}=x$ cm라 하면 $3:4=(14-x):x$

$4\times(14-x)=3x$, $7x=56$　　∴ $x=8$

02 $2:6=(5-x):5$이므로 $6\times(5-x)=10$

$30-6x=10$　　∴ $x=\dfrac{10}{3}$

$2:6=3:y$, $2y=18$　　∴ $y=9$

$$\therefore x+y=\frac{10}{3}+9=\frac{37}{3}$$

03 $8:20=6:x,\ 8x=120 \qquad \therefore x=15$
$16:20=y:15,\ 20y=240 \qquad \therefore y=12$

04 $\overline{DP}:\overline{BQ}=\overline{PE}:\overline{QC}$이므로
$\overline{DP}:10=16:20,\ 20\overline{DP}=160 \qquad \therefore \overline{DP}=8\,(cm)$

05 $\triangle ABE$에서 $\overline{AD}:\overline{DB}=\overline{AF}:\overline{FE}$이므로
$8:4=6:\overline{FE},\ 8\overline{FE}=24 \qquad \therefore \overline{FE}=3$
$\triangle ABC$에서 $\overline{AD}:\overline{DB}=\overline{AE}:\overline{EC}$이므로
$8:4=9:\overline{CE},\ 8\overline{CE}=36 \qquad \therefore \overline{CE}=\dfrac{9}{2}$

06 ㄱ. $6:9\neq7:12$
ㄴ. $6:10\neq5:7$
ㄷ. $6:8=12:16$
ㄹ. $5:10=8:16$
따라서 $\overline{BC}/\!/\overline{DE}$인 것은 ㄷ, ㄹ이다.

07 $\overline{AD}:\overline{DB}=\overline{AE}:\overline{EC}$이면 $\overline{DE}/\!/\overline{BC}$이므로
$4:2=6:x,\ 4x=12 \qquad \therefore x=3$

08 $\overline{AB}:\overline{AC}=\overline{BD}:\overline{CD}$에서 $4:3=\overline{BD}:\overline{CD}$이므로
$\overline{BD}=\dfrac{4}{7}\overline{BC}=\dfrac{4}{7}\times14=8\,(cm)$

09 $\overline{AD}$가 $\angle A$의 이등분선이므로
$\overline{AB}:\overline{AC}=\overline{BD}:\overline{CD}$
즉, $12:8=3:\overline{CD},\ 12\overline{CD}=24 \qquad \therefore \overline{CD}=2\,(cm)$
또, $\overline{AE}$가 $\angle A$의 외각의 이등분선이므로
$\overline{AB}:\overline{AC}=\overline{BE}:\overline{CE}$
$\overline{CE}=x$ cm라 하면
$12:8=(5+x):x$
$8\times(5+x)=12x,\ 4x=40 \qquad \therefore x=10$

10 $x:6=5:8,\ 8x=30 \qquad \therefore x=\dfrac{15}{4}$

11 $2:x=4:5,\ 4x=10 \qquad \therefore x=\dfrac{5}{2}$
$4:5=3:y,\ 4y=15 \qquad \therefore y=\dfrac{15}{4}$
$\therefore x+y=\dfrac{25}{4}$

12 점 A를 지나면서 $\overline{DC}$에 평행한
직선이 $\overline{EF}$, $\overline{BC}$와 만나는 점을 각
각 G, H라 하자.
$\overline{HC}=\overline{GF}=\overline{AD}=10\,(cm)$이므로

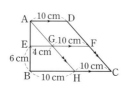

$\overline{EG}=4\,(cm),\ \overline{BH}=10\,(cm)$
$\triangle ABH$에서 $\overline{AE}=x$ cm라 하면
$\overline{AE}:\overline{AB}=\overline{EG}:\overline{BH}$이므로 $x:(x+6)=4:10$
$4\times(x+6)=10x \qquad \therefore x=4$

13 [단계 ❶] $\triangle ABE$와 $\triangle CDE$에서
$\angle AEB=\angle CED,\ \angle ABE=\angle CDE$이므로
$\triangle ABE\infty\triangle CDE$(AA 닮음)
[단계 ❷] $\overline{AB}:\overline{CD}=10:15=2:3$이므로
$\overline{BE}:\overline{ED}=2:3$
[단계 ❸] $\triangle BCD$에서 $\overline{BE}:\overline{BD}=\overline{EF}:\overline{CD}$이므로
$2:5=\overline{EF}:15,\ 5\overline{EF}=30$
$\therefore \overline{EF}=6\,(cm)$

채점 기준	배점
❶ $\triangle ABE\infty\triangle CDE$임을 설명하기	40 %
❷ $\overline{BE}:\overline{ED}$ 구하기	30 %
❸ $\overline{EF}$의 길이 구하기	30 %

14 $\overline{AD}$가 $\angle A$의 이등분선이므로
$\overline{BD}:\overline{CD}=\overline{AB}:\overline{AC}=4:6=2:3 \qquad \cdots\cdots$ ❶
$\triangle CAB$에서 $\overline{CD}:\overline{CB}=\overline{DE}:\overline{AB}$이므로
$3:5=\overline{DE}:4,\ 5\overline{DE}=12 \qquad \therefore \overline{DE}=\dfrac{12}{5}\,(cm) \qquad \cdots\cdots$ ❷

채점 기준	배점
❶ $\overline{BD}:\overline{CD}$ 구하기	40 %
❷ $\overline{DE}$의 길이 구하기	60 %

08. 삼각형의 무게중심

개·념·확·인   48~49쪽

01 (1) 4   (2) 6
02 (1) 4 cm   (2) 10 cm
03 (1) $x=3,\ y=5$ (2) $x=16,\ y=6$
04 (1) 16 cm²   (2) 8 cm²

01 (1) $x=\dfrac{1}{2}\times8=4$
(2) $x=2\times3=6$

02 (1) $\overline{AE}=\dfrac{1}{2}\times8=4\,(cm)$
(2) $\overline{BC}=2\times\overline{DE}=2\times5=10\,(cm)$

03 (1) $6:x=2:1$이므로 $2x=6$ $\therefore x=3$

$$y=\frac{1}{2}\times 10=5$$

(2) $x=2\times 8=16$

$y:3=2:1$이므로 $y=2\times 3=6$

04 (1) $\triangle ABG=\frac{1}{3}\triangle ABC=16(cm^2)$

(2) $\triangle GBD=\frac{1}{6}\triangle ABC=8(cm^2)$

핵심유형 **1** 15	**1-1** 44	**1-2** 6 cm	**1-3** 18 cm
핵심유형 **2** $\frac{21}{2}$	**2-1** 23 cm	**2-2** 9 cm	

2-3 (1) 3 cm (2) 3 cm

핵심유형 **3** $\frac{8}{3}$ cm	**3-1** $x=8, y=3$	**3-2** $\frac{10}{3}$ cm

3-3 4 cm

핵심유형 **4** 20 cm²	**4-1** 12 cm²	**4-2** 54 cm²

4-3 8 cm²

핵심유형 **1** $(\triangle DEF의 둘레의 길이)=\overline{DE}+\overline{EF}+\overline{DF}$

$$=\frac{1}{2}(\overline{AC}+\overline{AB}+\overline{BC})$$

$$=\frac{1}{2}\times(10+8+12)=15$$

1-1 $\overline{DE}=\frac{1}{2}\overline{BC}=\frac{1}{2}\times 8=4$ $\therefore x=4$

$\overline{DE}/\!/\overline{BC}$이므로 $\angle ADE=\angle B=40°$(동위각) $\therefore y=40$

$\therefore x+y=44$

1-2 $\triangle ABC$에서 $\overline{BC}=2\overline{MN}=12(cm)$

$\triangle DBC$에서 $\overline{PQ}=\frac{1}{2}\overline{BC}=6(cm)$

1-3 삼각형의 두 변의 중점을 연결한 선분의 성질에 의하여

$\overline{PQ}=\overline{SR}=\frac{1}{2}\overline{AC}=4(cm)$,

$\overline{PS}=\overline{QR}=\frac{1}{2}\overline{BD}=5(cm)$

즉, $\square PQRS$의 둘레의 길이는 $2\times(4+5)=18(cm)$

핵심유형 **2** $\overline{AD}/\!/\overline{BC}$, $\overline{AM}=\overline{MB}$, $\overline{DN}=\overline{NC}$이므로

$\overline{AD}/\!/\overline{MN}/\!/\overline{BC}$

$\triangle CDA$에서 $\overline{CN}=\overline{ND}$, $\overline{NP}/\!/\overline{DA}$이므로

$x=2\overline{PN}=2\times 3=6$

$\triangle ABC$에서 $\overline{AM}=\overline{MB}$, $\overline{MP}/\!/\overline{BC}$이므로

$y=\frac{1}{2}\overline{BC}=\frac{1}{2}\times 9=\frac{9}{2}$

$\therefore x+y=6+\frac{9}{2}=\frac{21}{2}$

2-1 $\overline{BE}=\overline{EC}=\frac{1}{2}\overline{BC}=9(cm)$, $\overline{DE}/\!/\overline{AC}$이므로

$\overline{BD}=\overline{DA}=\frac{1}{2}\overline{AB}=6(cm)$

$\therefore \overline{DE}=\frac{1}{2}\overline{AC}=8(cm)$

따라서 $\triangle BED$의 둘레의 길이는 $6+8+9=23(cm)$

2-2 $\triangle BCD$에서 $\overline{BM}=\overline{MC}$, $\overline{DC}/\!/\overline{EM}$이므로

$\overline{CD}=2\overline{EM}=12(cm)$

$\triangle AEM$에서 $\overline{AN}=\overline{NM}$, $\overline{DN}/\!/\overline{EM}$이므로

$\overline{DN}=\frac{1}{2}\overline{EM}=3(cm)$

$\therefore \overline{NC}=12-3=9(cm)$

2-3 (1) $\triangle ABC$에서 $\overline{AE}=\overline{EB}$, $\overline{EG}/\!/\overline{BC}$이므로 $\overline{AG}=\overline{GC}$

$\therefore \overline{EG}=\frac{1}{2}\overline{BC}=3(cm)$

(2) $\triangle EFG\equiv\triangle DFC$(ASA 합동)이므로

$\overline{CD}=\overline{GE}=3(cm)$

핵심유형 **3** $\overline{GD}=\frac{1}{3}\overline{AD}=4(cm)$이므로

$\overline{GG'}=\frac{2}{3}\overline{GD}=\frac{8}{3}(cm)$

3-1 $\overline{AG}:\overline{GD}=2:1$이므로

$6:y=2:1$, $2y=6$ $\therefore y=3$

$\triangle ABD$에서 $\overline{AE}:\overline{EB}=\overline{AG}:\overline{GD}$이므로

$x:4=2:1$ $\therefore x=8$

3-2 점 D가 직각삼각형 ABC의 외심이므로

$\overline{AD}=\overline{BD}=\overline{CD}=\frac{1}{2}\times 10=5(cm)$

$\therefore \overline{AG}=\frac{2}{3}\overline{AD}=\frac{10}{3}(cm)$

3-3 평행사변형의 성질에 의하여 $\overline{AO}=\overline{CO}$이므로

점 P는 $\triangle ABC$의 무게중심이다.

이때 $\overline{BO}=\overline{DO}=\frac{1}{2}\overline{BD}=12(cm)$이므로

$\overline{PO}=\frac{1}{3}\overline{BO}=4(cm)$

핵심유형 4 $\square \text{AFGE}=\dfrac{1}{3}\triangle \text{ABC}=20(\text{cm}^2)$

4-1 $\triangle \text{ABG}=\triangle \text{AGC}=\dfrac{1}{3}\triangle \text{ABC}=12(\text{cm}^2)$

$\triangle \text{ABM}=\triangle \text{AMG}=\triangle \text{AGN}=\triangle \text{ANC}$

$\qquad =\dfrac{1}{2}\triangle \text{ABG}=6(\text{cm}^2)$

따라서 색칠한 부분의 넓이는 $2\times 6=12(\text{cm}^2)$

4-2 $\triangle \text{GBG}' : \triangle \text{GBD}=2 : 3$이므로 $6 : \triangle \text{GBD}=2 : 3$

$\qquad \therefore \triangle \text{GBD}=9(\text{cm}^2)$

$\qquad \therefore \triangle \text{ABC}=6\triangle \text{GBD}=54(\text{cm}^2)$

4-3 대각선 AC를 이으면 평행사변
형의 성질에 의하여
$\overline{\text{AO}}=\overline{\text{CO}}$이므로 점 P는
$\triangle \text{ABC}$의 무게중심이다.

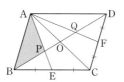

즉, $\triangle \text{ABC}=\dfrac{1}{2}\square \text{ABCD}=24(\text{cm}^2)$

$\therefore \triangle \text{ABP}=\dfrac{1}{3}\triangle \text{ABC}=8(\text{cm}^2)$

기출문제로 실·력·다·지·기   52~53쪽

01 3 cm	**02** 30 cm	**03** $\dfrac{9}{2}$ cm	**04** 20 cm
05 12 cm	**06** 5 cm²	**07** 16	**08** 8 cm
09 18 cm	**10** 4 cm	**11** $\dfrac{9}{2}$ cm	**12** 10 cm²
13 3 cm	**14** 20 cm²		

01 $\overline{\text{AM}}=\overline{\text{MB}}$, $\overline{\text{AM}}=\overline{\text{NC}}$이므로
$\overline{\text{MN}}=\dfrac{1}{2}\overline{\text{BC}}=8(\text{cm})$

$\qquad \therefore \overline{\text{MP}}=\overline{\text{MN}}-\overline{\text{PN}}=8-5=3(\text{cm})$

02 삼각형의 두 변의 중점을 연결한 선분의 성질에 의하여
$\overline{\text{AB}}=2\overline{\text{EF}}$, $\overline{\text{BC}}=2\overline{\text{DF}}$, $\overline{\text{AC}}=2\overline{\text{DE}}$이므로
$(\triangle \text{ABC}$의 둘레의 길이$)=2(\triangle \text{DFE}$의 둘레의 길이$)$
$\qquad\qquad\qquad\qquad =30(\text{cm})$

03 오른쪽 그림과 같이 $\overline{\text{AB}}$를 긋고
$\overline{\text{MN}}$의 연장선이 $\overline{\text{AB}}$와 만나는
점을 P라 하면 $\triangle \text{ABC}$에서
$\overline{\text{PN}}=\dfrac{1}{2}\overline{\text{BC}}=9(\text{cm})$

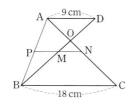

또 $\triangle \text{ABD}$에서 $\overline{\text{PM}}=\dfrac{1}{2}\overline{\text{AD}}=\dfrac{9}{2}(\text{cm})$

$\qquad \therefore \overline{\text{MN}}=\overline{\text{PN}}-\overline{\text{PM}}=9-\dfrac{9}{2}=\dfrac{9}{2}(\text{cm})$

04 $\square \text{EFGH}$는 마름모이고, $\overline{\text{EF}}=\dfrac{1}{2}\overline{\text{AC}}=5(\text{cm})$이므로
$\square \text{EFGH}$의 둘레의 길이는 $4\times 5=20(\text{cm})$

05 점 E를 지나면서 $\overline{\text{BD}}$에 평행한 직선이
$\overline{\text{AC}}$와 만나는 점을 F라 하자.
이때 $\triangle \text{ABC}$에서 점 F는 $\overline{\text{AC}}$의 중점이
므로
$\overline{\text{BC}}=2\overline{\text{EF}}$
한편, $\triangle \text{EGF}\equiv\triangle \text{DGC}(\text{ASA}$합동$)$
이므로 $\overline{\text{EF}}=\overline{\text{CD}}$
즉, $\overline{\text{BC}}=2\overline{\text{EF}}=2\overline{\text{CD}}$이므로
$\overline{\text{CD}}=\dfrac{1}{3}\overline{\text{BD}}=12(\text{cm})$

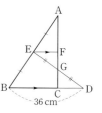

06 $\triangle \text{ABG}=\dfrac{1}{3}\triangle \text{ABC}=20(\text{cm}^2)$

$\triangle \text{ABM}=\dfrac{1}{2}\triangle \text{ABD}=\dfrac{1}{2}\times\dfrac{1}{2}\triangle \text{ABC}=15(\text{cm}^2)$

$\qquad \therefore \triangle \text{MBG}=\triangle \text{ABG}-\triangle \text{ABM}=20-15=5(\text{cm}^2)$

07 $\overline{\text{AG}} : \overline{\text{GD}}=2 : 1$이므로
$8 : x=2 : 1$, $2x=8$ $\therefore x=4$
$\triangle \text{ABD}$에서 $\overline{\text{EG}}/\!/\overline{\text{BD}}$이고 $\overline{\text{AG}} : \overline{\text{AD}}=2 : 3$이므로
$2 : 3=4 : \overline{\text{BD}}$, $2\overline{\text{BD}}=12$ $\therefore \overline{\text{BD}}=6(\text{cm})$
즉, $y=2\overline{\text{BD}}=2\times 6=12$
$\qquad \therefore x+y=16$

08 $\triangle \text{CAD}$에서 $\overline{\text{AD}}=2\overline{\text{EF}}=12(\text{cm})$

$\qquad \therefore \overline{\text{AG}}=\dfrac{2}{3}\overline{\text{AD}}=\dfrac{2}{3}\times 12=8(\text{cm})$

09 $\overline{\text{AF}}=\overline{\text{FB}}$, $\overline{\text{AE}}=\overline{\text{EC}}$이므로 $\overline{\text{FE}}/\!/\overline{\text{BC}}$
$\qquad \therefore \triangle \text{GEF}\backsim\triangle \text{GBC}(\text{AA}$ 닮음$)$
$\overline{\text{GH}} : \overline{\text{GD}}=1 : 2$이므로 $\overline{\text{GD}}=2\times 3=6(\text{cm})$
또한, $\overline{\text{AG}} : \overline{\text{GD}}=2 : 1$이므로 $\overline{\text{AG}}=2\times 6=12(\text{cm})$
$\qquad \therefore \overline{\text{AD}}=12+6=18(\text{cm})$

10 $\overline{\text{AG}} : \overline{\text{GE}}=\overline{\text{AG}}' : \overline{\text{G}'\text{F}}=2 : 1$이므로
$\triangle \text{AEF}$에서 $2 : 3=\overline{\text{GG}}' : \overline{\text{EF}}$
이때 $\overline{\text{BE}}=\overline{\text{ED}}=\overline{\text{DF}}=\overline{\text{FC}}$이므로
$\overline{\text{EF}}=\dfrac{1}{2}\overline{\text{BC}}=6(\text{cm})$

따라서 $2 : 3 = \overline{GG'} : 6$이므로

$\overline{GG'} = 4(\text{cm})$

11 대각선 AC를 그으면 점 P, Q는 각각 △ABC, △ACD의 무게중심이므로

$\overline{BD} = 3\overline{PQ} = 9(\text{cm})$

즉, △BCD에서 $\overline{BM} = \overline{MC}$, $\overline{CN} = \overline{ND}$이므로

$\overline{MN} = \dfrac{1}{2}\,\overline{BD} = \dfrac{9}{2}(\text{cm})$

12 $\triangle GDC = \dfrac{1}{6}\,\triangle ABC = 20(\text{cm}^2)$

$\therefore \triangle EDC = \dfrac{1}{2}\,\triangle GDC = 10(\text{cm}^2)$

13 [단계 ❶] △ABC에서

$\overline{EQ} = \dfrac{1}{2}\,\overline{BC} = \dfrac{13}{2}(\text{cm})$

[단계 ❷] △BDA에서

$\overline{EP} = \dfrac{1}{2}\,\overline{AD} = \dfrac{7}{2}(\text{cm})$

[단계 ❸] $\therefore \overline{PQ} = \overline{EQ} - \overline{EP} = \dfrac{13}{2} - \dfrac{7}{2} = 3(\text{cm})$

채점 기준	배점
❶ $\overline{EQ}$의 길이 구하기	40 %
❷ $\overline{EP}$의 길이 구하기	40 %
❸ $\overline{PQ}$의 길이 구하기	20 %

14 대각선 AC를 그으면 점 P, Q는 각각 △ABC, △ACD의 무게중심이다. ⋯⋯ ❶
두 대각선의 교점을 O라 하면 △ABC에서

$\square \mathrm{PMCO} = \dfrac{1}{3}\,\triangle ABC$

$= \dfrac{1}{3} \times \dfrac{1}{2}\,\square ABCD$

$= 10(\text{cm}^2)$ ⋯⋯ ❷

같은 방법으로 $\square \mathrm{OCNQ} = 10\ \text{cm}^2$이므로 색칠한 부분의 넓이는 $10 + 10 = 20(\text{cm}^2)$ ⋯⋯ ❸

채점 기준	배점
❶ 점 P, Q가 각각 △ABC, △ACD의 무게중심임을 알기	30 %
❷ $\square$PMCO의 넓이 구하기	40 %
❸ 색칠한 부분의 넓이 구하기	30 %

09. 닮은 도형의 넓이와 부피

01 (1) 2 : 3　　(2) 2 : 3　　(3) 4 : 9
02 (1) 54 cm²　　(2) 32 cm³
03 (1) 1 : 3　　(2) 1 : 9　　(3) 1 : 27
04 (1) 100 m　　(2) 10 cm
05 3 m　　　　**06** 150 m

01 (1) 닮음비는 $\overline{AD} : \overline{EH} = 8 : 12 = 2 : 3$
(2) 둘레의 길이의 비는 닮음비와 같으므로 2 : 3
(3) 넓이의 비는 $2^2 : 3^2 = 4 : 9$

02 (1) 두 삼각기둥의 닮음비가 2 : 3이므로 겉넓이의 비는
$2^2 : 3^2 = 4 : 9$이다.
삼각기둥 B의 겉넓이를 $S\ \text{cm}^2$라 하면
$4 : 9 = 24 : S$, $4S = 216$　　$\therefore S = 54$
따라서 삼각기둥 B의 겉넓이는 54 cm²이다.
(2) 두 삼각기둥의 닮음비가 2 : 3이므로 부피의 비는
$2^3 : 3^3 = 8 : 27$이다.
삼각기둥 A의 부피를 $V\ \text{cm}^3$라 하면
$8 : 27 = V : 108$, $27V = 864$　　$\therefore V = 32$
따라서 삼각기둥 A의 부피는 32 cm³이다.

03 (1) 두 구의 닮음비는 반지름의 길이의 비와 같으므로
$2 : 6 = 1 : 3$
(2) 겉넓이의 비는 $1^2 : 3^2 = 1 : 9$
(3) 부피의 비는 $1^3 : 3^3 = 1 : 27$

04 (1) 두 지점 사이의 실제 거리는
$2 \times 5000 = 10000(\text{cm}) = 100(\text{m})$
(2) $500(\text{m}) = 50000(\text{cm})$이므로 지도에서의 거리를 $x\ \text{cm}$라 하면 $1 : 5000 = x : 50000$　　$\therefore x = 10$
따라서 지도에서 두 지점 사이의 길이는 10 cm이다.

05 나무의 높이를 $x\ \text{m}$라 하면
$1.5 : 4.5 = 1 : x$, $1.5x = 4.5$　　$\therefore x = 3$
따라서 나무의 높이는 3 m이다.

06 $\triangle \mathrm{CDE} \backsim \triangle \mathrm{CBA}$(AA 닮음)이므로
$6 : 180 = 5 : \overline{AB}$
$\therefore \overline{AB} = 150(\text{m})$

핵심유형 1 64 cm²	1-1 ②	1-2 81 cm²
핵심유형 2 80π cm²	2-1 216 cm³	2-2 81 cm³
2-3 1 : 7 : 19	2-4 125개	
핵심유형 3 ③	3-1 125 km²	3-2 3시간
3-3 80 m	3-4 14.4 m	

핵심유형 1 $\triangle CDE \backsim \triangle CAB$(AA 닮음)이고 닮음비는

$\overline{CE} : \overline{CB} = 6 : 10 = 3 : 5$이므로 넓이의 비는

$3^2 : 5^2 = 9 : 25$이다.

$9 : 25 = 36 : \triangle CAB$ ∴ $\triangle CAB = 100(cm^2)$

∴ $\square ABED = \triangle CAB - \triangle CDE = 100 - 36 = 64(cm^2)$

1-1 $\triangle ABC$와 $\triangle DEF$의 닮음비가 $8 : 6 = 4 : 3$이므로 넓이의

비는 $4^2 : 3^2 = 16 : 9$이다.

즉, $16 : 9 = 48 : \triangle DEF$이므로

$16 \triangle DEF = 432$ ∴ $\triangle DEF = 27(cm^2)$

1-2 $\triangle AOD$와 $\triangle COB$에서

$\angle ADO = \angle CBO$(엇각), $\angle DAO = \angle BCO$(엇각)이므로

$\triangle AOD \backsim \triangle COB$(AA 닮음)

$\triangle AOD$와 $\triangle COB$의 닮음비는 $2 : 3$이므로 넓이의 비는

$2^2 : 3^2 = 4 : 9$이다.

즉, $4 : 9 = 36 : \triangle OBC$이므로

$4 \triangle OBC = 324$ ∴ $\triangle OBC = 81(cm^2)$

핵심유형 2 두 원기둥의 닮음비는 $6 : 12 = 1 : 2$이므로 겉넓이의 비는

$1^2 : 2^2 = 1 : 4$이다. 원기둥 B의 겉넓이를 S cm²라 하면

$1 : 4 = 20\pi : S$ ∴ $S = 80\pi$

따라서 원기둥 B의 겉넓이는 80π cm²이다.

2-1 두 직육면체의 겉넓이의 비가 $4 : 9 = 2^2 : 3^2$이므로 닮음비

는 $2 : 3$이고, 부피의 비는 $2^3 : 3^3 = 8 : 27$이다.

직육면체 Q의 부피를 V cm³라 하면 $8 : 27 = 64 : V$

$8V = 1728$ ∴ $V = 216$

따라서 직육면체 Q의 부피는 216 cm³이다.

2-2 물의 높이와 그릇의 높이의 비가 $3 : 4$이므로 부피의 비는

$3^3 : 4^3 = 27 : 64$이다.

물의 부피를 V cm³라 하면 $27 : 64 = V : 192$이므로

$64V = 5184$ ∴ $V = 81$

따라서 물의 부피는 81 cm³이다.

2-3 세 원뿔의 높이의 비는 $1 : 2 : 3$이므로 부피의 비는

$1^3 : 2^3 : 3^3 = 1 : 8 : 27$이다.

따라서 세 입체도형 A, B, C의 부피의 비는

$1 : (8-1) : (27-8) = 1 : 7 : 19$

2-4 두 쇠공의 지름의 비는 $10 : 2 = 5 : 1$이므로 부피의 비는

$5^3 : 1^3 = 125 : 1$이다.

따라서 작은 쇠공을 125개 만들 수 있다.

핵심유형 3 $3(km) = 300000(cm)$이므로

$(축척) = \dfrac{6}{300000} = \dfrac{1}{50000}$

이때 $10(km) = 1000000(cm)$이므로

$(구하는 길이) = 1000000 \times \dfrac{1}{50000} = 20(cm)$

3-1 $25(km) = 2500000(cm)$이므로 (축척) $= \dfrac{1}{500000}$

따라서 축척이 $\dfrac{1}{500000}$ 이므로 넓이의 비는 $1 : 500000^2$

따라서 지도에서 5 cm²인 땅의 실제 넓이를 S라 하면

$1 : 250000000000 = 5 : S$

∴ $S = 1250000000000(cm^2) = 125(km^2)$

따라서 땅의 실제 넓이는 125 km²이다.

3-2 두 지점 사이의 실제 거리는

$15 \times 100000 = 1500000(cm) = 15(km)$

따라서 두 지점 사이의 거리를 가는 데 걸리는 시간은

$\dfrac{15}{5} = 3(시간)$

3-3 $\triangle ABC \backsim \triangle ADE$(AA 닮음)이므로

$\overline{AB} = x$ cm라 하면 $x : (x+2) = 4 : 6$

$4(x+2) = 6x$ ∴ $x = 4$

따라서 $\overline{AB}$의 실제 거리는

$4 \times 2000 = 8000(cm) = 80(m)$

3-4 $\triangle ABC \backsim \triangle DEC$(AA 닮음)이므로

건물의 높이를 h m라 하면

$1.6 : h = 1.5 : 13.5$ ∴ $h = 14.4$

따라서 건물의 높이는 14.4 m이다.

01 9 cm^2	**02** 28 cm^2	**03** $18\pi \text{ cm}^2$	**04** ③
05 405 cm^3	**06** $4 : 9$	**07** 280 mL	**08** 10800원
09 2.5 km	**10** 46.7 m	**11** 7.2 m	**12** 45 cm^2
13 64 cm^3			

01 △AMN∽△ABC(SAS 닮음)이고 닮음비는 $1 : 2$이므로 넓이의 비는 $1 : 4$이다.
즉, $1 : 4 =$ △AMN $: 36$이므로
4△AMN $= 36$ ∴ △AMN $= 9(\text{cm}^2)$

02 △ADE∽△ACB(AA 닮음)이고 닮음비가
$\overline{\text{AD}} : \overline{\text{AC}} = 6 : 9 = 2 : 3$이므로 넓이의 비는 $4 : 9$이다.
즉, $4 : 9 =$ △ADE $: 63$이므로
9△ADE $= 252$ ∴ △ADE $= 28(\text{cm}^2)$

03 세 원의 닮음비가 $1 : 2 : 3$이므로 넓이의 비는
$1^2 : 2^2 : 3^2 = 1 : 4 : 9$이다.
즉, 색칠한 부분의 넓이를 $S \text{ cm}^2$라 하면 $(4-1) : 9 = S : 54\pi$
$9S = 162\pi$ ∴ $S = 18\pi$
따라서 색칠한 부분의 넓이는 $18\pi \text{ cm}^2$이다.

04 두 카페트는 서로 닮은 도형이고, 닮음비가 $1 : 2$이므로 넓이의 비는 $1 : 4$이다. 즉, 카페트의 가격을 x만 원이라 하면
$1 : 4 = 4 : x$ ∴ $x = 16$
따라서 구하는 카페트의 가격은 16만 원이다.

05 두 삼각뿔의 닮음비가 $2 : 3$이므로 부피의 비는 $2^3 : 3^3 = 8 : 27$
즉, 큰 삼각뿔의 부피를 $V \text{ cm}^3$라 하면
$8 : 27 = 120 : V$, $8V = 3240$ ∴ $V = 405$

06 두 원기둥의 부피의 비가 $64\pi : 216\pi = 2^3 : 3^3$이므로 닮음비는 $2 : 3$이다.
따라서 두 원기둥 A, B의 겉넓이의 비는 $4 : 9$이다.

07 수면의 높이와 그릇의 높이의 비가 $1 : 2$이므로 물의 부피와 그릇의 부피의 비는 $1^3 : 2^3 = 1 : 8$이다.
즉, 그릇의 부피를 $x \text{ mL}$라 하면
$40 : x = 1 : 8$ ∴ $x = 320$
따라서 더 부어야 하는 물의 양은 $320 - 40 = 280(\text{mL})$

08 두 종류의 용기는 닮은 도형이고, 닮음비는 $4 : 6 = 2 : 3$이므로 부피의 비는 $8 : 27$이다.
큰 용기에 담은 아이스크림의 가격을 x원이라 하면
$8 : 27 = 3200 : x$, $8x = 86400$ ∴ $x = 10800$

09 $2(\text{km}) = 200000(\text{cm})$이므로 (축적)$= \dfrac{8}{200000} = \dfrac{1}{25000}$
따라서 집에서 도서관까지의 실제 거리는
$10 \times 25000 = 250000(\text{cm}) = 2.5(\text{km})$

10 $1 : 300 = 15 : \overline{\text{AC}}$ ∴ $\overline{\text{AC}} = 4500(\text{cm}) = 45(\text{m})$
따라서 빌딩의 높이는 $45 + 1.7 = 46.7(\text{m})$

11 오른쪽 그림과 같이 담벽이 그림자를 가리지 않았다고 할 때, $\overline{\text{AD}}$의 연장선과 $\overline{\text{BC}}$의 연장선의 교점을 E라 하면
$0.16 : 1 = \overline{\text{CE}} : 0.75$
∴ $\overline{\text{CE}} = 0.12(\text{m})$
∴ $\overline{\text{BE}} = 5.28 + 0.12 = 5.4(\text{m})$
또한, $\overline{\text{DC}} : \overline{\text{A}'\text{B}'} = \overline{\text{BE}} : \overline{\text{B}'\text{E}'}$이므로 $\overline{\text{AB}} : 1 = 5.4 : 0.75$,
$0.75\overline{\text{AB}} = 5.4$
∴ $\overline{\text{AB}} = 7.2(\text{m})$

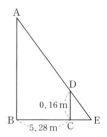

12 [단계 ❶] △AOD∽△COB(AA 닮음)이고 닮음비가 $\overline{\text{AD}} : \overline{\text{CB}} = 2 : 3$이므로 넓이의 비는 $2^2 : 3^2 = 4 : 9$이다.
[단계 ❷] $4 : 9 = 12 :$ △COB   ∴ △COB $= 27(\text{cm}^2)$
[단계 ❸] $\overline{\text{AO}} : \overline{\text{CO}} = 2 : 3$이고 △AOD와 △DOC의 높이가 같으므로 △AOD $:$ △DOC $= 2 : 3$
$12 :$ △DOC $= 2 : 3$ ∴ △DOC $= 18(\text{cm}^2)$
[단계 ❹] ∴ △DBC $= 27 + 18 = 45(\text{cm}^2)$

채점 기준	배점
❶ △AOD와 △COB의 넓이의 비 구하기	40 %
❷ △COB의 넓이 구하기	20 %
❸ △DOC의 넓이 구하기	30 %
❹ △DBC의 넓이 구하기	10 %

13 큰 구슬과 작은 구슬 한 개의 닮음비는 $2 : 1$이므로 부피의 비는 $2^3 : 1^3 = 8 : 1$이다.   …… ❶
작은 구슬 한 개의 부피를 $V \text{ cm}^3$라 하면
$8 : 1 = 64 : V$ ∴ $V = 8$ …… ❷
따라서 상자 B 안에 들어 있는 구슬 전체의 부피는
$8 \times 8 = 64(\text{cm}^3)$ …… ❸

채점 기준	배점
❶ 큰 구슬과 작은 구슬의 부피의 비 구하기	30 %
❷ 작은 구슬 한 개의 부피 구하기	30 %
❸ 상자 B 안에 들어 있는 구슬 전체의 부피 구하기	40 %

10. 피타고라스 정리

60~61쪽

개·념·확·인

01 (1) 5　　　　(2) 8　　　　(3) 15

02 (1) 25 cm²　　(2) 5 cm

03 (1) 10 cm　　(2) 100 cm²

04 ㄴ, ㄷ

---

01 (1) $\overline{AB}^2 = \overline{BC}^2 + \overline{CA}^2$이므로

$x^2 = 4^2 + 3^2 = 25 = 5^2$　　∴ $x = 5$ (∵ $x > 0$)

(2) $\overline{BC}^2 = \overline{AC}^2 - \overline{AB}^2$이므로

$x^2 = 10^2 - 6^2 = 64 = 8^2$　　∴ $x = 8$ (∵ $x > 0$)

(3) $\overline{CA}^2 = \overline{BC}^2 - \overline{AB}^2$이므로

$x^2 = 17^2 - 8^2 = 225 = 15^2$　　∴ $x = 15$ (∵ $x > 0$)

02 (1) $\square AFGB = \square ACDE + \square BHIC$

$= 16 + 9 = 25 (cm^2)$

(2) $\square AFGB = \overline{AB}^2 = 25\ cm^2$이므로

$\overline{AB} = 5\ cm$ (∵ $\overline{AB} > 0$)

03 (1) $\triangle AEH$에서 $\overline{EH}^2 = 8^2 + 6^2 = 100 = 10^2$

∴ $\overline{EH} = 10\ cm$ (∵ $\overline{EH} > 0$)

(2) $\square EFGH$는 정사각형이므로

$\square EFGH = \overline{EH}^2 = 100(cm^2)$

04 ㄱ. $2^2 + 3^2 \neq 4^2$

ㄴ. $9^2 + 12^2 = 15^2$

ㄷ. $5^2 + 12^2 = 13^2$

ㄹ. $4^2 + 5^2 \neq 7^2$

따라서 직각삼각형인 것은 ㄴ, ㄷ이다.

핵심유형으로 개·념·정·복·하·기

62~63쪽

핵심유형 1 ④　　**1-1** 20 cm　**1-2** 17　　**1-3** ①

핵심유형 2 ⑤　　**2-1** ②　　**2-2** ④

핵심유형 3 ⑤　　**3-1** ④　　**3-2** $\dfrac{169}{2}$ cm²

핵심유형 4 16, 34　**4-1** ②, ④　**4-2** 13　**4-3** 17

핵심유형 1 $\triangle ACD$에서 $\overline{CD}^2 = 13^2 - 12^2 = 25 = 5^2$

∴ $\overline{CD} = 5$ (∵ $\overline{CD} > 0$)

$\overline{BD} = \overline{BC} - \overline{CD} = 21 - 5 = 16$

$\triangle ABD$에서 $\overline{AB}^2 = 12^2 + 16^2 = 400 = 20^2$

∴ $\overline{AB} = 20$ (∵ $\overline{AB} > 0$)

1-1 $\triangle ABC$에서 $\overline{AC}^2 = 12^2 + 16^2 = 400 = 20^2$

∴ $\overline{AC} = 20\ cm$ (∵ $\overline{AC} > 0$)

1-2 $\triangle ABD$에서 $\overline{AB}^2 = 10^2 - 6^2 = 64 = 8^2$

∴ $\overline{AB} = 8$ (∵ $\overline{AB} > 0$)

$\triangle ABC$에서 $\overline{BC} = 6 + 9 = 15$이므로

$\overline{AC}^2 = 8^2 + 15^2 = 289 = 17^2$

∴ $\overline{AC} = 17$ (∵ $\overline{AC} > 0$)

1-3 꼭짓점 A에서 $\overline{BC}$에 내린 수선의
발을 H라 하면 $\triangle ABH$에서
$\overline{AH} = \overline{DC} = 4\ cm$,

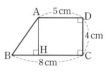

$\overline{BH} = 8 - 5 = 3(cm)$이므로

$\overline{AB}^2 = 3^2 + 4^2 = 25 = 5^2$

∴ $\overline{AB} = 5\ cm$ (∵ $\overline{AB} > 0$)

핵심유형 2 $\triangle GBC \equiv \triangle ABH$이므로

$\triangle AFG = \triangle ABG = \triangle GBC = \triangle ABH = \triangle BHJ$

2-1 $\triangle ABC$에서 $\overline{AB}^2 = \overline{AC}^2 + \overline{BC}^2$이므로

$\square ADEB = \square ACHI + \square BFGC$

$144 = 80 + \square BFGC$　　∴ $\square BFGC = 64\ cm^2$

2-2 정사각형 $BDEC$에서 $\overline{BC} = \overline{BD} = 10\ cm$이므로

$\triangle ABC$에서 $\overline{AC}^2 = 10^2 - 6^2 = 64 = 8^2$

∴ $\overline{AC} = 8\ cm$ (∵ $\overline{AC} > 0$)

∴ $\square PQEC = \overline{AC}^2 = 8^2 = 64(cm^2)$

핵심유형 3 $\triangle APS \equiv \triangle BQP \equiv \triangle CRQ \equiv \triangle DSR$ (SAS 합동)이므로

$\square PQRS$는 정사각형이다.

$\triangle APS$에서 $\overline{AS} = \overline{BP} = 10 - 4 = 6(cm)$이므로

$\overline{PS}^2 = 4^2 + 6^2 = 52$

∴ $\square PQRS = \overline{PS}^2 = 52(cm^2)$

3-1 $\triangle AFE \equiv \triangle BGF \equiv \triangle CHG \equiv \triangle DEH$ (SAS 합동)이므로

$\square EFGH$는 정사각형이다.

이때 $\square EFGH = 289 = 17^2(cm^2)$이므로

$\overline{EF} = 17\ cm$

$\triangle AFE$에서 $\overline{AF}^2 = 17^2 - 8^2 = 225 = 15^2$

∴ $\overline{AF} = 15\ cm$ (∵ $\overline{AF} > 0$)

따라서 $\overline{AB} = 15 + 8 = 23(cm)$이므로 $\square ABCD$는 한 변
의 길이가 23 cm인 정사각형이다.

∴ $\square ABCD = 23^2 = 529(cm^2)$

3-2 △ABE에서 $\overline{BE}^2 = 5^2 + 12^2 = 13^2$

∴ $\overline{BE} = 13$ cm $(∵ \overline{BE} > 0)$

△ABE≡△CDB이므로 ∠EBD=90°이다.

즉, △BDE는 $\overline{BD} = \overline{BE} = 13$ cm인 직각이등변삼각형이므로

$$△BDE = \frac{1}{2} \times 13 \times 13 = \frac{169}{2}(cm^2)$$

핵심유형 4 (i) 가장 긴 변의 길이가 5 cm일 때,

$x^2 = 5^2 - 3^2 = 16$

(ii) 가장 긴 변의 길이가 x cm일 때,

$x^2 = 3^2 + 5^2 = 34$

(i), (ii)에 의하여 구하는 x^2의 값은 16, 34이다.

4-1 ① $6^2 + 7^2 \neq 9^2$　　② $5^2 + 12^2 = 13^2$

③ $4^2 + 5^2 \neq 8^2$　　④ $3^2 + 4^2 = 5^2$

⑤ $5^2 + 7^2 \neq 9^2$

따라서 직각삼각형인 것은 ②, ④이다.

4-2 $x = 5$일 때, $3^2 + 4^2 = x^2$이 성립하고,

$y = 8$일 때, $y^2 + 15^2 = 17^2$이 성립한다.

∴ $x + y = 5 + 8 = 13$

4-3 (i) 가장 긴 변의 길이가 x일 때,

$x^2 = 8^2 + 15^2 = 289 = 17^2$　　∴ $x = 17 (∵ x > 0)$

(ii) 가장 긴 변의 길이가 15일 때,

$8^2 + x^2 = 15^2$　　∴ $x^2 = 161$

이때 제곱하여 161이 되는 자연수는 존재하지 않는다.

(i), (ii)에 의하여 $x = 17$

기출문제로 **실·력·다·지·기**　　64~65쪽

01 ③	**02** 5	**03** ③	**04** ④
05 ⑤	**06** 24 cm²	**07** 1 cm²	**08** $\frac{60}{13}$ cm
09 ⑤	**10** 2 cm	**11** ④	**12** 24, 74
13 4	**14** 60 cm²		

---

01 $\overline{BC}^2 = 29^2 - 20^2 = 441 = 21^2$

∴ $\overline{BC} = 21$ cm $(∵ \overline{BC} > 0)$

∴ $△ABC = \frac{1}{2} \times \overline{AB} \times \overline{BC} = \frac{1}{2} \times 20 \times 21 = 210 (cm^2)$

02 점 A에서 x축에 내린 수선의 발을 H라 하면 △AOH에서

$\overline{OA}^2 = \overline{OH}^2 + \overline{AH}^2$

$= 4^2 + 3^2 = 25 = 5^2$

∴ $\overline{OA} = 5 (∵ \overline{OA} > 0)$

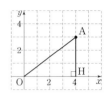

03 나무의 부러진 윗부분의 길이는

$25 - 8 = 17 (m)$

△ABC에서

$x^2 = 17^2 - 8^2 = 225 = 15^2$

∴ $x = 15 (∵ x > 0)$

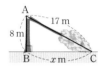

04 △ADC에서 $y^2 = 9^2 + 12^2 = 225 = 15^2$

∴ $y = 15 (∵ y > 0)$

△ABC에서 $\overline{BC} = 7 + 9 = 16 (cm)$이므로

$x^2 = 16^2 + 12^2 = 400 = 20^2$　　∴ $x = 20 (∵ x > 0)$

∴ $x + y = 20 + 15 = 35$

05 $\overline{BD}$를 그으면 △ABD에서

$\overline{BD}^2 = 15^2 + 20^2 = 625 = 25^2$

∴ $\overline{DB} = 25$ cm $(∵ \overline{BD} > 0)$

△BCD에서

$\overline{CD}^2 = 25^2 - 7^2 = 576 = 24^2$

∴ $\overline{CD} = 24$ cm $(∵ \overline{CD} > 0)$

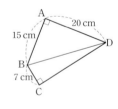

06 꼭짓점 A, D에서 $\overline{BC}$에 내린 수선의 발을 각각 H, H′이라 하면

$\overline{BH} = \overline{CH'} = \frac{1}{2} \times (9 - 3)$

$= 3 (cm)$

즉, △ABH에서 $\overline{AH}^2 = 5^2 - 3^2 = 16 = 4^2$

∴ $\overline{AH} = 4$ cm $(∵ \overline{AH} > 0)$

∴ $□ABCD = \frac{1}{2} \times (3 + 9) \times 4 = 24 (cm^2)$

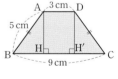

07 $\overline{AH} = \overline{BE} = \overline{CF} = 3$ cm

△ABH에서 $\overline{BH}^2 = 5^2 - 3^2 = 16 = 4^2$

∴ $\overline{BH} = 4$ cm $(∵ \overline{BH} > 0)$

$\overline{EH} = \overline{BH} - \overline{BE} = 4 - 3 = 1 (cm)$

∴ $□EFGH = 1^2 = 1 (cm^2)$

08 △ABD에서 $\overline{BD}^2=12^2+5^2=169=13^2$

$\therefore \overline{BD}=13$ cm ($\because \overline{BD}>0$)

이때 $\overline{AB}\times\overline{AD}=\overline{BD}\times\overline{AH}$이므로

$5\times12=13\times\overline{AH}$

$\therefore \overline{AH}=\dfrac{60}{13}$ cm

09 △ABC에서 $\overline{AB}^2=15^2-9^2=144=12^2$

$\therefore \overline{AB}=12$ cm ($\because \overline{AB}>0$)

이때 □BFML=□BADE이므로

$\triangle\text{FML}=\dfrac{1}{2}\text{□BFML}=\dfrac{1}{2}\text{□BADE}$

$=\dfrac{1}{2}\times12^2=72(\text{cm}^2)$

10 $\overline{AD}=\overline{AE}=10$ cm이므로 △ABE에서

$\overline{BE}^2=10^2-6^2=64=8^2$

$\therefore \overline{BE}=8$ cm ($\because \overline{BE}>0$)

$\therefore \overline{EC}=\overline{BC}-\overline{BE}=10-8=2(\text{cm})$

11 $\overline{EB'}=\overline{EB}=18-8=10(\text{cm})$

△AEB′에서 $\overline{AB'}^2=10^2-8^2=36=6^2$

$\therefore \overline{AB'}=6$ cm ($\because \overline{AB'}>0$)

$\overline{B'D}=\overline{AD}-\overline{AB'}=18-6=12(\text{cm})$

이때 △AEB′∽△DB′G (AA 닮음)이므로

$\overline{AE}:\overline{DB'}=\overline{EB'}:\overline{B'G}$, $8:12=10:\overline{B'G}$

$\therefore \overline{B'G}=15$ cm

12 (ⅰ) x가 가장 긴 변의 길이일 때,

$x^2=5^2+7^2=74$

(ⅱ) 7이 가장 긴 변의 길이일 때,

$7^2=5^2+x^2$ $\therefore x^2=24$

(ⅰ), (ⅱ)에 의하여 구하는 x^2의 값은 24, 74이다.

13 [단계 ❶] $\overline{AB}=\overline{BC}=\overline{CD}=\overline{DE}=2$이므로

△ABC에서

$\overline{AC}^2=\overline{AB}^2+\overline{BC}^2=2^2+2^2=8$ $\cdots\cdots$ ❶

[단계 ❷] △ACD에서

$\overline{AD}^2=\overline{AC}^2+\overline{CD}^2=8+2^2=12$ $\cdots\cdots$ ❷

[단계 ❸] △ADE에서

$\overline{AE}^2=\overline{AD}^2+\overline{DE}^2=12+2^2=16=4^2$

$\therefore \overline{AE}=4$ ($\because \overline{AE}>0$) $\cdots\cdots$ ❸

채점 기준	배점
❶ $\overline{AC}^2$의 값 구하기	30 %
❷ $\overline{AD}^2$의 값 구하기	30 %
❸ $\overline{AE}$의 길이 구하기	40 %

14 이등변삼각형에서 꼭지각의 이등분선은 밑변을 수직이등분하므로 $\overline{BC}$의 중점을 D라 하면

$\overline{AD}^2=13^2-5^2=144=12^2$

$\therefore \overline{AD}=12$ cm ($\because \overline{AD}>0$) $\cdots\cdots$ ❶

$\therefore \triangle\text{ABC}=\dfrac{1}{2}\times10\times12=60(\text{cm}^2)$ $\cdots\cdots$ ❷

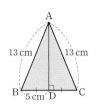

채점 기준	배점
❶ $\overline{AD}$의 길이 구하기	50 %
❷ △ABC의 넓이 구하기	50 %

11. 피타고라스 정리와 도형

개·념·확·인 66~67쪽

01 ①

02 (1) 예각삼각형 (2) 둔각삼각형
(3) 직각삼각형 (4) 예각삼각형

03 (1) 16 (2) 18, 19, 20, 21, 22

04 9

05 (1) 2 (2) 20 (3) 100π

01 삼각형이 되려면 $5-3<a<5+3$ $\therefore 2<a<8$

∠C>90°가 되려면 $5^2>a^2+3^2$ $\therefore a^2<16$

① $3^2<16$ ② $4^2=16$ ③ $5^2>16$ ④ $6^2>16$ ⑤ $7^2>16$

따라서 ∠C>90°가 되기 위한 자연수 a의 값은 3이다.

02 (1) $7^2<5^2+6^2$이므로 예각삼각형

(2) $9^2>5^2+7^2$이므로 둔각삼각형

(3) $15^2=9^2+12^2$이므로 직각삼각형

(4) $8^2<7^2+6^2$이므로 예각삼각형

03 (1) 삼각형의 세 변의 길이 사이의 관계에 의하여

$15 < x < 8+15$　　∴ $15 < x < 23$　……㉠

예각삼각형이므로 $x^2 < 8^2+15^2$

∴ $x^2 < 289$　　　　　　　　……㉡

㉠, ㉡에서 자연수 x의 값은 16이다.

(2) 삼각형의 세 변의 길이 사이의 관계에 의하여

$15 < x < 8+15$　　∴ $15 < x < 23$　……㉠

둔각삼각형이므로 $x^2 > 8^2+15^2$

∴ $x^2 > 289$　　　　　　　　……㉡

㉠, ㉡에서 자연수 x의 값은 18, 19, 20, 21, 22이다.

04 △ABC에서 $\overline{BC}^2 = 15^2+20^2 = 625 = 25^2$

∴ $\overline{BC} = 25$ ($\because \overline{BC} > 0$)

이때 $15^2 = \overline{BD} \times 25$이므로

$\overline{BD} = 9$

05 (1) $x^2+9^2 = 6^2+7^2$, $x^2 = 4 = 2^2$　　∴ $x = 2$ ($\because x > 0$)

(2) $x^2+15^2 = 24^2+7^2$, $x^2 = 400 = 20^2$

∴ $x = 20$ ($\because x > 0$)

(3) $x = 36\pi+64\pi = 100\pi$

핵심유형으로 **개·념·정·복·하·기**　　　68~69쪽

핵심유형 **1** ①, ②	**1-1** ①, ⑤	**1-2** ③	**1-3** ③
핵심유형 **2** ②	**2-1** ④	**2-2** ③	
핵심유형 **3** ③	**3-1** ④	**3-2** 7 cm	**3-3** ③	**3-4** ④
3-5 ③			

핵심유형 1 삼각형의 세 변의 길이 사이의 관계에 의하여

$7 < x < 6+7$　　∴ $7 < x < 13$

∠A < 90°이므로 $x^2 < 6^2+7^2$　　∴ $x^2 < 85$

① $8^2 = 64 < 85$　　② $9^2 = 81 < 85$

③ $10^2 = 100 > 85$　　④ $11^2 = 121 > 85$

⑤ $12^2 = 144 > 85$

따라서 x의 값이 될 수 있는 수는 ①, ②이다.

1-1 삼각형의 세 변의 길이 사이의 관계에 의하여

$7 < x < 5+7$　　∴ $7 < x < 12$　……㉠

둔각삼각형이므로 $x^2 > 5^2+7^2$　　∴ $x^2 > 74$

① $8^2 = 64 < 74$　　② $9^2 = 81 > 74$

③ $10^2 = 100 > 74$　　④ $11^2 = 121 > 74$

⑤ ㉠에 의해 $x = 12$이면 삼각형이 만들어지지 않는다.

따라서 x의 값이 될 수 없는 수는 ①, ⑤이다.

1-2 ① $4^2 > 2^2+3^2$이므로 둔각삼각형

② $4^2 < 3^2+3^2$이므로 예각삼각형

③ $6^2 < 4^2+5^2$이므로 예각삼각형

④ $10^2 = 6^2+8^2$이므로 직각삼각형

⑤ $17^2 < 12^2+13^2$이므로 예각삼각형

1-3 $\overline{CA}^2 = 7^2 = 49$,

$\overline{AB}^2+\overline{BC}^2 = 4^2+5^2 = 41$이므로

$\overline{CA}^2 > \overline{AB}^2+\overline{BC}^2$

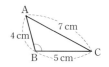

따라서 ∠B > 90°인 둔각삼각형이다.

핵심유형 2 △AHC에서 $\overline{HC}^2 = 20^2-12^2 = 16^2$

∴ $\overline{HC} = 16$ cm ($\because \overline{HC} > 0$)

$\overline{AH}^2 = \overline{BH} \times \overline{CH}$이므로

$12^2 = x \times 16$　　∴ $x = 9$

△ABH에서 $y^2 = 9^2+12^2 = 225 = 15^2$

∴ $y = 15$ ($\because y > 0$)

∴ $x+y = 9+15 = 24$

2-1 △ABC에서 $\overline{BC}^2 = 12^2+5^2 = 169 = 13^2$

∴ $\overline{BC} = 13$ cm ($\because \overline{BC} > 0$)

$\overline{AB} \times \overline{AC} = \overline{AD} \times \overline{BC}$이므로

$12 \times 5 = \overline{AD} \times 13$

∴ $\overline{AD} = \dfrac{60}{13}$ cm

2-2 $x^2 = 25^2-20^2 = 225 = 15^2$이므로 $x = 15$ ($\because x > 0$)

$15 \times 20 = 25 \times y$이므로 $y = 12$

$15^2 = z \times 25$이므로 $z = 9$

∴ $x+y+z = 15+12+9 = 36$

핵심유형 3 $\overline{AB}^2+\overline{CD}^2 = \overline{AD}^2+\overline{BC}^2$이므로

$10^2+5^2 = \overline{AD}^2+2^2$, $\overline{AD}^2 = 121 = 11^2$

∴ $\overline{AD} = 11$ cm ($\because \overline{AD} > 0$)

3-1 $\overline{BE}^2+\overline{CD}^2 = \overline{DE}^2+\overline{BC}^2$이므로

$6^2+8^2 = \overline{DE}^2+9^2$　　∴ $\overline{DE}^2 = 19$

3-2 $\overline{AP}^2+\overline{CP}^2 = \overline{BP}^2+\overline{DP}^2$이므로

$9^2+2^2 = 6^2+\overline{PD}^2$, $\overline{PD}^2 = 49 = 7^2$

∴ $\overline{PD} = 7$ cm ($\because \overline{PD} > 0$)

3-3 (AC를 지름으로 하는 반원의 넓이)

$\quad$ =(AB를 지름으로 하는 반원의 넓이)

$\qquad$ +(BC를 지름으로 하는 반원의 넓이)

$\quad$ =$4\pi+3\pi=7\pi(\text{cm}^2)$

3-4 △ABC에서 $\overline{AC}^2=10^2-8^2=36=6^2$

$\quad \therefore \overline{AC}=6\ \text{cm}\ (\because \overline{AC}>0)$

$\quad \therefore$ (색칠한 부분의 넓이)$=\triangle ABC$

$\qquad\qquad\qquad\qquad =\dfrac{1}{2}\times 8\times 6=24(\text{cm}^2)$

3-5 $\pi\times\left(\dfrac{\overline{AB}}{2}\right)^2\times\dfrac{1}{2}=50\pi$이므로

$\quad \overline{AB}^2=400 \qquad \therefore \overline{AB}=20\ \text{cm}\ (\because \overline{AB}>0)$

$\quad \pi\times\left(\dfrac{\overline{AC}}{2}\right)^2\times\dfrac{1}{2}=32\pi$이므로

$\quad \overline{AC}^2=256 \qquad \therefore \overline{AC}=16\ \text{cm}\ (\because \overline{AC}>0)$

$\quad \therefore$ (색칠한 부분의 넓이)$=\triangle ABC$

$\qquad\qquad\qquad\qquad =\dfrac{1}{2}\times 20\times 16=160(\text{cm}^2)$

기출문제로 실·력·다·지·기 $\qquad\qquad$ 70~71쪽

01 ⑤	**02** ①	**03** ④	**04** ③
05 ④	**06** ④	**07** ②	**08** ③
09 ②	**10** ①	**11** ③	**12** $\dfrac{84}{25}$ cm²

13 20 cm

01 ① $12^2>5^2+9^2$이므로 둔각삼각형

$\quad$ ② $15^2>5^2+12^2$이므로 둔각삼각형

$\quad$ ③ $15^2>8^2+9^2$이므로 둔각삼각형

$\quad$ ④ $17^2=8^2+15^2$이므로 직각삼각형

$\quad$ ⑤ $17^2<12^2+15^2$이므로 예각삼각형

02 x가 가장 긴 변의 길이이므로 $9<x<16$

$\quad \angle C>90°$이므로 $x^2>7^2+9^2 \qquad \therefore x^2>130$

$\quad$ ① $11^2=121<130$ $\qquad$ ② $12^2=144>130$

$\quad$ ③ $13^2=169>130$ $\qquad$ ④ $14^2=196>130$

$\quad$ ⑤ $15^2=225>130$

$\quad$ 따라서 x의 값이 될 수 없는 수는 ① 11이다.

03 ① $a^2+b^2=c^2$이면 $\angle C=90°$인 직각삼각형이므로 $\angle A<90°$

$\quad$ 이다.

② $a^2>b^2+c^2$이면 $\angle A>90°$인 둔각삼각형이므로 $\angle B<90°$

$\quad$ 이다.

④ a가 가장 긴 변의 길이라는 조건이 없으므로 $a^2<b^2+c^2$이면

$\quad \angle A<90°$이지만 △ABC가 예각삼각형인지는 알 수 없다.

04 △ABC에서 $\overline{AB}^2=5^2-4^2=9=3^2$

$\quad \therefore \overline{AB}=3\ \text{cm}\ (\because \overline{AB}>0)$

$\quad \overline{AB}\times\overline{AC}=\overline{BC}\times\overline{AD}$이므로

$\quad 3\times 4=5\times\overline{AD} \qquad \therefore \overline{AD}=\dfrac{12}{5}\ \text{cm}$

05 △ABC에서 $\overline{BC}^2=8^2+6^2=100=10^2$

$\quad \therefore \overline{BC}=10\ (\because \overline{BC}>0)$

$\quad \overline{AB}\times\overline{AC}=\overline{BC}\times\overline{AD}$이므로 $8\times 6=10\times x \qquad \therefore x=\dfrac{24}{5}$

$\quad \overline{AB}^2=\overline{BD}\times\overline{BC}$이므로 $8^2=y\times 10 \qquad \therefore y=\dfrac{32}{5}$

$\quad \therefore x+y=\dfrac{24}{5}+\dfrac{32}{5}=\dfrac{56}{5}$

06 ④ (라) $\overline{AD}^2+\overline{AE}^2$

07 △ABC에서 삼각형의 두 변의 중점을 연결한 선분의 성질에

$\quad$ 의해 $\overline{DE}=\dfrac{1}{2}\overline{BC}=4$

$\quad \therefore \overline{BE}^2+\overline{CD}^2=\overline{DE}^2+\overline{BC}^2$

$\qquad\qquad\qquad\qquad =4^2+8^2=80$

08 $\overline{BD}=k$라 하면 $\overline{AD}=4k$이므로

$\quad 6^2=4k\times k,\ 36=4k^2,\ k^2=9 \qquad \therefore k=3\ (\because k>0)$

$\quad \therefore \overline{AD}=4k=4\times 3=12$

09 △AOD에서 $\overline{AD}^2=4^2+9^2=97$

$\quad$ 이때 $\overline{AB}^2+\overline{CD}^2=\overline{BC}^2+\overline{AD}^2$이므로

$\quad 5^2+11^2=\overline{BC}^2+97,\ \overline{BC}^2=49=7^2$

$\quad \therefore \overline{BC}=7\ \text{cm}\ (\because \overline{BC}>0)$

10 $\overline{AB}^2+\overline{CD}^2=\overline{AD}^2+\overline{BC}^2$이므로

$\quad 6^2+\overline{CD}^2=5^2+\overline{BC}^2$

$\quad \therefore \overline{BC}^2-\overline{CD}^2=6^2-5^2=36-25=11$

11 $P+Q=R$이므로

$\quad P+Q+R=2R=2\times\left\{\dfrac{1}{2}\times\pi\times\left(\dfrac{1}{2}\times 4\right)^2\right\}=4\pi(\text{cm}^2)$

$P+Q=R$이고, $R=\dfrac{1}{2}\times\pi\times\left(\dfrac{1}{2}\overline{\text{BC}}\right)^2=\dfrac{1}{8}\pi\overline{\text{BC}}^2$이므로

$P+Q+R=\dfrac{1}{8}\pi(\overline{\text{AB}}^2+\overline{\text{AC}}^2+\overline{\text{BC}}^2)=\dfrac{1}{8}\pi(\overline{\text{BC}}^2+\overline{\text{BC}}^2)$

$=\dfrac{1}{4}\pi\overline{\text{BC}}^2=\dfrac{1}{4}\times\pi\times16=4\pi(\text{cm}^2)$

12 △ABC에서 $\overline{\text{AC}}^2=3^2+4^2=25$ ∴ $\overline{\text{AC}}=5(\text{cm})$

$\overline{\text{AB}}\times\overline{\text{BC}}=\overline{\text{AC}}\times\overline{\text{BE}}$이므로

$3\times4=5\times\overline{\text{BE}}$ ∴ $\overline{\text{BE}}=\dfrac{12}{5}(\text{cm})$ ······ ❶

또 $\overline{\text{AB}}^2=\overline{\text{AE}}\times\overline{\text{AC}}$이므로 $3^2=\overline{\text{AE}}\times5$

∴ $\overline{\text{AE}}=\dfrac{9}{5}(\text{cm})$

△ABE≡△CDF(RHA 합동)이므로

$\overline{\text{CF}}=\overline{\text{AE}}=\dfrac{9}{5}(\text{cm})$

∴ $\overline{\text{EF}}=5-2\times\dfrac{9}{5}=\dfrac{7}{5}(\text{cm})$ ······ ❷

∴ $\square\text{BFDE}=2\triangle\text{BEF}=2\times\left(\dfrac{1}{2}\times\dfrac{7}{5}\times\dfrac{12}{5}\right)$

$=\dfrac{84}{25}(\text{cm}^2)$ ······ ❸

채점 기준	배점
❶ $\overline{\text{AC}}$, $\overline{\text{BE}}$의 길이 구하기	40 %
❷ $\overline{\text{AE}}$, $\overline{\text{EF}}$의 길이 구하기	40 %
❸ $\square\text{BFDE}$의 넓이 구하기	20 %

13 (색칠한 부분의 넓이)$=\triangle\text{ABC}$이므로 ······ ❶

$\triangle\text{ABC}=\dfrac{1}{2}\times12\times\overline{\text{AC}}=96(\text{cm}^2)$

∴ $\overline{\text{AC}}=16\text{ cm}$ ······ ❷

△ABC에서 $\overline{\text{BC}}^2=12^2+16^2=400=20^2$

∴ $\overline{\text{BC}}=20\text{ cm}\ (\because\overline{\text{BC}}>0)$ ······ ❸

채점 기준	배점
❶ (색칠한 부분의 넓이)$=\triangle\text{ABC}$임을 알기	30 %
❷ $\overline{\text{AC}}$의 길이 구하기	40 %
❸ $\overline{\text{BC}}$의 길이 구하기	30 %

 확률

12. 경우의 수

개 · 념 · 확 · 인

72~73쪽

01 (1) 3 (2) 2 (3) 3 (4) 4
02 5 **03** 12
04 (1) 24 (2) 6 (3) 12
05 (1) 12개 (2) 9개 **06** (1) 12 (2) 6

01 (1) 2, 4, 6이므로 경우의 수는 3이다.
(2) 1, 2이므로 경우의 수는 2이다.
(3) 4, 5, 6이므로 경우의 수는 3이다.
(4) 1, 2, 3, 6이므로 경우의 수는 4이다.

02 고속버스가 2가지, 기차가 3가지이므로
구하는 경우의 수는 $2+3=5$

03 티셔츠가 4종류, 바지가 3종류이므로
구하는 경우의 수는 $4\times3=12$

04 (1) $2^2\times6=24$
(2) $3\times2\times1=6$
(3) A, B를 하나로 묶어 (A, B), C, D 세 명을 한 줄로 세우
는 경우의 수는 $3\times2\times1=6$
이때 A, B가 자리를 바꾸는 경우의 수가 2이므로
구하는 경우의 수는 $6\times2=12$

05 (1) 십의 자리에 올 수 있는 숫자는 1, 2, 3, 4의 4가지,
일의 자리에 올 수 있는 숫자는 십의 자리에 사용한 숫자를 제
외한 3가지이므로
만들 수 있는 두 자리의 정수는 $4\times3=12(\text{개})$
(2) 십의 자리에 올 수 있는 숫자는 0을 제외한 1, 2, 3의 3가지,
일의 자리에 올 수 있는 숫자는 십의 자리에 사용한 숫자를 제
외한 3가지이므로
만들 수 있는 두 자리의 정수는 $3\times3=9(\text{개})$

06 (1) $4\times3=12$
(2) $\dfrac{4\times3}{2}=6$

핵심유형으로 개·념·정·복·하·기

핵심유형 1 ③	1-1 ④	1-2 ③	1-3 ②
핵심유형 2 ①	2-1 ①	2-2 ③	2-3 ⑤
핵심유형 3 ③	3-1 ⑤	3-2 ②	3-3 ④
핵심유형 4 ④	4-1 ①	4-2 ③	4-3 ②

핵심유형 1 동전을 이용하여 물건 값을 지불하는 방법의 수를 구할 때에는 큰 금액의 동전부터 계산하는 것이 편리하다.
아이스크림 1개의 값을 지불하는 경우는 다음과 같다.

	500원짜리(개)	100원짜리(개)	50원짜리(개)
(i)	3	1	0
(ii)	3	0	2
(iii)	2	5	2
(iv)	2	4	4

따라서 아이스크림 1개의 값을 지불하는 경우의 수는 4이다.

1-1 ④ 4 이상의 눈은 4, 5, 6이므로 경우의 수는 3이다.

1-2 1에서 12까지의 수 중 소수는 2, 3, 5, 7, 11이므로 구하는 경우의 수는 5이다.

1-3 음료수 1개의 값을 지불하는 경우는 다음과 같다.

	100원짜리(개)	50원짜리(개)
(i)	7	0
(ii)	6	2
(iii)	5	4
(iv)	4	6

따라서 음료수 1개의 값을 지불하는 경우의 수는 4이다.

핵심유형 2 눈의 수의 합이 3인 경우는 $(1, 2)$, $(2, 1)$의 2가지,
눈의 수의 합이 10인 경우는 $(4, 6)$, $(5, 5)$, $(6, 4)$의 3가지이므로 구하는 경우의 수는 $2+3=5$

2-1 한국영화는 3편, 외국영화는 4편이므로
구하는 경우의 수는 $3+4=7$

2-2 책상이 4종류이고, 의자가 3종류이므로
구하는 경우의 수는 $4\times3=12$

2-3 자음이 3개이고, 모음이 4개이므로
만들 수 있는 글자의 수는 $3\times4=12$(개)

핵심유형 3 부모님을 한 묶음으로 생각하면

자녀, 자녀, 자녀, (아버지, 어머니)를 한 줄로 세우는 경우의 수이므로 $4\times3\times2\times1=24$이고,
부모님끼리 자리를 바꾸는 경우의 수는 $2\times1=2$이므로
구하는 경우의 수는 $24\times2=48$

3-1 $2\times6\times6=72$

3-2 4명을 한 줄로 세우는 경우이므로
$4\times3\times2\times1=24$

3-3 3가지 색을 한 번씩 사용하여 칠하는 경우의 수는
3가지 색을 한 줄로 나열하는 경우의 수와 같으므로
구하는 경우의 수는 $3\times2\times1=6$

핵심유형 4 백의 자리에 올 수 있는 숫자는 0을 제외한 4가지, 십의 자리에 올 수 있는 숫자는 백의 자리에 사용한 숫자를 제외한 4가지, 일의 자리에 올 수 있는 숫자는 백의 자리와 십의 자리에 사용한 숫자를 제외한 3가지이므로 만들 수 있는 세 자리의 정수는 $4\times4\times3=48$(개)

4-1 십의 자리에 올 수 있는 숫자는 1, 2, 3, 4, 5의 5가지, 일의 자리에 올 수 있는 숫자는 십의 자리에 사용한 숫자를 제외한 4가지이므로 만들 수 있는 두 자리의 정수는 $5\times4=20$(개)

4-2 32 이상인 두 자리 정수는 3□ 또는 4□꼴이다.
(i) 3□ : 일의 자리 숫자는 2, 4의 2가지
(ii) 4□ : 일의 자리 숫자는 0, 1, 2, 3의 4가지
(i), (ii)에서 32 이상인 수는 $2+4=6$(개)

4-3 5개 지역에서 자격이 같은 2곳을 뽑는 경우이므로
경우의 수는 $\dfrac{5\times4}{2}=10$

기출문제로 실·력·다·지·기

01 ②	02 ②	03 ③	04 ①
05 ①	06 ④	07 ②	08 ③
09 ①	10 ⑤	11 ①	12 ③
13 ②	14 18	15 52개	

01 3의 배수는 3, 6, 9, 12이므로 구하는 경우의 수는 4이다.

02 $2x+y=12$를 만족하는 순서쌍 $(x,\ y)$는
$(3,\ 6),\ (4,\ 4),\ (5,\ 2)$의 3가지이다.

03 음료수 값 600원을 지불하는 경우는 다음과 같다.

	100원짜리(개)	50원짜리(개)	10원짜리(개)
(i)	5	2	0
(ii)	5	1	5
(iii)	4	4	0
(iv)	4	3	5
(v)	3	5	5

따라서 구하는 경우의 수는 5이다.

04 버스로 가는 방법은 4가지, 지하철로 가는 방법은 3가지이므로
버스 또는 지하철을 타고 가는 경우의 수는 $4+3=7$

05 눈의 수의 차가 4인 경우는 $(1,\ 5),\ (2,\ 6),\ (5,\ 1),\ (6,\ 2)$
의 4가지, 눈의 수의 차가 5인 경우는 $(1,\ 6),\ (6,\ 1)$의 2가지
이다.
따라서 구하는 경우의 수는 $4+2=6$

06 오전 프로그램이 3종류이고, 그 각각에 대하여 오후 프로그램이
5종류이므로 오전, 오후 프로그램에서 각각 하나씩 선택하는 경
우의 수는 $3\times5=15$

07 열람실에서 복도로 나오는 방법은 3가지이고, 그 각각에 대하여
휴게실로 가는 방법이 2가지이므로 구하는 경우의 수는
$3\times2=6$

08 (i) A → C로 가는 경우의 수는 2
(ii) A → B → C로 가는 경우의 수는 $3\times4=12$
따라서 구하는 경우의 수는 $2+12=14$

09 동전에서 앞면이 나오는 경우는 1가지, 주사위에서 3의 배수가
나오는 경우는 2가지이다.
따라서 구하는 경우의 수는 $1\times2\times2=4$

10 소설책과 시집의 순서를 정하는 방법은 2가지이고,
소설책을 꽂는 방법은 $4\times3\times2\times1=24$(가지),
시집을 꽂는 방법은 $3\times2\times1=6$(가지)이므로
구하는 경우의 수는 $2\times24\times6=288$

11 십의 자리에 올 수 있는 숫자는 1에서 9까지의 9가지이고, 그 각
각에 대하여 일의 자리에는 $0,\ 5$의 2가지가 올 수 있다. 그런데
십의 자리의 숫자가 5인 경우에는 일의 자리에 5가 올 수 없다.

따라서 구하는 경우의 수는 $9\times2-1=17$

12 5명 중에서 자격이 다른 3명의 대표를 뽑는 경우이므로
구하는 경우의 수는 $5\times4\times3=60$

13 남학생 4명 중에서 대표 2명을 뽑는 경우의 수는 $\dfrac{4\times3}{2}=6$
여학생 3명 중에서 대표 2명을 뽑는 경우의 수는
$\dfrac{3\times2}{2}=3$
따라서 구하는 경우의 수는 $6\times3=18$

14 [단계 ❶] 4명의 후보 중에서 회장 1명과 부회장 1명, 즉 자격이
다른 대표 2명을 뽑는 경우의 수이므로 $a=4\times3=12$
[단계 ❷] 4명의 후보 중에서 대의원 2명, 즉 자격이 같은 대표 2
명을 뽑는 경우의 수이므로 $b=\dfrac{4\times3}{2}=6$
[단계 ❸] $\therefore a+b=12+6=18$

채점 기준	배점
❶ 자격이 다른 2명을 뽑는 경우의 수 a의 값 구하기	40 %
❷ 자격이 같은 2명을 뽑는 경우의 수 b의 값 구하기	40 %
❸ $a+b$의 값 구하기	20 %

15 세 자리의 정수 중 짝수인 경우는 일의 자리의 숫자가 $0,\ 2,\ 4$인
경우이므로 다음과 같다.
(i) □□0인 경우 : $5\times4=20$(개) ⋯⋯ ❶
(ii) □□2인 경우 : $4\times4=16$(개) ⋯⋯ ❷
(iii) □□4인 경우 : $4\times4=16$(개) ⋯⋯ ❸
(i), (ii), (iii)에서 짝수의 개수는
$20+16+16=52$(개) ⋯⋯ ❹

채점 기준	배점
❶ □□0인 짝수의 개수 구하기	30 %
❷ □□2인 짝수의 개수 구하기	30 %
❸ □□4인 짝수의 개수 구하기	30 %
❹ 짝수의 개수 구하기	10 %

13. 확률

78~79쪽

개·념·확·인

01 (1) $\dfrac{1}{3}$　　(2) $\dfrac{4}{15}$

02 (1) $\dfrac{1}{6}$　　(2) 1　　(3) 0　　**03** ⑤

04 $\dfrac{11}{15}$　　**05** $\dfrac{1}{3}$　　**06** (1) $\dfrac{4}{25}$　　(2) $\dfrac{2}{15}$

07 (1) $\dfrac{5}{12}$　　(2) $\dfrac{1}{4}$

01 (1) 모든 경우의 수는 15, 3의 배수가 나오는 경우는 3, 6, 9, 12, 15의 5가지이므로 구하는 확률은 $\dfrac{5}{15}=\dfrac{1}{3}$

(2) 모든 경우의 수는 15, 15의 약수가 나오는 경우는 1, 3, 5, 15 의 4가지이므로 구하는 확률은 $\dfrac{4}{15}$

02 (1) 모든 경우의 수는 $6\times6=36$, 두 눈의 수의 합이 7인 경우는 (1, 6), (2, 5), (3, 4), (4, 3), (5, 2), (6, 1)의 6가 지이므로 구하는 확률은 $\dfrac{6}{36}=\dfrac{1}{6}$

(2) 두 개의 주사위를 동시에 던질 때, 나온 눈의 수의 합은 반드 시 12 이하이므로 구하는 확률은 1이다.

(3) 두 개의 주사위를 동시에 던질 때, 나온 눈의 수의 합이 1인 경 우는 없으므로 구하는 확률은 0이다.

03 모든 경우의 수는 $2\times2\times2=8$이고, 모두 뒷면이 나오는 경우의 수는 1이므로 모두 뒷면이 나올 확률은 $\dfrac{1}{8}$이다.

∴ (적어도 한 개는 앞면이 나올 확률)

$=1-$ (모두 뒷면이 나올 확률)$=1-\dfrac{1}{8}=\dfrac{7}{8}$

04 취미가 독서일 확률은 $\dfrac{10}{30}$,

취미가 영화감상일 확률은 $\dfrac{12}{30}$이므로

(취미가 독서 또는 영화감상일 확률)

$=\dfrac{10}{30}+\dfrac{12}{30}=\dfrac{22}{30}=\dfrac{11}{15}$

05 주사위를 한 번 던질 때,

소수의 눈이 나오는 경우는 2, 3, 5의 3가지이므로

소수의 눈이 나올 확률은 $\dfrac{3}{6}=\dfrac{1}{2}$,

6의 약수가 나오는 경우는 1, 2, 3, 6의 4가지이므로

6의 약수가 나올 확률은 $\dfrac{4}{6}=\dfrac{2}{3}$

따라서 구하는 확률은 $\dfrac{1}{2}\times\dfrac{2}{3}=\dfrac{1}{3}$

06 (1) A가 당첨될 확률은 $\dfrac{4}{10}$, B가 당첨될 확률은 $\dfrac{4}{10}$이므로

구하는 확률은 $\dfrac{4}{10}\times\dfrac{4}{10}=\dfrac{4}{25}$

(2) A가 당첨될 확률은 $\dfrac{4}{10}$, B가 당첨될 확률은 $\dfrac{3}{9}$이므로

구하는 확률은 $\dfrac{4}{10}\times\dfrac{3}{9}=\dfrac{2}{15}$

07 (1) 소수는 2, 3, 5, 7, 11의 5가지이므로

구하는 확률은 $\dfrac{5}{12}$

(2) 4의 배수는 4, 8, 12의 3가지이므로

구하는 확률은 $\dfrac{3}{12}=\dfrac{1}{4}$

핵심유형으로 개·념·정·복·하·기

80~81쪽

핵심유형 1 ②	1-1 ②	1-2 ③	1-3 ③
핵심유형 2 ⑤	2-1 ④	2-2 ⑤	2-3 ⑤
핵심유형 3 ②	3-1 ⑤	3-2 ③	3-3 ②
핵심유형 4 ②	4-1 ⑤	4-2 ②	4-3 ⑤

핵심유형 1 모든 과일의 개수는 12개이고, 사과가 4개이므로

구하는 확률은 $\dfrac{4}{12}=\dfrac{1}{3}$

1-1 모든 경우의 수는 6이고, 3의 배수의 눈은 3, 6의 2가지이므 로 구하는 확률은 $\dfrac{2}{6}=\dfrac{1}{3}$

1-2 두 자리의 정수를 만드는 경우의 수는 $5\times4=20$이고, 소수는 13, 23, 31, 41, 43, 53의 6가지이므로 구하는 확률은 $\dfrac{6}{20}=\dfrac{3}{10}$

1-3 ③ 두 개의 주사위의 눈의 수의 합은 모두 12 이하이므로 13 이상이 나올 확률은 0이다.

핵심유형 2 A, B, C 세 사람 모두 불합격할 확률은

$\dfrac{1}{3}\times\dfrac{1}{2}\times\dfrac{1}{4}=\dfrac{1}{24}$

∴ (A, B, C 세 사람 중 적어도 한 사람이 합격할 확률)

$=1-$ (A, B, C 세 사람 모두 불합격할 확률)

$=1-\dfrac{1}{24}=\dfrac{23}{24}$

2-1 비가 올 확률이 $\dfrac{60}{100}=\dfrac{3}{5}$이므로

(비가 오지 않을 확률)=1−(비가 올 확률)

$$=1-\dfrac{3}{5}=\dfrac{2}{5}$$

2-2 ①, ② 어떤 사건에 대한 확률은 0 이상 1 이하이다.

③ 사건 A가 일어날 확률을 p라 하면

(사건 A가 일어나지 않을 확률)=1−p이다.

④ 어떤 사건이 일어날 확률과 일어나지 않을 확률의 합은 항상 1이다.

2-3 모든 경우의 수는 $2 \times 2 \times 2 = 8$이고, 3문제 모두 틀릴 확률은 $\dfrac{1}{8}$이다.

∴ (적어도 한 문제는 맞힐 확률)

$$=1-(3문제 모두 틀릴 확률)=1-\dfrac{1}{8}=\dfrac{7}{8}$$

핵심유형 3 눈의 수의 합이 3인 경우는 $(1, 2)$, $(2, 1)$의 2가지이므로 확률은 $\dfrac{2}{36}=\dfrac{1}{18}$, 눈의 수의 합이 9인 경우는 $(3, 6)$, $(4, 5)$, $(5, 4)$, $(6, 3)$의 4가지이므로 확률은 $\dfrac{4}{36}=\dfrac{1}{9}$

따라서 구하는 확률은 $\dfrac{1}{18}+\dfrac{1}{9}=\dfrac{1}{6}$

3-1 모든 경우의 수는 10이고, 3의 배수가 나오는 경우는 3, 6, 9의 3가지이므로 확률은 $\dfrac{3}{10}$이고, 10의 약수가 나오는 경우는 1, 2, 5, 10의 4가지이므로 확률은 $\dfrac{4}{10}=\dfrac{2}{5}$이다.

따라서 구하는 확률은 $\dfrac{3}{10}+\dfrac{2}{5}=\dfrac{7}{10}$

3-2 동전 한 개를 던질 때 앞면이 나올 확률은 $\dfrac{1}{2}$이고,

주사위 한 개를 던질 때 3의 배수의 눈이 나올 확률은 $\dfrac{2}{6}=\dfrac{1}{3}$이다.

따라서 구하는 확률은 $\dfrac{1}{2} \times \dfrac{1}{3}=\dfrac{1}{6}$

3-3 토요일에 비가 올 확률은 $\dfrac{20}{100}$, 일요일에 비가 올 확률은 $\dfrac{40}{100}$이므로 구하는 확률은 $\dfrac{20}{100} \times \dfrac{40}{100}=\dfrac{2}{25}$

핵심유형 4 A가 파란 구슬을 꺼낼 확률은 $\dfrac{4}{12}$, B가 파란 구슬을 꺼낼 확률은 $\dfrac{3}{11}$이므로 구하는 확률은 $\dfrac{4}{12} \times \dfrac{3}{11}=\dfrac{1}{11}$

4-1 형광펜 전체의 개수는 10개이므로 첫 번째에 노란색 형광펜

이 나올 확률은 $\dfrac{6}{10}=\dfrac{3}{5}$, 두 번째에 노란색 형광펜이 나올 확률도 $\dfrac{6}{10}=\dfrac{3}{5}$이므로 구하는 확률은 $\dfrac{3}{5} \times \dfrac{3}{5}=\dfrac{9}{25}$

4-2 꺼낸 공 2개가 같은 색일 확률은 2개 모두 검은 공일 확률 또는 2개 모두 흰 공일 확률이다.

(i) 2개 모두 검은 공일 확률은 $\dfrac{4}{9} \times \dfrac{3}{8}=\dfrac{1}{6}$

(ii) 2개 모두 흰 공일 확률은 $\dfrac{5}{9} \times \dfrac{4}{8}=\dfrac{5}{18}$

(i), (ii)에서 구하는 확률은 $\dfrac{1}{6}+\dfrac{5}{18}=\dfrac{4}{9}$

4-3 첫 번째에 색칠한 부분에 맞힐 확률은 $\dfrac{4}{16}=\dfrac{1}{4}$,

두 번째에 색칠한 부분에 맞힐 확률은 $\dfrac{4}{16}=\dfrac{1}{4}$이므로

구하는 확률은 $\dfrac{1}{4} \times \dfrac{1}{4}=\dfrac{1}{16}$

기출문제로 **실·력·다·지·기**			82~83쪽
01 ①	**02** ②	**03** ④	**04** ②
05 ⑤	**06** ①	**07** ③	**08** ⑤
09 ④	**10** ③	**11** ①	**12** ①
13 $\dfrac{5}{9}$	**14** $\dfrac{3}{8}$	**15** $\dfrac{7}{16}$	

01 모든 경우의 수는 $6 \times 6 = 36$이고, 눈의 수의 차가 4인 경우는 $(1, 5)$, $(2, 6)$, $(5, 1)$, $(6, 2)$의 4가지이므로 구하는 확률은 $\dfrac{4}{36}=\dfrac{1}{9}$

02 파란 공일 확률이 $\dfrac{1}{4}$이므로

$$\dfrac{x}{4+5+x}=\dfrac{x}{9+x}=\dfrac{1}{4} \qquad \therefore x=3$$

03 ① 사건 A가 일어날 확률을 p라 하면 $0 \leq p \leq 1$이다.

② 사건 A가 일어날 확률을 p라 하면 사건 A가 일어나지 않을 확률은 1−p이다.

③ 주사위 한 개를 던질 때, 6 이하의 눈이 나올 확률은 1이다.

⑤ 주사위 한 개를 던질 때, 6의 눈이 나올 확률과 1의 눈이 나올 확률은 같다.

04 모든 경우의 수는 $\dfrac{6 \times 5}{2}=15$이고, A가 뽑히는 경우의 수는

A를 제외한 5명 중에서 1명을 뽑는 경우의 수이므로 5이다.

따라서 A가 뽑힐 확률은 $\dfrac{5}{15}=\dfrac{1}{3}$

$\therefore$ (A가 뽑히지 않을 확률)=1−(A가 뽑힐 확률)

$$=1-\frac{1}{3}=\frac{2}{3}$$

05 초코 맛 아이스크림을 살 확률은 $\frac{3}{10}$, 딸기 맛 아이스크림을 살 확률은 $\frac{5}{10}$이므로 구하는 확률은 $\frac{3}{10}+\frac{5}{10}=\frac{8}{10}=\frac{4}{5}$

06 모든 경우의 수는 $6\times6=36$이고, 눈의 수의 합이 6인 경우는 $(1,\ 5),\ (2,\ 4),\ (3,\ 3),\ (4,\ 2),\ (5,\ 1)$의 5가지, 눈의 수의 합이 12인 경우는 $(6,\ 6)$의 1가지이다.
따라서 구하는 확률은 $\frac{5}{36}+\frac{1}{36}=\frac{1}{6}$

07 동전 2개를 던질 때 서로 같은 면이 나올 확률은 $\frac{2}{4}=\frac{1}{2}$,
주사위 1개를 던질 때 3의 배수의 눈이 나올 확률은 $\frac{2}{6}=\frac{1}{3}$이므로 구하는 확률은 $\frac{1}{2}\times\frac{1}{3}=\frac{1}{6}$

08 A가 문제를 풀지 못할 확률은 $1-\frac{3}{4}=\frac{1}{4}$,
B가 문제를 풀지 못할 확률은 $1-\frac{2}{3}=\frac{1}{3}$이다.
따라서 A, B 모두 문제를 풀지 못할 확률은
$\frac{1}{4}\times\frac{1}{3}=\frac{1}{12}$

09 두 사람이 모두 불합격할 확률은
$\frac{2}{5}\times\frac{1}{4}=\frac{1}{10}$
$\therefore$ (두 사람 중 적어도 한 사람이 합격할 확률)
$=1-$(두 사람이 모두 불합격할 확률)
$=1-\frac{1}{10}=\frac{9}{10}$

10 (같은 색의 공이 나올 확률)
=(둘 다 흰 공이 나올 확률)+(둘 다 검은 공이 나올 확률)
$=\frac{3}{5}\times\frac{1}{5}+\frac{2}{5}\times\frac{4}{5}$
$=\frac{3}{25}+\frac{8}{25}=\frac{11}{25}$

11 '금요일에 비가 오고 토요일에 비가 오는 경우' 또는 '금요일에 비가 오지 않고 토요일에 비가 오는 경우'를 생각하면 구하는 확률은
$\frac{1}{3}\times\frac{1}{3}+\frac{2}{3}\times\frac{1}{4}=\frac{1}{9}+\frac{1}{6}=\frac{5}{18}$

12 두 수의 합이 홀수가 되는 경우는 (홀수, 짝수), (짝수, 홀수)인 경우이다.
(ⅰ) a가 홀수, b는 짝수일 확률 : $\frac{2}{4}\times\frac{1}{3}=\frac{1}{6}$
(ⅱ) a가 짝수, b는 홀수일 확률 : $\frac{2}{4}\times\frac{2}{3}=\frac{1}{3}$
(ⅰ), (ⅱ)에서 구하는 확률은 $\frac{1}{6}+\frac{1}{3}=\frac{1}{2}$

13 10점, 9점, 8점의 과녁인 세 원의 반지름의 길이의 비가 $1:2:3$이므로 각각의 반지름의 길이를 $r,\ 2r,\ 3r(r\neq0)$라 하면
각각의 넓이는 $\pi r^2,\ \pi\times(2r)^2=4\pi r^2,\ \pi\times(3r)^2=9\pi r^2$이다.
따라서 구하는 확률은 $\frac{9\pi r^2-4\pi r^2}{9\pi r^2}=\frac{5\pi r^2}{9\pi r^2}=\frac{5}{9}$

14 [단계 ❶] 동전을 4번 던지므로 모든 경우의 수는 $2^4=16$이다.
[단계 ❷] 동전의 앞면을 H, 뒷면을 T라 하면 점 P가 2의 위치에 있는 경우는 앞면이 2번, 뒷면이 2번 나오는 경우로 다음과 같이 6가지이다.
$(H,\ H,\ T,\ T),\ (H,\ T,\ H,\ T),$
$(H,\ T,\ T,\ H),\ (T,\ H,\ T,\ H),$
$(T,\ H,\ H,\ T),\ (T,\ T,\ H,\ H)$
[단계 ❸] 따라서 구하는 확률은 $\frac{6}{16}=\frac{3}{8}$

채점 기준	배점
❶ 모든 경우의 수 구하기	30 %
❷ 점 P가 2에 위치하는 경우의 수 구하기	50 %
❸ 점 P가 2에 위치할 확률 구하기	20 %

15 (ⅰ) A상자를 선택하여 흰 공을 꺼낼 확률은
$\frac{1}{2}\times\frac{5}{8}=\frac{5}{16}$ ...... ❶
(ⅱ) B상자를 선택하여 흰 공을 꺼낼 확률은
$\frac{1}{2}\times\frac{2}{8}=\frac{2}{16}=\frac{1}{8}$ ...... ❷
(ⅰ), (ⅱ)에서 구하는 확률은 $\frac{5}{16}+\frac{1}{8}=\frac{7}{16}$ ...... ❸

채점 기준	배점
❶ A상자를 선택하여 흰 공을 꺼낼 확률 구하기	40 %
❷ B상자를 선택하여 흰 공을 꺼낼 확률 구하기	40 %
❸ 흰 공을 꺼낼 확률 구하기	20 %

01 ③	02 56°	03 ③	04 30°
05 ④	06 ④	07 ②	08 ③
09 ⑤	10 ⑤	11 ①	12 ①
13 70°	14 풀이 참조		

01 $\overline{AB}=\overline{AC}$인 이등변삼각형이므로 $\angle B=\angle C$이다.

02 $\overline{AB}=\overline{AC}$이므로 $\angle B=\angle C=62°$
∴ $\angle A=180°-(62°+62°)=56°$

03 이등변삼각형 ABC에서 ㄱ, ㄷ, ㅁ은 같은 직선이다.

04 △BCD에서 $\angle B=\angle CDB=\angle ACB=70°$이므로
$\angle BCD=180°-(70°+70°)=40°$
∴ $\angle ACD=70°-40°=30°$

05 △ABC에서 $\angle BAC=\angle B=\frac{1}{2}\times(180°-40°)=70°$
$\overline{AD}\,/\!/\,\overline{BC}$이므로 $\angle EAD=\angle B=70°$(동위각)

06 ④ 꼭지각의 크기가 100°, 두 밑각의 크기가 각각 40°인 이등변삼각형은 꼭지각의 크기가 두 밑각의 크기의 합보다 크다.

07 ② $\overline{AB}=\overline{BC}$이면 $\angle A=\angle C$이다.

08 ①, ② $\overline{AB}=\overline{AC}$이므로 이등변삼각형이다.
④ $\angle A=\angle B$이므로 이등변삼각형이다.
⑤ $\angle C=180°-(\angle A+\angle B)=180°-(50°+80°)=50°$이므로 $\angle A=\angle C$인 이등변삼각형이다.

09 ① RHS 합동   ② SAS 합동
③ ASA 합동   ④ RHA 합동

10 ⑤ △DBA≡△EAC(RHA 합동)

11 △BED와 △BEC에서
$\angle C=\angle BDE=90°$, $\overline{ED}=\overline{EC}$, $\overline{BE}$는 공통이므로
△BED≡△BEC(RHS 합동)

이때 △ADE는 $\overline{AD}=\overline{DE}$인 직각이등변삼각형이므로
$\angle A=45°$
따라서 $\angle ABC=\angle A=45°$이므로
$\angle ABE=\frac{1}{2}\angle ABC=22.5°$

12 △AED와 △ACD에서
$\angle C=\angle AED=90°$, $\overline{AC}=\overline{AE}$, $\overline{AD}$는 공통이므로
△AED≡△ACD(RHS 합동)
∴ $\overline{ED}=\overline{CD}$
따라서 △BED의 둘레의 길이는
$\overline{BE}+\overline{BD}+\overline{DE}=(\overline{AB}-\overline{AE})+\overline{BD}+\overline{CD}$
$=(10-6)+8$
$=12(cm)$

13 [단계 ❶] $\angle B=\angle C=\frac{1}{2}\times(180°-40°)=70°$
[단계 ❷] △DBF와 △ECD에서
$\overline{CD}=\overline{BF}$, $\overline{CE}=\overline{BD}$, $\angle B=\angle C$이므로
△DBF≡△ECD(SAS 합동)
∴ $\angle FDB+\angle EDC=\angle FDB+\angle DFB$
$=180°-70°$
$=110°$
[단계 ❸] ∴ $\angle FDE=180°-(\angle FDB+\angle EDC)$
$=180°-110°=70°$

채점 기준	배점
❶ $\angle B$, $\angle C$의 크기를 각각 구하기	30 %
❷ $\angle FDB+\angle EDC$의 크기 구하기	40 %
❸ $\angle FDE$의 크기 구하기	30 %

14 △ABC와 △EBD에서
$\angle B=90°$, $\overline{BC}=\overline{BD}$,
$\overline{AC}=\overline{ED}$(사다리의 길이)이므로
△ABC≡△EBD(RHS 합동)   ...... ❶
따라서 $\overline{AB}=\overline{BE}$이다.   ...... ❷

채점 기준	배점
❶ △ABC와 △EBD의 합동 설명하기	60 %
❷ 벽면의 높이 구하는 방법 설명하기	40 %

01 ④	02 ③	03 ②	04 ②
05 ⑤	06 ①	07 ④	08 ①
09 ④	10 ③	11 ⑤	12 π cm²
13 18 cm²	14 70°	15 150°	

01 ④ 삼각형의 외심은 세 변의 수직이등분선의 교점이다.

02 $\overline{OA}=\overline{OB}=\overline{OC}=5$이므로 $x=5$
$\triangle OBC$가 이등변삼각형이므로 $y=3$

03 ② 정삼각형은 세 내각의 크기가 모두 $60°$인 예각삼각형이므로 외심이 삼각형의 내부에 있다.

04 점 M은 $\triangle ABC$의 외심이므로 $\overline{AM}=\overline{CM}=\overline{BM}=5$ cm
따라서 $\triangle MAB$에서 $\angle A=\angle MBA=30°$,
$\angle BMC=\angle A+\angle MBA$
$\qquad\quad=30°+30°=60°$
즉, $\triangle MCB$는 한 변의 길이가 5 cm인 정삼각형이므로 둘레의 길이는 $5+5+5=15$(cm)이다.

05 점 O가 $\triangle ABC$의 외심이므로 $\overline{OB}=\overline{OC}$
$\angle OCB=\angle OBC=25°$
$\therefore \angle x=180°-(90°+25°)=65°$

06 $\angle OBA=\angle x$라 하면
$\angle x+30°+48°=90°$
$\therefore \angle x=12°$

07 $\triangle OAB$, $\triangle OAC$는 이등변삼각형이므로
$\angle A=\angle BAO+\angle CAO$
$\qquad=20°+30°=50°$
$\angle y=\angle BOC=2\times50°=100°$
또, $\triangle OBC$도 이등변삼각형이므로
$\angle x=\dfrac{1}{2}\times(180°-\angle y)=40°$
$\therefore \angle x+\angle y=100°+40°=140°$

08 점 I가 $\triangle ABC$의 내심이므로
$30°+35°+\angle x=90°$
$\therefore \angle x=25°$

09 $\angle BIC=90°+\dfrac{1}{2}\angle A=90°+\dfrac{1}{2}\times40°=110°$

10 점 I가 $\triangle ABC$의 내심이므로
$\angle BAI=\angle CAI=20°$, $\angle ABI=\angle CBI$
$\angle A+\angle B+\angle C=180°$이므로
$40°+2\angle ABI+80°=180°$
$\therefore \angle ABI=30°$

11 $\overline{DE}/\!/\overline{BC}$이므로 $\angle DIB=\angle IBC$(엇각)
$\therefore \angle DIB=\angle DBI$
따라서 $\triangle DBI$는 이등변삼각형이므로
$\overline{DI}=\overline{DB}=3$ cm
마찬가지로 $\triangle EIC$도 이등변삼각형이므로
$\overline{EI}=\overline{EC}=4$ cm
$\therefore \overline{DE}=\overline{DI}+\overline{EI}=3+4=7$(cm)

12 원 I의 반지름의 길이를 x cm라 하면
$\triangle ABC=\triangle IAB+\triangle IBC+\triangle ICA$이므로
$\dfrac{1}{2}\times4\times3=\dfrac{1}{2}\times x\times(5+4+3)$
$6=6x$ $\therefore x=1$(cm)
따라서 내접원의 넓이는 $\pi\times1^2=\pi$(cm²)이다.

13 $\triangle ABC=\triangle IAB+\triangle IBC+\triangle ICA$
$\qquad\quad=\dfrac{1}{2}\times2\times(\overline{AB}+\overline{BC}+\overline{CA})$
$\qquad\quad=\overline{AB}+\overline{BC}+\overline{CA}$
$\qquad\quad=18$(cm²)

14 [단계 ❶] 점 O는 $\triangle ABC$의 외심이므로
$\overline{OA}=\overline{OB}=\overline{OC}$
$\triangle OBC$에서 $\angle OCB=\angle OBC=20°$
[단계 ❷] $\therefore \triangle BOC=180°-(20°+20°)=140°$
[단계 ❸] $\therefore \angle A=\dfrac{1}{2}\angle BOC=\dfrac{1}{2}\times140°=70°$

채점 기준	배점
❶ $\angle OCB$의 크기 구하기	30 %
❷ $\angle BOC$의 크기 구하기	40 %
❸ $\angle A$의 크기 구하기	30 %

15 점 O가 $\triangle ABC$의 외심이므로
$\angle A=\dfrac{1}{2}\angle BOC=\dfrac{1}{2}\times80°=40°$ ⋯⋯ ❶

또, 점 I가 △ABC의 내심이므로

$\angle BIC = 90^\circ + \dfrac{1}{2}\angle A = 90^\circ + \dfrac{1}{2} \times 40^\circ = 110^\circ$ ····· ❷

$\therefore \angle A + \angle BIC = 40^\circ + 110^\circ = 150^\circ$ ····· ❸

채점 기준	배점
❶ ∠A의 크기 구하기	40 %
❷ ∠BIC의 크기 구하기	40 %
❸ ∠A + ∠BIC의 크기 구하기	20 %

V-1. 삼각형의 성질 **내 · 신 · 만 · 점 · 도 · 전 · 하 · 기** 90~93쪽

01 ①	**02** ④	**03** ③	**04** ④
05 ③	**06** ②	**07** 80°	**08** ②
09 ①	**10** ④	**11** ①	**12** ②
13 ①	**14** ③	**15** ①	**16** ②
17 40°	**18** 20°	**19** 45°	**20** 56°
21 75°	**22** 165°	**23** 65°	**24** 4 cm

01 $\angle B = \angle C = 3\angle x - 15^\circ$이므로

$\angle A + \angle B + \angle C = \angle x + (3\angle x - 15^\circ) + (3\angle x - 15^\circ)$
$= 7\angle x - 30^\circ = 180^\circ$

$\therefore \angle A = 30^\circ$

02 $\overline{AB} = \overline{AC}$이므로 $\angle B = \angle C = 72^\circ$

$\angle DBC = \dfrac{1}{2}\angle B = 36^\circ$

△BCD에서

$\angle BDC = 180^\circ - (\angle DBC + \angle C)$
$= 180^\circ - (36^\circ + 72^\circ) = 72^\circ$

03 $\overline{AB} = \overline{AC}$이므로 $\angle ACB = \angle B = 40^\circ$

$\angle CAD = \angle B + \angle ACB = 40^\circ + 40^\circ = 80^\circ$

$\overline{AC} = \overline{CD}$이므로 $\angle CDA = \angle CAD = 80^\circ$

△BCD에서 $\angle DCE = \angle B + \angle BDC = 40^\circ + 80^\circ = 120^\circ$

04 $\angle B = \angle C = \dfrac{1}{2} \times (180^\circ - 60^\circ) = 60^\circ$

$\overline{BD}$가 ∠B의 이등분선이므로

$\angle DBC = \dfrac{1}{2} \times 60^\circ = 30^\circ$

또, $\overline{CD}$가 ∠C의 외각의 이등분선이므로

$\angle DCE = \dfrac{1}{2} \times (180^\circ - 60^\circ) = 60^\circ$

△BCD에서 $\angle BDC = 60^\circ - 30^\circ = 30^\circ$

05 ①, ②, ④ $\overline{BD} = \overline{CD}$, $\angle BDE = \angle CDE$,

$\overline{ED}$는 공통이므로 △EBD ≡ △ECD(SAS 합동)

⑤ 이등변삼각형의 성질에 의하여 $\overline{BC} \perp \overline{ED}$이므로

$\angle BDE = 90^\circ$

06 ①, ③, ④ △BDE와 △BDC에서

$\angle C = \angle BED = 90^\circ$, $\angle EBD = \angle CBD$, $\overline{BD}$는 공통이므로 △BDE ≡ △BDC(RHA 합동)

$\therefore \overline{BE} = \overline{BC}$, $\overline{DE} = \overline{DC}$,

$\overline{AC} = \overline{BC}$이므로 $\overline{BC} = \overline{BE} = \overline{AC}$

⑤ △ABC가 직각이등변삼각형이므로 $\angle A = 45^\circ$

이때 $\angle ADE = 45^\circ$이므로 △AED는 직각이등변삼각형이다.

07 △ABE와 △ADE에서

$\angle B = \angle ADE = 90^\circ$, $\overline{AB} = \overline{AD}$, $\overline{AE}$는 공통이므로

△ABE ≡ △ADE(RHS 합동)

따라서 $\angle AEB = \angle AED = 50^\circ$이므로

$\angle DEC = 180^\circ - 2 \times 50^\circ = 80^\circ$

08 ② △ABC의 외심은 세 변의 수직이등분선의 교점이다.

09 점 O에서 삼각형 ABC의 각 꼭짓점에 이르는 거리는 같다.

따라서 △OAB, △OBC, △OAC는 이등변삼각형이다.

10 점 D가 △ABC의 외심이므로 $\overline{AD} = \overline{BD} = \overline{CD}$이고

$\angle C = 90^\circ - 35^\circ = 55^\circ$

△DBC에서 $\overline{BD} = \overline{CD}$이므로 $\angle DBC = \angle C = 55^\circ$

11 $\angle ABO = \angle BAO = 20^\circ$이므로 $\angle ABC = 20^\circ + 30^\circ = 50^\circ$

$\therefore \angle AOC = 2 \times 50^\circ = 100^\circ$

12 점 O가 △ABC의 외심이므로

$\angle BOC = 2\angle A = 2 \times 64^\circ = 128^\circ$

$\overline{OB} = \overline{OC}$이므로

$\angle OBC = \angle OCB = \dfrac{1}{2} \times (180^\circ - 128^\circ) = 26^\circ$

13 점 O는 △ABC의 내심이므로

$\angle BOC = 90^\circ + \dfrac{1}{2}\angle A = 90^\circ + \dfrac{1}{2} \times 40^\circ = 110^\circ$

14 점 I가 내심이므로 $\angle DBI = \angle IBC$

또, $\angle DIB = \angle IBC$(엇각)이므로 $\angle DIB = \angle DBI$

$\therefore \overline{DI} = \overline{DB}$

같은 방법으로 하면 $\triangle EIC$에서 $\overline{EI}=\overline{EC}$

또, $\overline{AB}=\overline{AC}$이므로

$(\triangle ADE$의 둘레의 길이$)=\overline{AD}+\overline{DE}+\overline{AE}$

$\qquad\qquad\qquad\qquad\quad =\overline{AD}+\overline{DI}+\overline{EI}+\overline{AE}$

$\qquad\qquad\qquad\qquad\quad =\overline{AB}+\overline{AC}=2\overline{AB}=12(cm)$

$\therefore \overline{AB}=6\ cm$

15 $\triangle ABC$의 내접원의 반지름의 길이를 r라 하면

$\triangle ABC=\triangle IAB+\triangle IBC+\triangle ICA$이므로

$\dfrac{1}{2}\times 6\times 8=\dfrac{1}{2}\times r\times(10+6+8)$

$24=12r \qquad \therefore r=2$

이때 사각형 IDCE가 정사각형이므로

(색칠한 부분의 넓이)

$=$(사각형 IDCE의 넓이)$-$(부채꼴 IDE의 넓이)

$=2\times 2-\dfrac{1}{4}\times\pi\times 2^2=4-\pi$

16 $\triangle ABC$의 내심을 I라 하면

$\triangle ABC=\triangle IAB+\triangle IBC+\triangle ICA$이므로

$\dfrac{1}{2}\times 6\times 8=\dfrac{1}{2}\times r\times(10+8+6)$

$12r=24 \qquad \therefore r=2(cm)$

또한, 직각삼각형의 외심은 빗변의 중점에 있으므로 외접원의 반

지름의 길이는 $R=\dfrac{1}{2}\times 10=5(cm)$

$\therefore R+r=5+2=7$

17 $\angle ADC=\angle a$, $\angle B=\angle b$라 하면

$\triangle ACD$에서 $\angle CAD=\angle ADC=\angle a$

이므로 $\angle ACB=2\angle a$

$\triangle ABC$가 이등변삼각형이므로

$\angle BAC=\angle BCA=2\angle a$

$\triangle ABD$에서

$\angle b+3\angle a+\angle a=180°$, $4\angle a+\angle b=180°$ $\cdots\cdots$ ㉠

$\angle a+\angle b=75°$ $\cdots\cdots$ ㉡

㉠, ㉡에서 $\angle a=35°$, $\angle b=40°$ $\qquad \therefore \angle B=40°$

18 $\angle DBE=\angle x$라 하면

$\triangle DBE$에서 $\angle ADE=\angle B+\angle DEB=2\angle x$

$\triangle ADE$에서 $\angle DAE=\angle ADE=2\angle x$ $\cdots\cdots$ ❶

$\triangle ABE$에서 $\angle AEC=\angle B+\angle DAE=\angle x+2\angle x=3\angle x$

$\triangle AEC$에서 $\angle ACE=\angle AEC=3\angle x$ $\cdots\cdots$ ❷

그런데 $\angle ACE=\angle DBE+40°$이므로

$3\angle x=\angle x+40°$, $2\angle x=40°$ $\qquad \therefore \angle x=20°$

$\therefore \angle DBE=20°$ $\cdots\cdots$ ❸

채점 기준	배점
❶ $\angle DAE$를 $\angle x$에 대한 식으로 나타내기	30 %
❷ $\angle ACE$를 $\angle x$에 대한 식으로 나타내기	30 %
❸ $\angle DBE$의 크기 구하기	40 %

19 $\angle QBC+\angle BCR=360°-90°=270°$

$\overline{BP}$와 $\overline{CP}$가 각각 두 외각의 이등분선이므로

$\angle PBC+\angle BCP=\dfrac{270°}{2}=135°$이다.

$\therefore \angle BPC=180°-135°=45°$

20 $\angle BAD=\angle DAC=\angle a$라 하면

$\triangle AFD$에서 $\angle ADE=18°+\angle a$

$\triangle ADC$에서 삼각형의 내각의 크기의 합은 $180°$이므로

$\angle DAC+60°+2\angle ADE=180°$

$\angle a+60°+2(18°+\angle a)=180°$

$3\angle a+96°=180° \qquad \therefore \angle a=28°$

$\therefore \angle BAC=2\angle a=56°$

21 $\overline{AE}=\overline{BE}$가 되도록 $\overline{BC}$ 위에 점 E를

잡으면 $\triangle ABE$는 이등변삼각형이고

$\angle ABE=60°$이므로 $\triangle ABE$는 정삼

각형이 된다.

또한, 점 E는 $\triangle ABC$의 외심이므로

점 E는 $\overline{BC}$의 중점이고

$\overline{BC}=2\overline{BE}$이므로 $\overline{BD}=\overline{BE}=\overline{AB}$이다.

따라서 $\triangle ABD$는 이등변삼각형이고

$\angle ABD=\angle ABE+\angle DBE=60°+90°=150°$이므로

$\angle BAD=\angle BDA=15°$

따라서 $\triangle ABF$에서 $\angle AFC=60°+15°=75°$

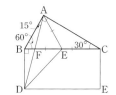

22 점 I가 내심이므로 $\angle BAI=\dfrac{1}{2}\angle A$, $\angle ACI=\dfrac{1}{2}\angle C$이고,

$\angle A+\angle C=180°-50°=130°$ $\cdots\cdots$ ❶

그런데 $\triangle DBC$에서 $\angle ADC=50°+\angle BCI$,

$\triangle ABE$에서 $\angle AEC=50°+\angle BAI$이므로 $\cdots\cdots$ ❷

$\angle ADC+\angle AEC$

$=(50°+\angle BCI)+(50°+\angle BAI)=100°+\left(\dfrac{1}{2}\angle C+\dfrac{1}{2}\angle A\right)$

$=100°+\dfrac{1}{2}\times 130°$

$=165°$ $\cdots\cdots$ ❸

채점 기준	배점
❶ ∠A+∠C의 크기 구하기	30 %
❷ ∠ADC, ∠AEC의 크기 나타내기	30 %
❸ ∠ADC+∠AEC의 크기 구하기	40 %

23 점 O가 △ABC의 외심이므로
$\angle PEC=90°$, $\angle OMC=90°$
점 I가 △ABC의 내심이므로
$\angle BAM=\angle CAM=\dfrac{1}{2}\angle BAC=40°$
따라서 △AMC에서
$\angle ACM=180°-(40°+90°)=50°$이므로
$\angle PCM=\angle PCE=\dfrac{1}{2}\angle ACM=25°$
따라서 △PCE에서 $\angle EPC=180°-(90°+25°)=65°$

24 점 I가 △ABC의 내심이므로 $\angle ABI=\angle IBD$
$\overline{AB}\,/\!/\,\overline{ID}$이므로 $\angle BID=\angle ABI$
따라서 $\angle IBD=\angle BID$이므로
$\overline{BD}=\overline{ID}$ ······ ㉠
$\angle ACI=\angle ICE$이고, $\overline{AC}\,/\!/\,\overline{IE}$이므로 $\angle CIE=\angle ACI$
따라서 $\angle ICE=\angle CIE$이므로
$\overline{CE}=\overline{IE}$ ······ ㉡
이때 $\angle B=\angle IDE=60°$이고, $\angle C=\angle IED=60°$이므로
△IDE는 정삼각형 ······ ㉢
㉠, ㉡, ㉢에서 $\overline{BD}=\overline{DE}=\overline{CE}$
$\therefore \overline{DE}=\dfrac{1}{3}\overline{BC}=\dfrac{1}{3}\overline{AB}=\dfrac{1}{3}\times12=4(\text{cm})$

94~95쪽

03. 평행사변형

01 ①	02 ⑤	03 ②	04 ⑤
05 ②	06 ④	07 ③	08 ①
09 ③	10 (가) : $\overline{OC}$, (나) : $\overline{OD}$, (다) : $\overline{OD}$, (라) : $\overline{OF}$,		
(마) : 이등분	11 ②	12 15 cm²	13 14°
14 14 cm			

01 $\angle A+\angle D=180°$이므로
$\angle A+\angle D=\angle BAC+\angle CAD+\angle D$
$\qquad\qquad\quad=95°+\angle CAD+60°$
$\qquad\qquad\quad=180°$
$\therefore \angle CAD=25°$
$\angle CAD=\angle ACB$(엇각)이므로 $\angle ACB=25°$

02 $\overline{AB}=\overline{CD}$이므로 $2x+3=3x-2$, $x=5$
$\therefore \overline{AD}=\overline{BC}=4x+1=21$

03 $\angle A+\angle B=180°$, $\angle A : \angle B=7 : 5$이므로
$\angle C=\angle A=180°\times\dfrac{7}{12}=105°$

04 ⑤ $\overline{AB}\,/\!/\,\overline{GH}$이므로 $\angle PHC=\angle EBH=80°$(동위각)
□PHCF가 평행사변형이므로
$\angle PFC=\angle PHC=80°$

05 $\angle B=\angle D=60°$, $\overline{CD}=\overline{AB}=7$ cm이므로
△DEC는 한 변의 길이가 7 cm인 정삼각형이다.
$\therefore \overline{CE}=7$ cm

06 $\overline{AO}=\dfrac{1}{2}\overline{AC}=4$, $\overline{BO}=\dfrac{1}{2}\overline{BD}=6$, $\overline{AB}=\overline{CD}=5$
$\therefore \overline{AO}+\overline{OB}+\overline{AB}=4+6+5=15$

07 $\overline{AD}=\overline{BC}=10$ cm
$\angle ABE=\angle FBE$, $\angle AEB=\angle FBE$(엇각)이므로
$\angle ABE=\angle AEB$
$\therefore \overline{AE}=\overline{AB}=\overline{CD}=8$ cm
따라서 $\overline{DE}=\overline{AD}-\overline{AE}=10-8=2(\text{cm})$이다.

08 ① $\angle A+\angle B=180°$, $\angle B+\angle C=180°$에서 $\angle A=\angle C$
$\therefore \angle D=360°-(\angle A+\angle B+\angle C)$
$\qquad\quad=360°-(180°+\angle C)$
$\qquad\quad=180°-\angle C=\angle B$
따라서 두 쌍의 대각의 크기가 각각 같으므로 평행사변형이다.

09 △OAP와 △OCQ에서
$\angle APO=\angle CQO=90°$(엇각), $\overline{OA}=\overline{OC}$,
$\angle AOP=\angle COQ$(맞꼭지각)이므로
△OAP≡△OCQ(RHA 합동)
또, $\overline{QC}=\overline{AP}=\overline{AD}-\overline{PD}=9-6=3(\text{cm})$,
$\overline{OQ}=\overline{OP}=4$ cm이므로
$\triangle OCQ=\dfrac{1}{2}\times3\times4=6(\text{cm}^2)$

10 □ABCD가 평행사변형이므로 $\overline{OA}=\boxed{\overline{OC}}$, $\overline{OB}=\boxed{\overline{OD}}$
이때 $\overline{BE}=\overline{DF}$이므로 $\overline{OE}=\overline{OB}-\overline{BE}=\boxed{\overline{OD}}-\overline{DF}=\boxed{\overline{OF}}$
따라서 두 대각선이 서로 다른 것을 $\boxed{\text{이등분}}$하므로 □AECF는 평행사변형이다.

11 $\triangle PAB+\triangle PCD=\triangle PDA+\triangle PBC$이므로
$14+26=\triangle PDA+12$ $\therefore \triangle PDA=28(\text{cm}^2)$

12 오른쪽 그림과 같이 점 E를 지나고 $\overline{AB}$에 평행한 선을 그어 $\overline{BC}$와 만나는 점을 F라 하면 △ABE=△BFE △EFC=△ECD이고

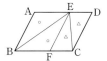

$$\triangle BEC=\frac{1}{2}\square ABCD$$

$$\therefore \triangle ABE=\triangle BFE=\frac{3}{5}\triangle BEC$$

$$=\frac{3}{5}\times\frac{1}{2}\square ABCD=15(cm^2)$$

13 [단계 ❶] $\angle A=\angle C=114°$, $\angle B=180°-114°=66°$

$\angle A=\angle BAP+\angle DAP=\angle BAP+2\angle BAP$

$\quad=3\angle BAP$

에서 $114°=3\angle BAP$

$\therefore \angle BAP=38°$

[단계 ❷] △ABP에서

$\angle ABP=180°-(\angle BAP+\angle APB)$

$\quad=180°-(38°+90°)=52°$

[단계 ❸] $\therefore \angle PBC=\angle B-\angle ABP=66°-52°=14°$

채점 기준	배점
❶ $\angle BAP$의 크기 구하기	30 %
❷ $\angle ABP$의 크기 구하기	40 %
❸ $\angle PBC$의 크기 구하기	30 %

14 △ABC와 △DBE에서

$\overline{AB}=\overline{DB}$, $\overline{BC}=\overline{BE}$,

$\angle ABC=60°-\angle EBA=\angle DBE$

$\therefore \triangle ABC\equiv\triangle DBE$(SAS 합동)

△ABC와 △FEC에서

$\overline{AC}=\overline{FC}$, $\overline{BC}=\overline{EC}$,

$\angle ACB=60°-\angle ACE=\angle FCE$

$\therefore \triangle ABC\equiv\triangle FEC$(SAS 합동) ······ ❶

이때 △ABC≡△DBE이므로 $\overline{DE}=\overline{AC}=\overline{AF}$

△ABC≡△FEC이므로 $\overline{FE}=\overline{AB}=\overline{AD}$

즉, □AFED는 두 쌍의 대변의 길이가 각각 같으므로 평행사변형이다. ······ ❷

따라서 □AFED의 둘레의 길이는

$2(\overline{DA}+\overline{AF})=2(\overline{AB}+\overline{AC})=2(3+4)=14(cm)$ ······ ❸

채점 기준	배점
❶ △ABC와 합동인 삼각형 찾기	40 %
❷ □AFED가 평행사변형임을 알기	30 %
❸ □AFED의 둘레의 길이 구하기	30 %

---

04. 여러 가지 사각형

01 ③	02 ①	03 ③	04 ③
05 ⑤	06 ②	07 ④	08 67°
09 ④	10 ⑤	11 ③	12 ④
13 15 cm²	14 30°	15 24 cm²	

01 직사각형의 두 대각선의 길이는 서로 같으므로

$\overline{AC}=\overline{BD}=12(cm)$

$\therefore \overline{AO}=\frac{1}{2}\overline{AC}=6(cm)$

02 $\overline{MN}$과 $\overline{EF}$의 교점을 O라 하면

△ODM≡△OBN(ASA 합동)이므로

$\overline{OM}=\overline{ON}$

$\angle MOF=\angle NOE$(맞꼭지각)

$\overline{AN}/\!/\overline{MC}$이므로 $\angle OMF=\angle ONE$(엇각)

$\therefore \triangle OMF\equiv\triangle ONE$(ASA 합동)

$\therefore \square ENCF=\triangle MNC=\frac{1}{2}\times 4\times 5=10(cm^2)$

03 △ABD에서 $\overline{AB}=\overline{AD}$이므로

$\angle ABD=\angle ADB=25°$

$\therefore \angle BAD=180°-2\angle ADB=130°$

04 △AOE와 △COF에서

$\overline{AO}=\overline{CO}$, $\angle AOE=\angle COF=90°$,

$\angle EAO=\angle FCO$(엇각)

$\therefore \triangle AOE\equiv\triangle COF$(ASA 합동)

$\therefore \overline{EO}=\overline{FO}$

따라서 □AFCE는 마름모이므로 $\overline{AF}=\overline{AE}=6(cm)$

05 □ABCD가 마름모이므로

$\angle BAD=110°$ ······ ㉠

그런데 △ABP가 정삼각형이므로

$\angle BAP=\angle BPA=60°$ ······ ㉡

㉠, ㉡에서 $\angle PAD=50°$

△APD에서 $\overline{AP}=\overline{AD}$이므로

$\angle APD=\angle ADP=\frac{1}{2}\times(180°-50°)=65°$

06 △ABH와 △DFH에서

$\overline{AB}=\overline{DF}$, $\angle HBA=\angle HFD$(엇각),

$\angle BAH=\angle FDH$(엇각)이므로

△ABH≡△DFH(ASA 합동) $\therefore \overline{AH}=\overline{DH}$

이때 $\overline{AD}=2\overline{AB}$이므로 $\overline{AB}=\overline{AH}$

같은 방법으로 $\triangle ABI \equiv \triangle ECI$(ASA 합동)이므로 $\overline{BI}=\overline{CI}$

$\overline{BC}=2\overline{AB}$이므로 $\overline{AB}=\overline{BI}$

따라서 □ABIH는 마름모이고 마름모의 두 대각선은 직교하므로 $\overline{AI} \perp \overline{BH}$ $\therefore \angle FGE=90°$

07 △ABC에서 $\overline{AH}$는 $\overline{BC}$의 수직이등분선이므로 $\overline{AB}=\overline{AC}$

즉, $\overline{AB}=\overline{AC}=\overline{AD}=\overline{CD}=\overline{BC}$

따라서 △ABC, △ADC는 정삼각형이다.

즉, $\angle x=120°$, $\angle y=60°$이므로 $\angle x-\angle y=60°$

08 △ABE와 △CBE에서

$\overline{AB}=\overline{CB}$, $\overline{BE}$는 공통, $\angle ABE=\angle CBE=45°$

△ABE≡△CBE(SAS 합동)   …… ㉠

$\angle DAE=22°$이므로 $\angle BAE=90°-22°=68°$

△ABE에서 $\angle AEB=180°-(45°+68°)=67°$ …… ㉡

㉠, ㉡에서 $\angle BEC=\angle AEB=67°$

09 $\overline{BC}$의 연장선 위에 $\overline{DQ}=\overline{D'B}$가 되는 점 D′을 잡으면

△AQD≡△AD′B(SAS 합동)

$\therefore \angle QAD=\angle D'AB$, $\overline{AD'}=\overline{AQ}$

△AD′P와 △AQP에서

$\overline{AD'}=\overline{AQ}$, $\angle D'AP=45°=\angle PAQ$, $\overline{AP}$는 공통이므로

△AD′P≡△AQP(SAS 합동)

$\therefore \angle AQD=\angle AD'P=\angle AQP=180°-45°-55°=80°$

10 ① 직사각형 ② 평행사변형 ③ 직사각형 ④ 등변사다리꼴

11 $\overline{AD} \parallel \overline{BC}$이므로 $\angle ADB=\angle CBD$

$\angle ABD=\angle ADB$이므로 $\overline{AB}=\overline{AD}$

따라서 평행사변형의 이웃하는 두 변의 길이가 같으므로 마름모이다.

12 $\overline{AB} \parallel \overline{DC}$, $\overline{AB}=\overline{DC}$이면 평행사변형,

$\overline{AC}=\overline{BD}$이면 직사각형, $\overline{AC} \perp \overline{BD}$이면 마름모

따라서 □ABCD는 직사각형이고 마름모이므로 정사각형이다.

13 $\triangle ACD=\dfrac{1}{2}$□$ABCD=\dfrac{1}{2} \times 50=25(\text{cm}^2)$

이때 $\overline{AP} : \overline{PC}=2 : 3$이므로 △DAP : △DPC=2 : 3

$\therefore \triangle DPC=\dfrac{3}{2+3} \times \triangle ACD=\dfrac{3}{5} \times 25=15(\text{cm}^2)$

14 [단계 ❶] $\angle ECD=\angle BCD-\angle BCE=90°-60°=30°$

△CDE는 $\overline{CD}=\overline{CE}$인 이등변삼각형이므로

$\angle CDE=\dfrac{1}{2} \times (180°-30°)=75°$

[단계 ❷] $\angle BDC=\dfrac{1}{2} \angle ADC=\dfrac{1}{2} \times 90°=45°$

[단계 ❸] $\therefore \angle BDE=\angle CDE-\angle CDB=75°-45°=30°$

채점 기준	배점
❶ ∠CDE의 크기 구하기	40 %
❷ ∠BDC의 크기 구하기	40 %
❸ ∠BDE의 크기 구하기	20 %

15 △OBP와 △ODP에서

$\overline{OB}=\overline{OD}$(∵ □ABCD가 평행사변형), $\overline{BP}=\overline{DP}$, $\overline{OP}$는 공통

$\therefore \triangle OBP \equiv \triangle ODP$(SSS 합동)   …… ❶

따라서 $\angle BOP=\angle DOP=90°$이다. 즉, 두 대각선이 서로 다른 것을 수직이등분하므로 □ABCD는 마름모이다. …… ❷

$\therefore$ □$ABCD=4 \times \triangle ABO=4 \times \left(\dfrac{1}{2} \times 3 \times 4\right)$

$=24(\text{cm}^2)$ …… ❸

채점 기준	배점
❶ △OBP와 △ODP가 합동임을 설명하기	40 %
❷ □ABCD가 마름모임을 설명하기	40 %
❸ □ABCD의 넓이 구하기	20 %

V-2. 사각형의 성질 내·신·만·점·도·전·하·기			98~101쪽
01 ③	02 ②	03 ④	04 ④
05 ②	06 ②	07 ①	08 ③
09 ①	10 ③	11 ③	12 ②
13 ②	14 ①	15 ①, ⑤	16 40°
17 9 cm²	18 4 cm	19 170°	20 19°
21 13 cm	22 9 cm	23 D, 마름모	

01 $\angle ADE=\angle DEC$(엇각)이므로 $\angle CDE=\angle CED$

따라서 $\overline{CD}=\overline{CE}=6(\text{cm})$이므로

$\overline{AD}=\overline{BC}=\overline{BE}+\overline{CE}=8(\text{cm})$

02 △AED와 △DCA에서

$\overline{AE}=\overline{AB}=\overline{DC}$, $\overline{AD}$는 공통,

$\angle EAD=\angle CDA$이므로

△AED≡△DCA(SAS 합동)

$\therefore \overline{DE}=\overline{AC}=6(\text{cm})$

03 $\angle DAP=\angle BAP=\dfrac{1}{2} \times (180°-70°)=55°$

△ABP에서 ∠ABP$=180°-(55°+90°)=35°$

∠B$=$∠D$=70°$이므로

∠CBP$=$∠B$-$∠ABP$=70°-35°=35°$

04 $\overline{CF}=\overline{EF}=\overline{AD}$, $\overline{AF}=\overline{DE}$이므로 □ADEF의 둘레의 길이는 $2\overline{AC}$이다.

∴ $10\times2=20$(cm)

05 점 A와 E, 점 O와 D를 연결하면 $\overline{OA}/\!/\overline{ED}$이고, $\overline{OA}=\overline{OC}=\overline{ED}$이므로 □AODE는 평행사변형이다.

즉, $\overline{AF}=\overline{FD}$, $\overline{OF}=\overline{FE}$

∴ $\overline{AF}=\dfrac{1}{2}\overline{AD}=2$(cm),

$\overline{OF}=\dfrac{1}{2}\overline{OE}=\dfrac{1}{2}\overline{CD}=\dfrac{3}{2}$(cm)

∴ $\overline{AF}+\overline{OF}=\dfrac{7}{2}$(cm)

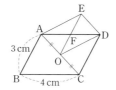

06 ② $\overline{AD}/\!/\overline{BC}$이지만 $\overline{AB}$와 $\overline{DC}$가 평행한지는 알 수 없다.

07 □AQCS에서 $\overline{AS}=\overline{QC}$, $\overline{AS}/\!/\overline{QC}$이므로 □AQCS는 평행사변형이다. ∴ $\overline{AE}/\!/\overline{FC}$ …… ㉠

□APCR에서 $\overline{AP}=\overline{CR}$, $\overline{AP}/\!/\overline{CR}$이므로 □APCR는 평행사변형이다. ∴ $\overline{EC}/\!/\overline{AF}$ …… ㉡

㉠, ㉡에서 두 쌍의 대변이 각각 평행하므로 □AECF는 평행사변형이다.

08 점 H와 F를 이으면 □ABFH와 □HFCD는 평행사변형이다.

$\triangle EFH=\dfrac{1}{2}$□ABFH,

$\triangle HFG=\dfrac{1}{2}$□HFCD이므로

□EFGH$=\triangle EFH+\triangle HFG$

$=\dfrac{1}{2}\times$(□ABFH+□HFCD)

$=\dfrac{1}{2}$□ABCD$=\dfrac{1}{2}\times32=16$(cm^2)

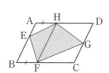

09 $\triangle AOQ=x$ cm, $\triangle CPQ=y$ cm라 하자.

$\overline{CP}:\overline{PD}=1:2$이므로 $\triangle DQP=2y$

$\triangle CQO=\triangle AOQ=x$ cm^2,

$\triangle AQD=\triangle CDQ=3y$ cm^{2}이므로

$\triangle ACP:\triangle APD=(2x+y):5y=1:2$

∴ $y=\dfrac{4}{3}x$

$\triangle ACD=\dfrac{1}{2}$□ABCD이므로 $2x+6y=30$

$y=\dfrac{4}{3}x$를 $2x+6y=30$에 대입하면 $x=3$

∴ $\triangle AOQ=3$(cm^2)

10 □ABCD는 직사각형이므로

∠A$=$∠B$=$∠C$=$∠D$=90°$

$\overline{AD}=2\overline{AB}$이므로 $\overline{AB}=\overline{AM}$

따라서 △ABM과 △DCM은 직각이등변삼각형이다.

∠ABM$=$∠AMB$=$∠DCM$=$∠DMC$=45°$

∴ ∠BMC$=180°-(45°+45°)=90°$

11 ∠A$+$∠B$=180°$이므로 ∠QAB$+$∠QBA$=90°$

∴ ∠AQB$=$∠PQR$=90°$

같은 방법으로 하면 ∠QRS$=$∠RSP$=$∠SPQ$=90°$

따라서 □PQRS는 직사각형이다.

12 ∠ACD$=$∠BAC$=65°$

∠AOD$=180°-($∠BAO$+$∠ABO$)=90°$

두 대각선이 수직으로 만나는 평행사변형이므로 □ABCD는 마름모이다.

△ABD는 $\overline{AB}=\overline{AD}$인 이등변삼각형이므로

∠ADB$=$∠ABD$=25°$

13 ② 등변사다리꼴 $-$ 마름모

14 ① 두 대각선이 서로 수직인 평행사변형은 마름모이다.

15 대각선 AC와 BD가 서로 수직인 평행사변형이므로 □ABCD는 마름모이다. ②, ③, ④는 모두 직사각형의 성질이다.

16 $\overline{AD}$, $\overline{BE}$의 연장선이 만나는 점을 F라 하면 △AHF는 ∠AHF$=90°$인 직각삼각형이다.

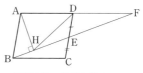

△FDE와 △BCE에서

$\overline{DE}=\overline{CE}$, ∠FED$=$∠BEC(맞꼭지각),

∠FDE$=$∠BCE(엇각)

∴ △FDE≡△BCE(ASA 합동)

따라서 $\overline{FD}=\overline{BC}=\overline{AD}$이고 점 D는 직각삼각형 AHF의 빗변의 중점이므로 점 D는 △AHF의 외심이다.

∴ $\overline{AD}=\overline{DH}=\overline{DF}$

$$\therefore \angle ADH = \angle DFH + \angle DHF = 2\angle DFH = 2\angle EBC$$
$$= 2 \times 20° = 40°$$

17 $\overline{AD} /\!/ \overline{BC}$이므로 $\triangle ABE = \triangle DBE$

$\overline{AF} /\!/ \overline{DC}$이므로 $\triangle DBF = \triangle CBF$

$$\therefore \triangle CEF = \triangle CBF - \triangle EBF = \triangle DBF - \triangle EBF$$
$$= \triangle DBE = \triangle ABE$$

또, 오른쪽 그림과 같이 점 E를 지나고 $\overline{AB}$에 평행한 선을 그어 $\overline{AD}$와 만나는 점을 G라 하면

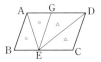

$\overline{AG} : \overline{GD} = \overline{BE} : \overline{EC} = 3 : 4$이므로

$$\triangle CEF = \triangle ABE = \triangle AEG = \frac{3}{3+4}\triangle AED$$
$$= \frac{3}{7} \times \frac{1}{2}\square ABCD = \frac{3}{14}\square ABCD$$
$$= \frac{3}{14} \times 42 = 9(\text{cm}^2)$$

18 $\overline{AB}$의 연장선과 $\overline{DF}$의 연장선이 만나는 점을 G라 하자.

$\overline{AG} /\!/ \overline{DC}$이므로

$\angle AGD = \angle FDC = \angle ADG$

$\therefore \overline{AG} = \overline{AD} = 8(\text{cm})$

또, $\triangle BGF$에서 $\angle BGF = \angle BFG$이므로

$\overline{BF} = \overline{BG} = \overline{AG} - \overline{AB} = 8 - 6 = 2(\text{cm})$ ······ ❶

이때 점 A에서 $\overline{GD}$에 내린 수선이 $\overline{AP}$이므로

$\angle GAP = \angle PAD$이고,

$\angle PAD = \angle PEF$(엇각)이므로 $\angle GAP = \angle PEF$

$\triangle ABE$에서 $\overline{BE} = \overline{BA} = 6(\text{cm})$ ······ ❷

$\therefore \overline{FE} = \overline{BE} - \overline{BF} = 6 - 2 = 4(\text{cm})$ ······ ❸

채점 기준	배점
❶ $\overline{BF}$의 길이 구하기	40 %
❷ $\overline{BE}$의 길이 구하기	40 %
❸ $\overline{FE}$의 길이 구하기	20 %

19 $\angle A + \angle B = 180°$이므로 $\angle A = 180° - 80° = 100°$

$$\therefore \angle BAE = \frac{100°}{2} = 50°$$

$\triangle ABE$에서 $\angle AEC = \angle BAE + \angle ABE = 50° + 80° = 130°$

또, $\overline{AD} /\!/ \overline{BG}$이므로

$$\angle BGH = \angle ADG = \frac{1}{2}\angle D = \frac{1}{2}\angle B = \frac{1}{2} \times 80° = 40°$$

$\therefore \angle AEC + \angle BGH = 130° + 40° = 170°$

20 $\overline{EF}$의 중점을 G라 하면 $\triangle DEF$가 직각삼각형이므로 점 G는 $\triangle DEF$의 외심이다.

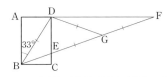

따라서 $\overline{DG} = \overline{GE} = \overline{GF} = \overline{BD}$ ($\because \overline{EF} = 2\overline{BD}$) 이므로

$\angle EBC = \angle DFG = \angle FDG$

$\angle DBG = 90° - (33° + \angle EBC) = 57° - \angle EBC$ ······ ㉠

$\angle DGB = \angle DFG + \angle FDG = 2\angle EBC$ ······ ㉡

$\triangle DBG$는 $\overline{DB} = \overline{DG}$인 이등변삼각형이므로

$\angle DBG = \angle DGB$

㉠, ㉡에 의하여 $57° - \angle EBC = 2\angle EBC$

$\therefore \angle EBC = 19°$

21 $\overline{AB} /\!/ \overline{DC}$이므로 $\angle ABG = \angle CFB$(엇각)

$\triangle BCF$는 이등변삼각형이므로 $\overline{BC} = \overline{CF} = 9(\text{cm})$ ······ ㉠

$\overline{AB} /\!/ \overline{DC}$이므로 $\angle BAE = \angle DEA$(엇각)

$\triangle ADE$는 이등변삼각형이므로 $\overline{AD} = \overline{DE} = 9(\text{cm})$ ······ ㉡

㉠, ㉡에서 $\overline{EF} = (\overline{CF} + \overline{DE}) - \overline{CD} = 13(\text{cm})$

22 $\triangle DD'B$와 $\triangle BA'A$에서

$\angle DD'B = \angle BA'A = 90°$, $\overline{DB} = \overline{BA}$

$\angle D'DB + \angle DBD' = \angle DBD' + \angle A'BA = 90°$이므로

$\angle D'DB = \angle A'BA$

따라서 $\triangle DD'B \equiv \triangle BA'A$(RHA 합동)이므로

$\overline{DD'} = \overline{BA'}$ ······ ㉠

$\triangle AA'C$와 $\triangle CF'F$에서

$\angle AA'C = \angle CF'F = 90°$, $\overline{AC} = \overline{CF}$

$\angle A'AC + \angle ACA' = \angle ACA' + \angle F'CF = 90°$이므로

$\angle A'AC = \angle F'CF$

따라서 $\triangle AA'C \equiv \triangle CF'F$(RHA 합동)이므로

$\overline{F'F} = \overline{A'C}$ ······ ㉡

㉠, ㉡에 의하여

$\overline{BC} = \overline{BA'} + \overline{A'C} = \overline{DD'} + \overline{F'F} = 3 + 6 = 9(\text{cm})$

23 사각형 사이의 관계에서 정사각형은 마름모, 마름모는 평행사변형, 평행사변형은 사다리꼴이다. ······ ❶

네 명의 학생 중 한 명이 말이 틀렸으므로 정사각형이라고 말한 D가 틀렸다. ······ ❷

따라서 선생님이 칠판에 그린 사각형은 마름모이다. ······ ❸

채점 기준	배점
❶ 사각형 사이의 관계 말하기	30 %
❷ 말이 틀린 학생 찾기	30 %
❸ 사각형 이름 말하기	40 %

05. 도형의 닮음

102~103쪽

01 ④, ⑤	02 ②, ④	03 ③	04 39 cm
05 ⑤	06 ②	07 ②	08 ④
09 ④	10 6 cm	11 $\dfrac{400}{9}$ cm	12 112

01 ① 닮은 두 평면도형에서 대응하는 변의 길이의 비는 같다.
② 닮은 두 평면도형에서 대응하는 각의 크기는 각각 같다.
③ 두 원의 닮음비는 둘레의 길이의 비와 같다.

03 $\angle C' = \angle C = 360° - (115° + 85° + 90°) = 70°$

04 $3 : 4 = 6 : \overline{HG}$이므로 $\overline{HG} = 8$(cm)
□EFGH의 둘레의 길이는 $8 + 8 + 16 + 20 = 52$(cm)이고, 두 사각형의 둘레의 길이의 비는 닮음비와 같으므로 □ABCD의 둘레의 길이를 l cm이라 하면
$3 : 4 = l : 52$ ∴ $l = 39$(cm)

05 ㄱ. 두 삼각형의 닮음비는 $\overline{AC} : \overline{DF} = 10 : 8 = 5 : 4$이다.
ㄴ. $\angle E = \angle B = 70°$이므로 $\angle D = 180° - (35° + 70°) = 75°$
∴ $\angle A = \angle D = 75°$
ㄷ. $\overline{BC}$와 $\overline{EF}$는 대응하는 변이므로 $\overline{BC} : \overline{EF} = 5 : 4$
따라서 옳은 것을 모두 고른 것은 ⑤ ㄱ, ㄴ, ㄷ이다.

06 A5 용지와 A9 용지는 서로 닮음이고 닮음비는 $4 : 1$이다.

07 ② 닮음비는 $\overline{BC} : \overline{B'C'} = 4 : 6 = 2 : 3$이므로
$\overline{AD} : \overline{A'D'} = 2 : 3$

08 닮음비가 $2 : 3$이므로 $2 : 3 = 2 : x$ ∴ $x = 3$
$2 : 3 = y : 9$ ∴ $y = 6$
∴ $x + y = 3 + 6 = 9$

09 두 원기둥의 닮음비는 높이의 비와 같으므로 $20 : 12 = 5 : 3$이다. 두 원기둥의 밑면의 지름의 길이의 비는 닮음비와 같으므로 $5 : 3$이다.

10 두 원뿔은 서로 닮음이고 닮음비는 $8 : (8 + 4) = 8 : 12 = 2 : 3$이므로 처음 원뿔의 밑면의 반지름의 길이를 x cm라 하면
$2 : 3 = 4 : x$ ∴ $x = 6$(cm)

11 [단계 ❶] $\triangle OAB \backsim \triangle OBC$이고 닮음비는 $\overline{OA} : \overline{OB} = 3 : 5$이므로 $3 : 5 = 10 : \overline{OC}$

∴ $\overline{OC} = \dfrac{50}{3}$(cm)

[단계 ❷] $\triangle OBC \backsim \triangle OCD$이고 닮음비는 $\overline{OB} : \overline{OC} = 3 : 5$이므로 $3 : 5 = \dfrac{50}{3} : \overline{OD}$ ∴ $\overline{OD} = \dfrac{250}{9}$(cm)

[단계 ❸] ∴ $\overline{OC} + \overline{OD} = \dfrac{50}{3} + \dfrac{250}{9} = \dfrac{400}{9}$(cm)

채점 기준	배점
❶ $\overline{OC}$의 길이 구하기	40 %
❷ $\overline{OD}$의 길이 구하기	40 %
❸ $\overline{OC} + \overline{OD}$의 길이 구하기	20 %

12 닮음비는 $\overline{DE} : \overline{IJ} = 3 : 6 = 1 : 2$이므로 ⋯⋯ ❶
사각뿔 F-GHIJ의 높이를 h라 하면 $1 : 2 = 3.5 : h$
∴ $h = 7$ ⋯⋯ ❷
따라서 사각뿔 F-GHIJ의 부피는
$\dfrac{1}{3} \times (8 \times 6) \times 7 = 112$ ⋯⋯ ❸

채점 기준	배점
❶ 닮음비 구하기	30 %
❷ 사각뿔의 높이 구하기	30 %
❸ 사각뿔의 부피 구하기	40 %

06. 삼각형의 닮음 조건

104~105쪽

01 $\triangle ABC \backsim \triangle IGH$(SAS 닮음), $\triangle JKL \backsim \triangle OMN$(AA 닮음)
02 $\triangle CAD$, SAS 닮음   03 ①   04 ②
05 ③   06 ②   07 $\dfrac{66}{5}$ cm   08 $\dfrac{7}{2}$ cm
09 63   10 $\dfrac{27}{4}$ cm²   11 $\dfrac{7}{5}$ cm   12 20 cm
13 4 cm

04 $\triangle ADE \backsim \triangle CBA$(AA닮음)이므로 $\overline{AE} : \overline{AC} = \overline{DE} : \overline{BA}$

$10 : 16 = \overline{DE} : 14$ $\qquad \therefore \overline{DE} = \dfrac{35}{4}$

05 $\triangle DBC \backsim \triangle CBA$(SAS닮음)이므로 $\overline{DC} : \overline{CA} = \overline{BC} : \overline{BA}$

$5 : \overline{AC} = 6 : 12$ $\qquad \therefore \overline{AC} = 10\,(cm)$

06 $\triangle ADC \backsim \triangle ACB$(AA닮음)이므로 $\overline{AC} : \overline{AB} = \overline{AD} : \overline{AC}$

$5 : 8 = \overline{AD} : 5$ $\qquad \therefore \overline{AD} = \dfrac{25}{8}\,(cm)$

07 $\overline{CD} = 6\,(cm)$이므로 $\overline{CF} = 4\,(cm)$

$\triangle ABE \backsim \triangle FCE$(AA 닮음)이고 닮음비는

$\overline{AB} : \overline{CF} = 6 : 4 = 3 : 2$이므로

$\overline{CE} = \dfrac{2}{5}\overline{BC} = \dfrac{2}{5} \times 8 = \dfrac{16}{5}\,(cm)$

또, $3 : 2 = 9 : \overline{EF}$ $\qquad \therefore \overline{EF} = 6\,(cm)$

따라서 $\triangle EFC$의 둘레의 길이는 $4 + \dfrac{16}{5} + 6 = \dfrac{66}{5}\,(cm)$

08 $\triangle AEC \backsim \triangle ADB$(AA 닮음)이므로 $\overline{AE} : \overline{AD} = \overline{AC} : \overline{AB}$

$\overline{AE} : 4 = 7 : 8$ $\qquad \therefore \overline{AE} = \dfrac{7}{2}\,(cm)$

09 $12^2 = 9 \times \overline{BC}$이므로 $\overline{BC} = 16\,(cm)$

이때 $\overline{BD} = 16 - 9 = 7\,(cm)$이므로 $\overline{AD}^2 = 7 \times 9 = 63$

10 $\overline{AD}^2 = \overline{BD} \times \overline{CD}$이므로 $3^2 = 2 \times \overline{CD}$ $\qquad \therefore \overline{CD} = \dfrac{9}{2}\,(cm)$

따라서 $\triangle ADC$의 넓이는 $\dfrac{1}{2} \times 3 \times \dfrac{9}{2} = \dfrac{27}{4}\,(cm^2)$

11 직각삼각형 ABD에서 $\overline{AB}^2 = \overline{BE} \times \overline{BD}$이므로

$3^2 = \overline{BE} \times 5$ $\qquad \therefore \overline{BE} = \dfrac{9}{5}\,(cm)$

$\triangle ABE \equiv \triangle CDF$이므로 $\overline{DF} = \overline{BE} = \dfrac{9}{5}\,(cm)$

$\therefore \overline{EF} = 5 - 2 \times \dfrac{9}{5} = \dfrac{7}{5}\,(cm)$

12 [단계 ❶] $\triangle ABF$와 $\triangle DFE$에서

$\angle BAF = \angle FDE = 90°$,

$\angle ABF = 90° - \angle AFB = \angle DFE$

$\therefore \triangle ABF \backsim \triangle DFE$(AA 닮음)

[단계 ❷] $\overline{AB} : \overline{DF} = \overline{AF} : \overline{DE}$이므로 $16 : 8 = \overline{AF} : 6$

$\therefore \overline{AF} = 12\,(cm)$

[단계 ❸] $\therefore \overline{BF} = \overline{BC} = \overline{AD} = \overline{AF} + \overline{FD} = 12 + 8 = 20\,(cm)$

채점 기준	배점
❶ $\triangle ABF \backsim \triangle DFE$임을 설명하기	40 %
❷ $\overline{AF}$의 길이 구하기	40 %
❸ $\overline{BF}$의 길이 구하기	20 %

13 점 O가 $\triangle ABC$의 외심이므로 $\triangle ABC$는 직각삼각형이다. …… ❶

$\overline{BO} = \overline{CO} = 8\,(cm)$ …… ❷

$\overline{AB}^2 = \overline{BD} \times \overline{BC}$이므로

$8^2 = \overline{BD} \times 16$ $\qquad \therefore \overline{BD} = 4\,(cm)$

$\therefore \overline{DO} = \overline{BO} - \overline{BD} = 8 - 4 = 4\,(cm)$ …… ❸

채점 기준	배점
❶ $\triangle ABC$가 직각삼각형임을 알기	30 %
❷ $\overline{BO}$의 길이 구하기	30 %
❸ $\overline{DO}$의 길이 구하기	40 %

Ⅵ-1. 도형의 닮음 **내·신·만·점·도·전·하·기** 106~109쪽

01 ③	**02** ②, ④	**03** ④	**04** ④
05 ④	**06** ④	**07** ③	**08** $\dfrac{24}{5}$ cm
09 ①	**10** ③	**11** ④	**12** ③

13 ㄱ, ㄴ, ㄹ

14 가로의 길이: $\dfrac{105}{2}$ mm, 세로의 길이: $\dfrac{297}{8}$ mm **15** $\dfrac{38}{5}$ cm

16 15 cm **17** $\dfrac{11}{5}$ cm **18** $\dfrac{15}{4}$ cm **19** $\dfrac{16}{5}$ cm

01 ③ $\angle B = \angle F$

03 $2 : 1 = 8 : \overline{DF}$ $\qquad \therefore \overline{DF} = 4\,(cm)$

$2 : 1 = 10 : \overline{EF}$ $\qquad \therefore \overline{EF} = 5\,(cm)$

따라서 $\triangle DEF$의 둘레의 길이는 $3 + 4 + 5 = 12\,(cm)$

04 $3 : 4 = x : 4$ $\qquad \therefore x = 3, y = 60$

$\therefore x + y = 63$

05 ① $\triangle ABC \backsim \triangle AED$(AA 닮음)

② $\triangle ABC \backsim \triangle DBE$(SAS 닮음)

③ $\triangle ABC \backsim \triangle DAC$(SSS 닮음)

⑤ $\triangle ABC \backsim \triangle EDA$(AA 닮음)

06 $\triangle ADC \circ \triangle ACB$(SAS 닮음)이므로 닮음비는

$\overline{AD} : \overline{AC} = 2 : 3$

따라서 $2 : 3 = \overline{CD} : 8$이므로 $\overline{CD} = \dfrac{16}{3}$(cm)

07 $\triangle BAC \circ \triangle EAD$(AA 닮음)이므로

$33 : 11 = x : 15$　∴ $x = 45$

$33 : 11 = 27 : y$　∴ $y = 9$

∴ $x - y = 45 - 9 = 36$

08 $\overline{FE} /\!/ \overline{AB}$이므로 $\triangle CFE \circ \triangle CAB$(AA 닮음)

$\overline{BE} = x$ cm라 하면 $\overline{FE} : \overline{AB} = \overline{CE} : \overline{CB}$이므로

$x : 12 = (8 - x) : 8$

$12(8 - x) = 8x$, $20x = 96$　∴ $x = \dfrac{24}{5}$(cm)

09 $\overline{AD} = \overline{DF} = 7$(cm)이므로 정삼각형의 한 변의 길이는

$8 + 7 = 15$(cm)

$\triangle DBF \circ \triangle FCE$(AA 닮음)이므로 $\overline{DB} : \overline{FC} = \overline{BF} : \overline{CE}$

$8 : (15 - 5) = 5 : \overline{CE}$　∴ $\overline{CE} = \dfrac{25}{4}$(cm)

10

따라서 $\triangle ABD$, $\triangle ACE$, $\triangle FBE$, $\triangle FCD$는 닮은 도형이다.

11 $\triangle ABD \circ \triangle GED$(AA 닮음)이므로 $\overline{AB} : \overline{EG} = \overline{AD} : \overline{GD}$

$12 : \overline{EG} = 16 : 10$　∴ $\overline{EG} = \dfrac{15}{2}$(cm)

12 $12^2 = 9 \times x$　∴ $x = 16$

$y^2 = 9(9 + 16) = 9 \times 25 = 225$　∴ $y = 15$

$z^2 = 16 \times (16 + 9) = 16 \times 25 = 400$　∴ $z = 20$

∴ $x + y + z = 16 + 15 + 20 = 51$

14 A4 용지의 가로의 길이를 a, 세로의 길이를 b라 하면 각 용지의 가로, 세로의 길이는 다음과 같다.

	A5	A6	A7	A8	A9
가로의 길이	a	$\dfrac{1}{2}a$	$\dfrac{1}{2}a$	$\dfrac{1}{4}a$	$\dfrac{1}{4}a$
세로의 길이	$\dfrac{1}{2}b$	$\dfrac{1}{2}b$	$\dfrac{1}{4}b$	$\dfrac{1}{4}b$	$\dfrac{1}{8}b$

따라서 A9 용지의 가로의 길이는 $\dfrac{210}{4} = \dfrac{105}{2}$(mm),

세로의 길이는 $\dfrac{297}{8}$(mm)이다.

15 $\triangle EBD$와 $\triangle DCA$에서 $\angle B = \angle C$이고,

$\angle BED + \angle BDE = 120\degree$, $\angle BDE + \angle CDA = 120\degree$이므로

$\angle BED = \angle CDA$　∴ $\triangle EBD \circ \triangle DCA$(AA 닮음)

따라서 $\overline{BD} : \overline{CA} = \overline{BE} : \overline{CD}$이므로

$3 : 5 = \overline{BE} : 4$　∴ $\overline{BE} = \dfrac{12}{5}$(cm)

∴ $\overline{AE} = 10 - \dfrac{12}{5} = \dfrac{38}{5}$(cm)

16 $\triangle ABC$와 $\triangle DEF$에서

$\angle EDF = \angle ABD + \angle BAD = \angle FAC + \angle BAD = \angle BAC$

$\angle DEF = \angle ECB + \angle EBC = \angle ABD + \angle EBC = \angle ABC$

이므로 $\triangle ABC \circ \triangle DEF$(AA 닮음)　⋯⋯❶

$\overline{AB} : \overline{DE} = \overline{AC} : \overline{DF}$이므로 $7 : \overline{DE} = 10 : 5$

∴ $\overline{DE} = \dfrac{7}{2}$(cm)　⋯⋯❷

$\overline{BC} : \overline{EF} = \overline{AC} : \overline{DF}$이므로 $13 : \overline{EF} = 10 : 5$

∴ $\overline{EF} = \dfrac{13}{2}$(cm)　⋯⋯❸

따라서 $\triangle DEF$의 둘레의 길이는

$\dfrac{7}{2} + \dfrac{13}{2} + 5 = 15$(cm)　⋯⋯❹

채점 기준	배점
❶ $\triangle DEF$와 닮음인 삼각형 찾기	30 %
❷ $\overline{DE}$의 길이 구하기	30 %
❸ $\overline{EF}$의 길이 구하기	30 %
❹ $\triangle DEF$의 둘레의 길이 구하기	10 %

17 $\triangle BPD \circ \triangle APE$(AA 닮음), $\triangle APE \circ \triangle ACD$(AA 닮음)이므로 $\triangle BPD \circ \triangle ACD$(AA 닮음)

$\overline{PD} : \overline{CD} = \overline{BD} : \overline{AD}$이므로 $5 : 6 = 6 : \overline{AD}$

∴ $\overline{AD} = \dfrac{36}{5}$(cm)

∴ $\overline{AP} = \overline{AD} - \overline{DP} = \dfrac{36}{5} - 5 = \dfrac{11}{5}$(cm)

18 $\triangle ABE$와 $\triangle C'DE$에서

$\overline{AB} = \overline{C'D} = 6$(cm), $\angle A = \angle C' = 90\degree$, $\angle ABE = \angle C'DE$

이므로 $\triangle ABE \equiv \triangle C'DE$(ASA 합동)

따라서 $\overline{EB} = \overline{ED}$이므로 $\triangle EBD$는 이등변삼각형이고,

$\overline{BF} = \overline{FD} = 5$(cm)

또, $\triangle EBF$와 $\triangle DBC'$에서

$\angle EFB = \angle DC'B = 90\degree$, $\angle DBC'$은 공통

이므로 $\triangle EBF \circ \triangle DBC'$(AA 닮음)

$\overline{BF} : \overline{BC'} = \overline{EF} : \overline{C'D}$이므로 $5 : 8 = \overline{EF} : 6$

∴ $\overline{EF} = \dfrac{15}{4}$(cm)

19 $\overline{BM}=\overline{CM}=\dfrac{1}{2}(8+2)=5(cm)$이므로 점 M은 △ABC의

외심이다. ...... ❶

$\overline{MG}=5-2=3(cm)$, $\overline{AM}=\overline{BM}=5(cm)$ ...... ❷

$\overline{AG}^2=\overline{BG}\times\overline{GC}$이므로 $\overline{AG}=4(cm)$ ...... ❸

△AMG에서 $\overline{AG}^2=\overline{AH}\times\overline{AM}$이므로 $4^2=\overline{AH}\times5$

$\therefore \overline{AH}=\dfrac{16}{5}(cm)$ ...... ❹

채점 기준	배점
❶ 점 M이 △ABC의 외심임을 알기	20 %
❷ $\overline{MG}$, $\overline{AM}$의 길이 구하기	20 %
❸ $\overline{AG}$의 길이 구하기	30 %
❹ $\overline{AH}$의 길이 구하기	30 %

---

07. 삼각형과 평행선

01 $\dfrac{15}{2}$	02 16	03 6	04 3.9 cm
05 3 cm	06 ④	07 ④	08 4 cm
09 9 cm	10 ③	11 12	12 $\dfrac{15}{2}$ cm
13 4 cm	14 2 cm		

01 $5:\overline{AC}=4:6$이므로 $\overline{AC}=\dfrac{15}{2}$

02 $4:6=x:9$ $\therefore x=6$

$4:(4+6)=4:y$ $\therefore y=10$

$\therefore x+y=16$

03 $3:9=y:6$ $\therefore y=2$

$6:2=9:x$ $\therefore x=3$

$\therefore xy=3\times2=6$

04 $\overline{DF}:\overline{BG}=\overline{FE}:\overline{GC}$이므로

$3:4=\overline{FE}:5.2$ $\therefore \overline{FE}=3.9(cm)$

05 $\overline{FE}/\!/\overline{DC}$이고 $\overline{AF}:\overline{FD}=2:1$이므로 $\overline{AE}:\overline{EC}=2:1$

또, $\overline{DE}/\!/\overline{BC}$이므로 △ABC에서

$\overline{AD}:\overline{DB}=\overline{AE}:\overline{EC}$

$6:\overline{BD}=2:1$ $\therefore \overline{BD}=3(cm)$

06 ④ $(10-7.5):10=(12-9):12$이므로 $\overline{BC}/\!/\overline{DE}$

07 ④ $\overline{BC}:\overline{DE}=1:3$

08 $\overline{AB}:\overline{AC}=\overline{BD}:\overline{CD}$이므로

$9:6=(10-\overline{CD}):\overline{CD}$, $6\times(10-\overline{CD})=9\,\overline{CD}$

$15\,\overline{CD}=60$ $\therefore \overline{CD}=4(cm)$

09 $\overline{AB}:\overline{AC}=\overline{BD}:\overline{CD}$이므로 $12:6=\overline{BD}:3$

$\therefore \overline{BD}=6(cm)$

$\overline{AB}:\overline{AC}=\overline{BE}:\overline{CE}$이므로 $12:6=(9+\overline{CE}):\overline{CE}$

$\therefore \overline{CE}=9(cm)$

10 $9:y=x:5$이므로 $y=\dfrac{45}{x}$

11 $x:4=2:5$ $\therefore x=\dfrac{8}{5}$

$2:y=\dfrac{8}{5}:6$ $\therefore y=12\times\dfrac{5}{8}=\dfrac{15}{2}$

$\therefore xy=\dfrac{8}{5}\times\dfrac{15}{2}=12$

12 점 A와 점 C를 연결한 선분이
$\overline{MN}$과 만나는 점을 E라 하자.
△ABC에서
$6:10=\overline{ME}:15$이므로
$\overline{ME}=9(cm)$
$\therefore \overline{EN}=12-9=3(cm)$
△ACD에서 $\overline{EN}:\overline{AD}=\overline{CN}:\overline{CD}$이므로
$3:\overline{AD}=4:10$ $\therefore \overline{AD}=\dfrac{15}{2}(cm)$

13 [단계 ❶] △ABE와 △CDE에서

∠AEB=∠CED, ∠ABE=∠CDE이므로

△ABE∽△CDE(AA 닮음)

[단계 ❷] 두 삼각형의 닮음비는 $\overline{AB}:\overline{CD}=12:6=2:1$이므

로 $\overline{BE}:\overline{BD}=2:3$

[단계 ❸] △BCD에서 $\overline{BE}:\overline{BD}=\overline{EF}:\overline{CD}$이므로

$2:3=\overline{EF}:6$ $\therefore \overline{EF}=4(cm)$

채점 기준	배점
❶ △ABE∽△CDE임을 설명하기	40 %
❷ $\overline{BE}:\overline{BD}$ 구하기	20 %
❸ $\overline{EF}$의 길이 구하기	40 %

14 $\overline{AB}:\overline{AC}=\overline{BD}:\overline{CD}=3:2$이므로 ...... ❶

$\overline{BC}:\overline{CD}=1:2$

$\therefore \overline{BC}=\dfrac{1}{3}\overline{BD}=4(cm)$ ...... ❷

△ABD에서 $\overline{BC}:\overline{BD}=\overline{EC}:\overline{AD}$이므로 $1:3=\overline{EC}:6$

$\therefore \overline{EC}=2(cm)$ ...... ❸

채점 기준	배점
❶ $\overline{BD}:\overline{CD}$ 구하기	40 %
❷ $\overline{BC}$의 길이 구하기	30 %
❸ $\overline{EC}$의 길이 구하기	30 %

08. 삼각형의 무게중심

112～113쪽

01 68	02 ③	03 14 cm	04 ③
05 4 cm	06 ②	07 6	08 17
09 4 cm	10 36 cm	11 $\frac{15}{2}$ cm	12 8 cm²
13 16 cm	14 36 cm²		

01 $\overline{AN}=\overline{NC}$, $\overline{BM}=\overline{MC}$이므로 $\overline{AB} /\!/ \overline{NM}$

$\angle MNC=90°$이므로 $\angle C=90°-30°=60°$ $\therefore x=60$

$\overline{AB}=2\overline{MN}=8(cm)$이므로 $y=8$ $\therefore x+y=68$

02 (△DEF의 둘레의 길이)$=\frac{1}{2}$(△ABC의 둘레의 길이)

$=13(cm)$

03 오른쪽 그림과 같이 $\overline{AC}$를 긋고 $\overline{MN}$의
연장선이 $\overline{AC}$와 만나는 점을 P라 하면
△ACB에서

$\overline{PM}=\frac{1}{2}\overline{AB}=3(cm)$

$\therefore \overline{PN}=\overline{PM}+\overline{MN}=3+4=7(cm)$

또, △ACD에서 $\overline{CD}=2\overline{PN}=14(cm)$

04 □EFGH는 직사각형이고 $\overline{EH}=\overline{FG}=\frac{1}{2}\overline{BD}=11(cm)$

$\overline{EF}=\overline{HG}=\frac{1}{2}\overline{AC}=8(cm)$이므로

(□EFGH의 둘레의 길이)$=2\times(11+8)=38(cm)$

05 점 A를 지나면서 $\overline{BC}$에 평행한 직선
을 그어 $\overline{DE}$와 만나는 점을 F라 하면
$\overline{DF}=\overline{FE}$, $\overline{BE}=2\overline{AF}$
△AMF≡△CME(ASA 합동)이므
로 $\overline{AF}=\overline{CE}$

즉, $\overline{BE}=2\overline{AF}=2\overline{CE}$이므로 $\overline{CE}=\frac{1}{3}\overline{BC}=4(cm)$

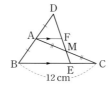

06 $\overline{ED}=\overline{BD}-\overline{BE}=\frac{1}{2}\overline{BC}-\frac{1}{3}\overline{BC}=\frac{1}{6}\overline{BC}$

$\therefore △AED=\frac{1}{6}△ABC=\frac{1}{6}\times90=15(cm^2)$

점 G가 무게중심이므로 $\overline{AG}=\frac{2}{3}\overline{AD}$

$\therefore △AEG=\frac{2}{3}△AED=10(cm^2)$

07 $x:2=2:1$ $\therefore x=4$

△ABD에서 $y:3=2:3$이므로 $y=2$

$\therefore x+y=4+2=6$

08 △BCE에서 $\overline{CD}=\overline{DB}$, $\overline{BE} /\!/ \overline{DF}$이므로

$x=\frac{1}{2}\overline{BE}=5(cm)$, $\overline{CF}=\overline{EF}=3(cm)$ $\therefore \overline{CE}=6(cm)$

$\overline{BE}$가 △ABC의 중선이므로 $\overline{AC}=2\overline{CE}=12(cm)$

$\therefore y=\overline{AC}=12$

$\therefore x+y=5+12=17$

09 $\overline{AG}:\overline{GD}=2:1$이므로 $\overline{GD}=\frac{1}{3}\overline{AD}=8(cm)$

△GEF∽△GBC(SAS닮음)이고 닮음비는 $1:2$이므로

$\overline{HG}=\frac{1}{2}\overline{GD}=4(cm)$

10 $\overline{AG}:\overline{GD}=\overline{A'G}:\overline{G'E}=2:1$이므로 △ADE에서

$2:3=12:\overline{DE}$ $\therefore \overline{DE}=18(cm)$

$\overline{BD}=\overline{DM}=\overline{ME}=\overline{EC}$이므로 $\overline{BC}=2\overline{DE}=36(cm)$

11 $\overline{BD}=3\overline{BP}=15(cm)$

△CBD에서 두 변의 중점을 연결한 선분의 성질에 의해

$\overline{MN}=\frac{1}{2}\overline{BD}=\frac{15}{2}(cm)$

12 $△AGM=\frac{1}{2}△AGC$

$=\frac{1}{2}\times\frac{1}{3}△ABC=\frac{1}{6}△ABC=8(cm^2)$

13 [단계 ❶] △ABD에서 $\overline{MP}=\frac{1}{2}\overline{AD}=5(cm)$

[단계 ❷] $\overline{MQ}=5+3=8(cm)$이므로

[단계 ❸] △ABC에서 $\overline{BC}=2\overline{MQ}=16(cm)$

채점 기준	배점
❶ $\overline{MP}$의 길이 구하기	40 %
❷ $\overline{MQ}$의 길이 구하기	20 %
❸ $\overline{BC}$의 길이 구하기	40 %

14 점 F가 △ABC의 무게중심이므로 ...... ❶
　　△ABC=3□OFEC=18(cm²) ...... ❷
　　∴ □ABCD=2△ABC=36(cm²) ...... ❸

채점 기준	배점
❶ 점 F가 △ABC의 무게중심임을 알기	30 %
❷ △ABC의 넓이 구하기	40 %
❸ □ABCD의 넓이 구하기	30 %

---

09. 닮은 도형의 넓이와 부피 　114~115쪽

01 48 cm²　　02 50 cm²　　03 72π cm²　　04 ⑤
05 320 cm²　06 160 cm³　07 175 mL　　08 12800원
09 8 cm　　　10 72 m　　　11 5.6　　　　12 9 cm²
13 80 cm²

01 △DEC∽△ABC이고 닮음비가 1 : 2이므로 넓이의 비는 1 : 4
이다. 즉, 1 : 4=12 : △ABC이므로 △ABC=48(cm²)

02 △ABC∽△ACD(AA 닮음)이고 닮음비는
$\overline{AC}$: $\overline{AD}$=10 : 8=5 : 4이므로 넓이의 비는 25 : 16이다.
△ABC : 32=25 : 16　　∴ △ABC=50(cm²)

03 두 원의 닮음비는 1 : 3이므로 넓이의 비는 1 : 9이다. 즉, 큰 원
의 넓이를 S cm²라 하면 1 : 9=8π : S　　∴ S=72π
따라서 큰 원의 넓이는 72π cm²이다.

04 두 직사각형 모양의 벽지는 서로 닮음이고 닮음비는 1 : 4이므로
넓이의 비는 1 : 16이다. 즉, 새로운 벽지의 가격을 x원이라 하면
1 : 16=4000 : x　　∴ x=64000
따라서 새로운 벽지의 가격은 64000원이다.

05 두 사면체의 닮음비가 3 : 4이므로 옆넓이의 비는 9 : 16이다.
즉, 큰 사면체의 옆넓이를 S cm²라 하면
9 : 16=180 : S　　∴ S=320
따라서 큰 사면체의 옆넓이는 320 cm²이다.

06 두 직육면체의 닮음비가 2 : 3이므로 부피의 비는 8 : 27이다.
즉, 직육면체 A의 부피를 V cm³라 하면
8 : 27=V : 540　　∴ V=160
따라서 직육면체 A의 부피는 160 cm³이다.

---

07 수면의 높이와 그릇의 높이의 비가 1 : 2이므로 물의 부피와 그
릇의 부피의 비는 1³ : 2³=1 : 8
즉, 그릇의 부피를 x mL라 하면 25 : x=1 : 8　　∴ x=200
따라서 더 부어야 하는 물의 양은 200−25=175(mL)

08 두 종류의 수박은 서로 닮은 도형이고 닮음비는 지름의 길이의
비와 같으므로 21 : 28=3 : 4이므로 부피의 비는 27 : 64이다.
즉, 큰 수박의 가격을 x원이라 하면
27 : 64=5400 : x　　∴ x=12800
따라서 큰 수박의 가격은 12800원이다.

09 (축척)=$\dfrac{6}{300000}$=$\dfrac{1}{50000}$이므로 지도에서 두 지점 사이의 거
리를 x cm라 하면 1 : 50000=x : 400000　　∴ x=8

10 (축척)=$\dfrac{5}{12000}$=$\dfrac{1}{2400}$이므로
$\overline{AC}$=3×2400=7200(cm)=72(m)

11
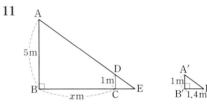

위의 그림과 같이 학교 건물의 벽면이 그림자를 가리지 않았다고
할 때, $\overline{AC}$의 연장선과 $\overline{BC}$의 연장선의 교점을 E라 하면
$\overline{CE}$=1.4(m)
즉, $\overline{AB}$: $\overline{DC}$=$\overline{BE}$: $\overline{CE}$이므로
5 : 1=(x+1.4) : 1.4, x+1.4=7　　∴ x=5.6

12 [단계 ❶] △AOD∽△COB(AA 닮음)이고 닮음비가
　　　　　　$\overline{AD}$: $\overline{CB}$=1 : 2이므로 넓이의 비는 1 : 4이다.
[단계 ❷] 1 : 4=△AOD : 12　　∴ △AOD=3(cm²)
[단계 ❸] $\overline{AO}$: $\overline{CO}$=1 : 2이고 △AOD와 △DOC의 높이가
　　　　　　같으므로
　　　　　　△AOD : △DOC=1 : 2　　∴ △DOC=6(cm²)
[단계 ❹] ∴ △ACD=3+6=9(cm²)

채점 기준	배점
❶ △AOD와 △COB의 넓이의 비 구하기	10 %
❷ △AOD의 넓이 구하기	40 %
❸ △DOC의 넓이 구하기	40 %
❹ △ACD의 넓이 구하기	10 %

13 상자 A 안에 들어 있는 구슬과 상자 B 안에 들어 있는 구슬 한

개의 반지름의 비는 $2 : 1$이므로 겉넓이의 비는
$2^2 : 1^2 = 4 : 1$이다. ...... ❶
두 상자 A, B 안에 들어 있는 구슬의 개수는 각각 1개, 8개이므로 두 상자에 들어 있는 구슬 전체의 겉넓이의 비는
$(4 \times 1) : (1 \times 8) = 1 : 2$ ...... ❷
따라서 상자 B 안에 들어 있는 구슬 전체의 겉넓이는
$2 \times 40 = 80 (\text{cm}^2)$ ...... ❸

채점 기준	배점
❶ 큰 구슬과 작은 구슬의 부피의 비 구하기	30 %
❷ 상자 A, B에 들어 있는 구슬 전체의 겉넓이의 비 구하기	40 %
❸ 작은 구슬 전체의 겉넓이 구하기	30 %

Ⅵ-2. 닮음의 활용 내·신·만·점·도·전·하·기

01 ⑤	02 ④	03 ①, ④	04 ④
05 ④	06 ③	07 ③	08 ③
09 96 cm²	10 12 cm²	11 ③	12 ③
13 6	14 6 cm	15 22.5°	16 12배
17 24	18 $\frac{10}{3}$ cm²	19 225 cm²	20 122 cm³

01 $5 : 3 = 6 : x$ ∴ $x = \frac{18}{5}$
$5 : 8 = y : 12$ ∴ $y = \frac{15}{2}$
∴ $xy = \frac{18}{5} \times \frac{15}{2} = 27$

02 △ABE에서 $\overline{AD} : \overline{DB} = \overline{AF} : \overline{FE} = 2 : 1$
△ABC에서 $\overline{AD} : \overline{DB} = \overline{AE} : \overline{EC} = 2 : 1$
$\overline{FE} = x$라 하면 $\overline{AF} = 2x$, $\overline{AE} = 3x$이므로 $\overline{CE} = \frac{3}{2}x$
∴ $\overline{AF} : \overline{FE} : \overline{EC} = 2x : x : \frac{3}{2}x = 4 : 2 : 3$

03 $\overline{AD} : \overline{DB} = \overline{AF} : \overline{FC} = 3 : 2$이므로
△ABC∽△ADF이고 $\overline{DF} /\!/ \overline{BC}$

04 점 I가 △ABC의 내심이므로 ∠BAD = ∠CAD
$\overline{AD}$가 ∠A의 이등분선이므로 $\overline{AB} : \overline{AC} = \overline{BD} : \overline{CD}$
$10 : \overline{AC} = 4 : 2$ ∴ $\overline{AC} = 5 (\text{cm})$
한편, ∠ABE = ∠CBE이므로 $\overline{BE}$가 ∠B의 이등분선이다.
즉, $\overline{BC} : \overline{BA} = \overline{CE} : \overline{AE} = 6 : 10 = 3 : 5$
∴ $\overline{AE} = \frac{5}{8}\overline{AC} = \frac{5}{8} \times 5 = \frac{25}{8} (\text{cm})$

05 $6 : 3 = x : 5$ ∴ $x = 10$
$9 : 3 = 12 : y$ ∴ $y = 4$
∴ $x + y = 14$

06 $\overline{PQ} = \overline{SR} = \frac{1}{2}\overline{AB} = \frac{1}{2} \times 10 = 5 (\text{cm})$,
$\overline{QR} = \overline{PS} = \frac{1}{2}\overline{CD} = \frac{1}{2} \times 10 = 5 (\text{cm})$이므로
(□PQRS의 둘레의 길이) $= \overline{PQ} + \overline{SR} + \overline{QR} + \overline{PS}$
$= 4 \times 5 = 20 (\text{cm})$

07 △ABD에서 $\overline{AD} = 2\overline{MP} = 8 (\text{cm})$
△ABC에서 $\overline{BC} = 2\overline{MQ} = 16 (\text{cm})$
∴ $\overline{AD} + \overline{BC} = 8 + 16 = 24 (\text{cm})$

08 $\overline{AG} : \overline{GD} = 2 : 1$이므로 $\overline{GD} = 3 (\text{cm})$
∴ $\overline{AD} = 6 + 3 = 9 (\text{cm})$
점 D가 △ABC의 외심이므로 $\overline{BD} = \overline{CD} = \overline{AD} = 9 (\text{cm})$
따라서 외접원의 둘레의 길이는 $2\pi \times 9 = 18\pi (\text{cm})$

09 대각선 BD를 그으면 점 P는 △ABD의 무게중심이므로
△ABD $= 3$△ABP $= 48 (\text{cm}^2)$
∴ □ABCD $= 2$△ABD $= 96 (\text{cm}^2)$

10 △ADF∽△AEG∽△ABC이고 닮음비는 $1 : 2 : 3$이므로 넓이의 비는 $1 : 4 : 9$이다.
즉, □DEGF : □EBCG $= (4-1) : (9-4) = 3 : 5$이므로
$3 : 5 = $□DEGF$: 20$ ∴ □DEGF $= 12 (\text{cm}^2)$

11 지름의 길이가 각각 30 cm, 45 cm인 두 피자의 닮음비는
$30 : 45 = 2 : 3$이므로 넓이의 비는 $4 : 9$이다.
지름의 길이가 45 cm인 피자의 가격을 x원이라 하면
$4 : 9 = 8000 : x$ ∴ $x = 18000$

12 그릇의 높이와 수면의 높이의 비가 $2 : 1$이므로 그릇과 5분 동안 채운 물의 부피의 비는 $8 : 1$이다. 따라서 물을 가득 채울 때까지 더 걸리는 시간을 x분이라고 하면
$5 : x = 1 : (8-1) = 1 : 7$ ∴ $x = 5 \times 7 = 35$

13 $\overline{AB} /\!/ \overline{CD} /\!/ \overline{EF}$, $\overline{BC} /\!/ \overline{DE}$이므로
△ABC∽△CDE, △BCD∽△DEF
$\overline{AB} : \overline{CD} = \overline{BC} : \overline{DE}$, $\overline{BC} : \overline{DE} = \overline{CD} : \overline{EF}$이므로
$\overline{AB} : \overline{CD} = \overline{CD} : \overline{EF}$
$4 : \overline{CD} = \overline{CD} : 9$, $\overline{CD}^2 = 4 \times 9 = 2^2 \times 3^2 = 6^2$ ∴ $\overline{CD} = 6$

14 △BAD와 △BCA에서 ∠B는 공통, ∠BAD = ∠BCA이므로

$\triangle BAD \circ \triangle BCA$(AA 닮음) ······ ❶

$\overline{BA} : \overline{BC} = \overline{AD} : \overline{CA}$이므로 $12 : 24 = \overline{AD} : 20$

$\therefore \overline{AD} = 10(\mathrm{cm})$ ······ ❷

$\overline{BA} : \overline{BC} = \overline{BD} : \overline{BA}$이므로 $12 : 24 = \overline{BD} : 12$

$\therefore \overline{BD} = 6(\mathrm{cm})$, $\overline{DC} = 18(\mathrm{cm})$ ······ ❸

$\triangle ADC$에서 $\overline{AD} : \overline{AC} = \overline{DE} : \overline{CE}$이므로

$10 : 20 = \overline{DE} : \overline{CE}$

$\therefore \overline{DE} = \dfrac{1}{3}\overline{DC} = 6(\mathrm{cm})$ ······ ❹

채점 기준	배점
❶ $\triangle BAD \circ \triangle BCA$임을 설명하기	30 %
❷ $\overline{AD}$의 길이 구하기	20 %
❸ $\overline{BD}$, $\overline{DC}$의 길이 구하기	20 %
❹ $\overline{DE}$의 길이 구하기	30 %

15 $\triangle ABD$에서 $\overline{AB} /\!/ \overline{PM}$이므로

$\angle PMD = \angle ABD = 35°$(동위각)

$\triangle BCD$에서 $\overline{MQ} /\!/ \overline{DC}$이므로

$\angle BMQ = \angle BDC = 80°$(동위각)

$\therefore \angle PMQ = \angle PMD + \angle DMQ = 35° + (180° - 80°) = 135°$

이때 $\overline{AB} = \overline{DC}$이고 $\overline{PM} = \dfrac{1}{2}\overline{AB}$, $\overline{MQ} = \dfrac{1}{2}\overline{DC}$이므로

$\overline{PM} = \overline{QM}$이다.

따라서 $\triangle PMQ$는 이등변삼각형이므로

$\angle MPQ = \dfrac{180° - 135°}{2} = 22.5°$

16 오른쪽 그림과 같이 점 D를 지나고 $\overline{BE}$와 평행한 직선이 $\overline{AC}$와 만나는 점을 F라 하면 $\overline{AF} = \overline{FE}$

$\triangle CFD$에서 $\overline{DF} = 2\overline{PE}$

$\triangle ABE$에서 $\overline{BE} = 2\overline{DF} = 4\overline{PE}$

$\therefore \overline{BE} : \overline{PE} = 4 : 1$

이때 $\overline{AE} = 2\overline{CE}$이므로 $\triangle BCE = \dfrac{1}{3}\triangle ABC$

$\triangle ABC = 3\triangle BCE = 3 \times 4\triangle PCE = 12\triangle PCE$

따라서 $\triangle ABC$의 넓이는 $\triangle PCE$의 넓이의 12배이다.

17 $\overline{AM} = \overline{MD} = \dfrac{1}{2}\overline{BC} = 10$ ······ ❶

점 P는 $\triangle ABD$의 무게중심이므로 $\overline{AP} : \overline{PO} = 2 : 1$

$\therefore \overline{AP} = \dfrac{2}{3}\overline{AO} = 6$ ······ ❷

$\square MBND$는 $\overline{MD} = \overline{BN}$, $\overline{MD} /\!/ \overline{BN}$이므로 평행사변형이다.

$\overline{BM} = \overline{ND} = 24$, $\overline{PM} = \dfrac{1}{3}\overline{BM} = 8$ ······ ❸

따라서 $\triangle APM$의 둘레의 길이는 $10 + 6 + 8 = 24$ ······ ❹

채점 기준	배점
❶ $\overline{AM}$의 길이 구하기	30 %
❷ $\overline{AP}$의 길이 구하기	30 %
❸ $\overline{PM}$의 길이 구하기	30 %
❹ $\triangle APM$의 둘레의 길이 구하기	10 %

18 $\triangle ABM = \triangle AMC = 15(\mathrm{cm}^2)$

$\triangle ABG : \triangle GBM = \overline{AG} : \overline{GM} = 2 : 1$이므로

$\triangle ABG = \dfrac{2}{3}\triangle ABM = 10(\mathrm{cm}^2)$

$\triangle ABM$에서 $\overline{AD} : \overline{DB} = 2 : 1$이므로

$\triangle ADG : \triangle DBG = 2 : 1$

$\therefore \triangle DBG = \dfrac{1}{3}\triangle ABG = \dfrac{10}{3}(\mathrm{cm}^2)$

이때 $\overline{DE} /\!/ \overline{BC}$이므로 $\triangle GDM = \triangle DBG = \dfrac{10}{3}(\mathrm{cm}^2)$

19 $\triangle ABC$, $\triangle GDP$, $\triangle HPE$, $\triangle PIF$는 닮은 도형이고,

$\overline{DP} = \overline{BI}$, $\overline{PE} = \overline{FC}$이다.

$\triangle GDP : \triangle PIF : \triangle HPE = 16 : 64 : 9 = 4^2 : 8^2 : 3^2$이므로

$\overline{BI} : \overline{IF} : \overline{FC} = 4 : 8 : 3$

즉, $\overline{BI} = 4k$, $\overline{IF} = 8k$, $\overline{FC} = 3k$라 하면 $\overline{BC} = 15k$

$\overline{BC} : \overline{BI} = 15 : 4$이므로

$\triangle ABC : \triangle GDP = 15^2 : 4^2 = 225 : 16$

$\therefore \triangle ABC = \dfrac{225}{16}\triangle GDP = 225(\mathrm{cm}^2)$

20 $\overline{EF} = \dfrac{1}{2} \times (12 + 8) = 10(\mathrm{cm})$ ······ ❶

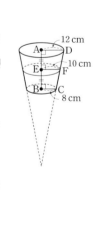

오른쪽 그림에서 세 원뿔은 서로 닮은 도형이고, 밑면인 원의 반지름의 길이의 비는 $6 : 5 : 4$이므로 부피의 비는 $216 : 125 : 64$이다. ······ ❷

이때 컵과 물의 부피의 비는 $(216 - 64) : (125 - 64) = 152 : 61$ ······ ❸

따라서 물의 부피를 $V \, \mathrm{cm}^3$라 하면

$152 : 61 = 304 : V$

$\therefore V = 122$

따라서 물의 부피는 $122 \, \mathrm{cm}^3$이다. ······ ❹

채점 기준	배점
❶ $\overline{EF}$의 길이 구하기	40 %
❷ 세 원뿔의 부피의 비 구하기	20 %
❸ 컵과 물의 부피의 비 구하기	20 %
❹ 물의 부피 구하기	20 %

01 ②	02 20 cm²	03 ③	04 ④
05 ④	06 6	07 25 cm²	08 5 cm
09 ⑤	10 ①	11 4 cm	12 9, 41
13 25	14 48 cm²		

01 $\triangle ABC$에서 $\overline{AC}^2=12^2+9^2=225=15^2$

   $\therefore \overline{AC}=15\ (\because \overline{AC}>0)$

   $\triangle ACD$에서 $\overline{AD}^2=15^2+8^2=289=17^2$

   $\therefore \overline{AD}=17\ (\because \overline{AD}>0)$

02 $\triangle ABC$에서 $4^2+\overline{AC}^2=6^2$, $\overline{AC}^2=36-16=20$

   $\therefore \square ACDE=\overline{AC}^2=20\ (cm^2)$

03 오른쪽 그림과 같이 점 A를 지나고
   x축에 평행한 직선과 점 B를 지나고
   y축에 평행한 직선이 만나는 점을 H라
   하면 삼각형 AHB는 $\angle H=90°$인 직
   각삼각형이다.

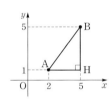

   $\overline{AH}=5-2=3$, $\overline{BH}=5-1=4$

   직각삼각형 AHB에서 $\overline{AB}^2=\overline{AH}^2+\overline{BH}^2$이므로

   $\overline{AB}^2=3^2+4^2=9+16=25=5^2$

   $\therefore \overline{AB}=5\ (\because \overline{AB}>0)$

04 $\overline{AB}^2=8^2+6^2=100=10^2$ $\therefore \overline{AB}=10\ cm\ (\because \overline{AB}>0)$

   점 M은 $\triangle ABC$의 빗변의 중점이므로 외심이다.

   즉, $\overline{AM}=\overline{BM}=\overline{CM}$이므로

   $\overline{CM}=\dfrac{1}{2}\overline{AB}=\dfrac{1}{2}\times 10=5\ (cm)$

05 오른쪽 그림과 같이 꼭짓점 D에서
   $\overline{BC}$의 연장선에 내린 수선의 발을 H
   라 하면

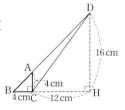

   $\overline{DH}=4\overline{AC}=4\times 4=16\ (cm)$,

   $\overline{CH}=3\overline{BC}=3\times 4=12\ (cm)$

   따라서 $\triangle CHD$에서

   $\overline{CD}^2=12^2+16^2=400=20^2$

   $\therefore \overline{CD}=20\ cm\ (\because \overline{CD}>0)$

06 $\triangle ABC$에서 $\overline{AC}^2=x^2+x^2=2x^2$

   $\triangle ACD$에서 $\overline{AD}^2=\overline{AC}^2+\overline{CD}^2=2x^2+x^2=3x^2$

   따라서 $\triangle ADE$에서

   $\overline{AE}^2=\overline{AD}^2+\overline{DE}^2=3x^2+x^2=4x^2=144$

   $x^2=36$ $\therefore x=6\ (\because x>0)$

07 $\triangle AEH\equiv\triangle BFE\equiv\triangle CGF\equiv\triangle DHG\ (SAS\ 합동)$이므로
   $\square EFGH$는 정사각형이다.

   $\therefore \overline{AH}=\overline{AD}-\overline{DH}=7-4=3\ (cm)$

   $\triangle AEH$에서 $\overline{EH}^2=4^2+3^2=25=5^2$

   $\therefore \overline{EH}=5\ cm\ (\because \overline{EH}>0)$

   $\therefore \square EFGH=5^2=25\ (cm^2)$

   [다른 풀이]

   $\triangle AEH\equiv\triangle BFE\equiv\triangle CGF\equiv\triangle DHG\ (SAS\ 합동)$이므로
   $\square EFGH$는 정사각형이다.

   $\therefore \square EFGH=\square ABCD-4\times\triangle AEH$

          $=7^2-4\times\dfrac{1}{2}\times 4\times 3=25\ (cm^2)$

08 $\triangle ABC$에서 $\overline{AB}^2=\overline{CA}^2+\overline{BC}^2$이므로

   $\square AFGB=\square EACD+\square CBHI$

   즉, $41=\square EACD+16$이므로 $\square EACD=25\ cm^2$

   따라서 $\square EACD=\overline{AC}^2=25=5^2$이므로

   $\overline{AC}=5\ cm\ (\because \overline{AC}>0)$

09 $\overline{BC}=10\ cm$이므로 $\square BFGC$의 넓이는 $100\ cm^2$이다.

   이때 $\square BFML=64\ cm^2$이므로

   $\square LMGC=100-64=36\ (cm^2)$

   이때, $\square ACHI=\square LMGC=36\ cm^2$이므로

   $\triangle BCH=\triangle ACH=\dfrac{1}{2}\times\square ACHI=18\ (cm^2)$

10 $\triangle ABE$에서 $\overline{BE}^2=5^2-4^2=9=3^2$

   $\therefore \overline{BE}=3\ cm\ (\because \overline{BE}>0)$

   $\square ABCD=4\times\triangle ABE+\square EFGH$

   $5^2=4\times\left(\dfrac{1}{2}\times 3\times 4\right)+\square EFGH$

   $\therefore \square EFGH=25-24=1\ (cm^2)$

11 $\overline{BD}=\overline{AB}-\overline{AD}=\overline{AB}-\overline{ED}=8-5=3\ (cm)$

   $\triangle BED$에서 $\overline{BE}^2=5^2-3^2=16=4^2$

   $\therefore \overline{BE}=4\ cm\ (\because \overline{BE}>0)$

   $\therefore \overline{EC}=\overline{BC}-\overline{BE}=8-4=4\ (cm)$

12 (i) x가 가장 긴 변의 길이일 때

     $x^2=4^2+5^2=41$

   (ii) 5가 가장 긴 변의 길이일 때

     $4^2+x^2=5^2$ $\therefore x^2=25-16=9$

   (i), (ii)에 의하여 구하는 x^2의 값은 9, 41이다.

13 [단계 ❶] $\triangle ACD$에서
$$\overline{CD}^2=17^2-15^2=64=8^2$$
$$\therefore \overline{CD}=8 \ (\because \overline{CD}>0)$$
[단계 ❷] $\overline{BD}=\overline{BC}-\overline{CD}=28-8=20$
[단계 ❸] $\triangle ABD$에서 $\overline{AB}^2=20^2+15^2=625=25^2$
$$\therefore \overline{AB}=25 \ (\because \overline{AB}>0)$$

채점 기준	배점
❶ $\overline{CD}$의 길이 구하기	30 %
❷ $\overline{BD}$의 길이 구하기	30 %
❸ $\overline{AB}$의 길이 구하기	40 %

14 점 A에서 $\overline{BC}$에 내린 수선의 발을 H라 하면 $\triangle ABC$가 이등변삼각형이므로 $\overline{AH}\perp\overline{BC}$이고

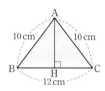

$$\overline{BH}=\frac{1}{2}\times\overline{BC}$$
$$=\frac{1}{2}\times 12=6(cm) \quad\cdots\cdots ❶$$
$\triangle ABH$에서
$$\overline{AH}^2=10^2-6^2=64=8^2$$
$$\therefore \overline{AH}=8 \ cm \ (\because \overline{AH}>0) \quad\cdots\cdots ❷$$
$$\therefore \triangle ABC=\frac{1}{2}\times 12\times 8=48(cm^2) \quad\cdots\cdots ❸$$

채점 기준	배점
❶ $\overline{BH}$의 길이 구하기	40 %
❷ $\overline{AH}$의 길이 구하기	40 %
❸ $\triangle ABC$의 넓이 구하기	20 %

---

11. 피타고라스 정리와 도형

122~123쪽

01 ④	02 ②	03 ①, ②	04 $\frac{36}{5}$ cm
05 ②	06 100	07 ⑤	08 ②
09 ④	10 ②	11 ③	12 15 cm^2
13 24 cm^2	14 10 cm		

01 ① $6^2>3^2+4^2$ (둔각삼각형)
② $6^2>4^2+4^2$ (둔각삼각형)
③ $8^2>4^2+6^2$ (둔각삼각형)
④ $9^2<7^2+8^2$ (예각삼각형)
⑤ $13^2=5^2+12^2$ (직각삼각형)

02 ㄱ. $6^2<4^2+5^2$ (예각삼각형)
ㄴ. $7^2<4^2+6^2$ (예각삼각형)
ㄷ. $12^2>5^2+10^2$ (둔각삼각형)
ㄹ. $17^2=8^2+15^2$ (직각삼각형)
ㅁ. $20^2>7^2+14^2$ (둔각삼각형)
따라서 둔각삼각형은 ㄷ, ㅁ의 2개이다.

03 삼각형이 되려면
$$7-6<a<7 \quad\therefore 1<a<7$$
$\angle C$가 둔각이 되려면
$$7^2>a^2+6^2, \ 49>a^2+36 \quad\therefore a^2<13$$
① $2^2=4<13$ ② $3^2=9<13$ ③ $4^2=16>13$
④ $5^2=25>13$ ⑤ $6^2=36>13$
따라서 $\angle C$가 둔각이 되기 위한 a의 값은 ①, ②이다.

04 $\triangle ABC$에서 $\overline{AC}^2=15^2-9^2=144=12^2$
$$\therefore \overline{AC}=12 \ cm \ (\because \overline{AC}>0)$$
$\overline{AB}\times\overline{AC}=\overline{BC}\times\overline{AH}$이므로 $9\times 12=15\times\overline{AH}$
$$\therefore \overline{AH}=\frac{36}{5} \ cm$$

05 $\overline{DE}^2+\overline{BC}^2=\overline{BE}^2+\overline{DC}^2$이므로
$$3^2+\overline{BC}^2=4^2+6^2, \ 9+\overline{BC}^2=16+36$$
$$\therefore \overline{BC}^2=43$$

06 $\overline{AB}^2+\overline{CD}^2=\overline{AD}^2+\overline{BC}^2$
$$=6^2+8^2=100$$

07 $\overline{CD}^2=6^2+8^2=10^2$
$\overline{AB}^2+\overline{CD}^2=\overline{BC}^2+\overline{AD}^2$이므로
$$x^2+10^2=7^2+11^2 \quad\therefore x^2=70$$

08 $\overline{PA}^2+\overline{PC}^2=\overline{PB}^2+\overline{PD}^2$이므로
$$\overline{PB}^2-\overline{PC}^2=\overline{PA}^2-\overline{PD}^2=6^2-2^2=32$$

09 다음 그림과 같이 직사각형 EFGH를 오려내고 색칠된 두 부분을 붙이면 두 점 P, Q가 만나 새로운 직사각형 ABCD가 된다.

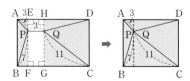

$\square ABCD$에서 $3^2+11^2=7^2+\overline{DQ}^2$, $\overline{DQ}^2=81$
$$\therefore \overline{DQ}=9 \ (\because \overline{DQ}>0)$$

10 오른쪽 그림과 같이 $\overline{PQ}$와 평행하게 $\overline{P'D}$를 그어 대각선 AC와 만나는 점을 R라 하면 △ACD에서

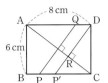

$\overline{AC}^2=8^2+6^2=100$

$\therefore \overline{AC}=10$ cm ($\because \overline{AC}>0$)

$\overline{AD}\times\overline{CD}=\overline{AC}\times\overline{DR}$이므로

$8\times6=10\times\overline{DR}$　　$\therefore \overline{DR}=\dfrac{24}{5}$ cm

△CDP′에서 $\overline{CD}^2=\overline{DR}\times\overline{DP'}$이므로

$6^2=\dfrac{24}{5}\times\overline{DP'}$　　$\therefore \overline{DP'}=\dfrac{15}{2}$ cm

이때 □QPP′D는 평행사변형이므로 $\overline{PQ}=\overline{DP'}=\dfrac{15}{2}$ cm

11 $P+Q$의 값은 $\overline{BC}$를 지름으로 하는 반원의 넓이와 같으므로

$P+Q=\dfrac{1}{2}\times\pi\times\left(\dfrac{1}{2}\overline{BC}\right)^2$

$\quad\quad\quad=\dfrac{1}{2}\times\pi\times6^2=18\pi(\text{cm}^2)$

12 오른쪽 그림에서 $S_1+S_2=\triangle ABC$, $S_3+S_4=\triangle ACD$이므로

(색칠한 부분의 넓이)

$=\triangle ABC+\triangle ACD$

$=\square ABCD=3\times5=15(\text{cm}^2)$

13 [단계 ❶] △ABE≡△CDB이므로 $\overline{EB}=\overline{BD}$

또, ∠AEB=∠CBD, ∠ABE=∠CDB이므로

∠ABE+∠CBD=90°

즉, △BDE는 $\overline{EB}=\overline{BD}$이고 ∠EBD=90°인 직각이등변삼각형이다. $\overline{BE}=\overline{BD}=a$ cm라 하면

$\dfrac{1}{2}\times a\times a=50$, $a^2=100$　　$\therefore a=10$ ($\because a>0$)

[단계 ❷] △ABE에서 $\overline{BE}=10$ cm이므로

$\overline{AE}^2=10^2-8^2=36=6^2$

$\therefore \overline{AE}=6$ cm ($\because \overline{AE}>0$)

[단계 ❸] $\therefore \triangle ABE=\dfrac{1}{2}\times8\times6=24(\text{cm}^2)$

채점 기준	배점
❶ $\overline{BE}$의 길이 구하기	40 %
❷ $\overline{AE}$의 길이 구하기	30 %
❸ △ABE의 넓이 구하기	30 %

14 (색칠한 부분의 넓이)=△ABC이므로

$\triangle ABC=\dfrac{1}{2}\times6\times\overline{AC}=24(\text{cm}^2)$

$\therefore \overline{AC}=8$ cm　　　　　$\cdots\cdots$ ❶

$\therefore \overline{BC}^2=6^2+8^2=100=10^2$

$\therefore \overline{BC}=10$ cm ($\because \overline{BC}>0$)　　$\cdots\cdots$ ❷

채점 기준	배점
❶ $\overline{AC}$의 길이 구하기	50 %
❷ $\overline{BC}$의 길이 구하기	50 %

Ⅵ. 도형의 닮음　내·신·만·점·도·전·하·기　124~125쪽

01 ②　　**02** ④　　**03** ④　　**04** ⑤

05 ③　　**06** ④　　**07** ⑤　　**08** 22

09 $\dfrac{8}{3}$ cm²　　**10** $\dfrac{9}{4}$ cm　　**11** 13 cm

01 △BCD에서 $\overline{BD}^2=9^2+12^2=225=15^2$

$\therefore \overline{BD}=15$ ($\because \overline{BD}>0$)

02 △ADC에서 $\overline{CD}^2=5^2-4^2=9=3^2$

$\therefore \overline{CD}=3$ ($\because \overline{CD}>0$)

$\therefore \overline{BD}=10-3=7$

03 $\overline{OA}^2=2^2+2^2=8$　　$\therefore \overline{OA'}^2=\overline{OA}^2=8$

$\overline{OB}^2=8+2^2=12$　　$\therefore \overline{OB'}^2=\overline{OB}^2=12$

$\overline{OC}^2=12+2^2=16=4^2$　　$\therefore \overline{OC}=4$ ($\because \overline{OC}>0$)

즉, $\overline{OC'}=\overline{OC}=4$이므로 점 D의 좌표는 (4, 2)이다.

04 $\overline{BC}=13$ cm이므로 □BFGC$=13^2=169(\text{cm}^2)$

이때 □LMGC$=25$ cm²이므로

□BFML$=169-25=144$ cm²

즉, □ADEB=□BFML$=144(\text{cm}^2)$이므로

$\triangle BCE=\triangle BAE=\dfrac{1}{2}\times\square ADEB=\dfrac{1}{2}\times144=72(\text{cm}^2)$

05 △APS≡△BQP≡△CRQ≡△DSR (SAS 합동)이므로 □PQRS는 정사각형이다.

$\overline{AS}=\overline{BP}=8-3=5(\text{cm})$이므로 △APS에서

$\overline{PS}^2=3^2+5^2=34$

$\therefore \square PQRS=\overline{PS}^2=34(\text{cm}^2)$

06 $\overline{BD}^2=12^2+16^2=400=20^2$　　$\therefore \overline{BD}=20$ cm ($\because \overline{BD}>0$)

∠EBF=∠DBC (접은 각),

∠EDB=∠DBC ($\overline{AD}\,/\!/\,\overline{BC}$)에서

∠EBF=∠EDF이므로 $\overline{BE}=\overline{ED}$, $\overline{BF}=\overline{DF}$

$\therefore \overline{BF}=\dfrac{1}{2}\overline{BD}=10 \text{ cm}$

$\triangle BEF \varpropto \triangle BDC'$ (AA 닮음)이므로

$\overline{BF}:\overline{EF}=\overline{BC}:\overline{DC'}, \ 10:\overline{EF}=16:12$

$\therefore \overline{EF}=\dfrac{1}{16}\times 10 \times 12=\dfrac{15}{2}=7.5(\text{cm})$

07 $\triangle ABC$에서 $\overline{AC}^2=13^2-12^2=25=5^2$

$\therefore \overline{AC}=5 \text{ cm} \ (\because \overline{BD}>0)$

$\therefore$ (색칠한 부분의 넓이)$=\triangle ABC=\dfrac{1}{2}\times 12 \times 5=30(\text{cm}^2)$

08 $\overline{AO}^2=3^2+4^2=5^2$

$\therefore \overline{AO}=5 \ (\because \overline{AO}>0)$

$\overline{BO}^2=8^2+15^2=17^2$

$\therefore \overline{BO}=17 \ (\because \overline{BO}>0)$

$\therefore \overline{AO}+\overline{BO}=5+17=22$

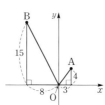

09 $\triangle FBC$에서 $\overline{FB}^2=10^2-8^2=36=6^2$

$\therefore \overline{FB}=6 \text{ cm} \ (\because \overline{FB}>0)$

$\therefore \overline{AF}=8-6=2(\text{cm})$

$\triangle AEF \varpropto \triangle BCF$ (AA 닮음)이고, $\overline{AF}:\overline{BF}=1:3$이므로

$\triangle AEF : \triangle BCF=1:9$

$\therefore \triangle AEF=\dfrac{1}{9}\triangle BCF=\dfrac{1}{9}\times\dfrac{1}{2}\times 8 \times 6=\dfrac{8}{3}(\text{cm}^2)$

10 $\triangle ABD$에서 $\overline{BD}^2=3^2+4^2=25=5^2$

$\therefore \overline{BD}=5 \text{ cm} \ (\because \overline{BD}>0)$

$\overline{AB}^2=\overline{BE}\times\overline{BD}$이므로 $3^2=\overline{BE}\times 5$

$\therefore \overline{BE}=\dfrac{9}{5}\text{ cm}$ ...... ❶

$\therefore \overline{ED}=5-\dfrac{9}{5}=\dfrac{16}{5} (\text{cm})$ ...... ❷

$\triangle AED \varpropto \triangle FEB$이고 $\overline{ED}:\overline{BE}=\dfrac{16}{5}:\dfrac{9}{5}=16:9$이므로

$16:9=\overline{AD}:\overline{BF}, \ 16:9=4:\overline{BF}$

$\therefore \overline{BF}=\dfrac{9}{4}\text{ cm}$ ...... ❸

채점 기준	배점
❶ $\overline{BD}$, $\overline{BE}$의 길이 구하기	40 %
❷ $\overline{ED}$의 길이 구하기	20 %
❸ $\overline{BF}$의 길이 구하기	40 %

11 구하는 최단 거리는 오른쪽 그림의 전개도에서 $\overline{AH}$의 길이이다.

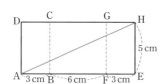

$\therefore \overline{AH}^2=(\overline{AB}+\overline{BF}+\overline{FE})^2+\overline{EH}^2$

$=(3+6+3)^2+5^2=12^2+5^2=13^2$

$\therefore \overline{AH}=13 \text{ cm} \ (\because \overline{AH}>0)$

126~127쪽

12. 경우의 수

01 ③	02 ③	03 ④	04 ⑤
05 ②	06 ⑤	07 ①	08 ②
09 ⑤	10 ⑤	11 ⑤	12 ④
13 ①	14 31	15 41개	

01 학용품 값 400원을 지불하는 방법은 다음과 같다.

	100원짜리(개)	50원짜리(개)	10원짜리(개)
(i)	4	0	0
(ii)	3	2	0
(iii)	3	1	5
(iv)	2	4	0
(v)	2	3	5
(vi)	1	5	5

따라서 학용품 값 400원을 지불하는 경우의 수는 6이다.

02 눈의 수의 합이 5인 경우의 수는

$(1,4),(2,3),(3,2),(4,1)$의 4,

눈의 수의 합이 7인 경우의 수는

$(1,6),(2,5),(3,4),(4,3),(5,2),(6,1)$의 6

이므로 구하는 경우의 수는 $4+6=10$

03 5종류의 티셔츠에 각각의 바지를 짝짓는 방법이 4가지이므로 구하는 경우의 수는 $5\times 4=20$

04 $5\times 4 \times 3 \times 2 \times 1=120$(가지)

05 (4명이 한 줄로 서는 경우의 수)$\times\dfrac{1}{2}$

$=4\times 3 \times 2 \times 1 \times\dfrac{1}{2}=12$

06 수학 참고서 5권과 영어 참고서 3권을 각각 한 묶음으로 생각하면 2묶음의 순서를 정하는 방법은 2가지이다.

이때 수학 참고서를 꽂는 방법은 $5\times 4 \times 3 \times 2 \times 1=120$(가지),

영어 참고서를 꽂는 방법은 $3\times 2 \times 1=6$(가지)

따라서 구하는 방법의 수는 $2\times 120 \times 6=1440$

07 십의 자리에 올 수 있는 숫자는 0을 제외한 4가지이고, 일의 자리에 올 수 있는 숫자는 십의 자리에 오는 숫자를 제외한 4가지이다.

따라서 10 이상의 정수는 $4 \times 4 = 16$(개)

08 일의 자리에 올 수 있는 숫자는 1, 3의 2가지, 백의 자리에 올 수 있는 숫자는 0과 일의 자리에 오는 숫자를 제외한 3가지, 십의 자리에 올 수 있는 숫자는 백의 자리와 일의 자리에 오는 숫자를 제외한 3가지이다.

따라서 홀수는 $2 \times 3 \times 3 = 18$(개)

09 $6 \times 5 \times 4 = 120$

10 수학 참고서 5권 중에서 2권을 선택하는 경우의 수는

$$\frac{5 \times 4}{2} = 10$$

영어 참고서 4권 중에서 2권을 선택하는 경우의 수는

$$\frac{4 \times 3}{2} = 6$$

따라서 구하는 경우의 수는 $10 \times 6 = 60$

11 각 역마다 모두 14가지의 표를 발행해야 한다.

$\therefore 15 \times 14 = 210$(가지)

12 전체 농구팀의 수를 n이라 하면 경기 수 45는 n개의 팀 중에서 순서에 관계없이 두 팀을 뽑는 경우의 수와 같으므로

$$\frac{n \times (n-1)}{2} = 45, \ n \times (n-1) = 90 \qquad \therefore n = 10$$

13 D, E가 이웃하고 D가 E 뒤에 있으므로 (E, D)를 한 묶음으로 생각하여 A, B, C, E D를 한 줄로 세우면 된다.

따라서 구하는 경우의 수는 $4 \times 3 \times 2 \times 1 = 24$

14 [단계 ❶] A시에서 B시를 거쳐 D시로 가는 경우의 수는

$4 \times 2 = 8$

[단계 ❷] A시에서 C시를 거쳐 D시로 가는 경우의 수는

$3 \times 1 = 3$

[단계 ❸] A시에서 B시와 C시를 차례로 거쳐 D시로 가는 경우의 수는 $4 \times 2 \times 1 = 8$

[단계 ❹] A시에서 C시와 B시를 차례로 거쳐 D시로 가는 경우의 수는 $3 \times 2 \times 2 = 12$

[단계 ❺] 따라서 구하는 경우의 수는 $8 + 3 + 8 + 12 = 31$

채점 기준	배점
❶ A시에서 B시를 거쳐 D시로 가는 경우의 수 구하기	20 %
❷ A시에서 C시를 거쳐 D시로 가는 경우의 수 구하기	20 %
❸ A시에서 B시와 C시를 차례로 거쳐 D시로 가는 경우의 수 구하기	20 %
❹ A시에서 C시와 B시를 차례로 거쳐 D시로 가는 경우의 수 구하기	20 %
❺ A시에서 D시로 가는 경우의 수 구하기	20 %

15 (i) 42□인 경우 : 1개 ······ ❶

(ii) 424보다 크고, 4□□인 경우 : $3 \times 5 = 15$(개) ······ ❷

(iii) 5□□인 경우 : $5 \times 5 = 25$(개) ······ ❸

(i), (ii), (iii)에서 424보다 큰 정수의 개수는

$1 + 15 + 25 = 41$(개) ······ ❹

채점 기준	배점
❶ 42□인 수의 개수 구하기	20 %
❷ 4□□인 수의 개수 구하기	30 %
❸ 5□□인 수의 개수 구하기	30 %
❹ 424보다 큰 정수의 개수 구하기	20 %

13. 확률 128~129쪽

01 ②	02 ⑤	03 ⑤	04 ⑤
05 ④	06 ②	07 ③	08 ①
09 ②	10 ⑤	11 ①	12 ①
13 $\frac{19}{40}$	14 $\frac{1}{4}$	15 $\frac{1}{9}$	

01 모든 경우의 수는 $4 \times 4 = 16$이고,

밑면에 적힌 수의 합이 6인 경우의 수는

$(2, 4), (3, 3), (4, 2)$의 3이므로

구하는 확률은 $\frac{3}{16}$이다.

02 ⑤ 한 개의 주사위를 던져 홀수의 눈이 나올 확률은 $\frac{1}{2}$이므로

$$\frac{1}{2} \times \frac{1}{2} = \frac{1}{4}$$

03 모든 경우의 수는 36이고, 눈의 수의 차가 1인 경우의 수는

$(1, 2), (2, 3), (3, 4), (4, 5), (5, 6), (6, 5), (5, 4),$

$(4, 3), (3, 2), (2, 1)$의 10이다.

따라서 구하는 확률은

$1 - (눈의 수의 차가 1일 확률) = 1 - \frac{10}{36} = \frac{26}{36} = \frac{13}{18}$

04 동전 3개를 동시에 던질 때,

모든 경우의 수는 8이고, 모두 같은 면이 나오는 경우는

모두 앞면이 나오는 경우와 모두 뒷면이 나오는 경우의 2가지이다.

따라서 구하는 확률은

$1 - (모두 같은 면이 나올 확률) = 1 - \frac{2}{8} = \frac{6}{8} = \frac{3}{4}$

05 흰 공을 꺼낼 확률은 $\dfrac{3}{12}$, 붉은 공을 꺼낼 확률은 $\dfrac{5}{12}$이므로

흰 공 또는 붉은 공을 꺼낼 확률은

$\dfrac{3}{12}+\dfrac{5}{12}=\dfrac{8}{12}=\dfrac{2}{3}$이다.

06 모든 경우의 수는 36이고, 두 눈의 수의 차가 3인 경우의 수는

$(1,4),(2,5),(3,6),(4,1),(5,2),(6,3)$의 6,

두 눈의 수의 차가 5인 경우의 수는 $(1,6)$ $(6,1)$의 2이다.

따라서 구하는 확률은

$\dfrac{6}{36}+\dfrac{2}{36}=\dfrac{8}{36}=\dfrac{2}{9}$

07 두 자리의 자연수를 만들 수 있는 모든 경우의 수는 16이고,

20 미만인 자연수는 10, 12, 13, 14의 4개

40보다 큰 자연수는 41, 42, 43의 3개이다.

따라서 구하는 확률은 $\dfrac{4}{16}+\dfrac{3}{16}=\dfrac{7}{16}$

[다른 풀이]

20 이상 40 이하의 수는 2□인 경우가 4개, 3□인 경우가 4개,

4□인 경우가 1개로 총 9개이다.

따라서 구하는 확률은

$1-$(20 이상 40 이하인 수가 나올 확률)

$=1-\dfrac{9}{16}=\dfrac{7}{16}$

08 두 사람이 가위바위보를 할 때, 모든 경우의 수는 $3\times3=9$이고

오성이가 이길 확률은 $\dfrac{1}{3}$, 서로 비길 확률은 $\dfrac{1}{3}$이다.

따라서 구하는 확률은 $\dfrac{1}{3}\times\dfrac{1}{3}=\dfrac{1}{9}$

09 A주머니에서 검은 공을 꺼낼 확률은 $\dfrac{4}{6}=\dfrac{2}{3}$,

B주머니에서 검은 공을 꺼낼 확률은 $\dfrac{3}{6}=\dfrac{1}{2}$이다.

따라서 구하는 확률은 $\dfrac{2}{3}\times\dfrac{1}{2}=\dfrac{1}{3}$

10 갑과 을이 모두 틀릴 확률은

$\left(1-\dfrac{4}{7}\right)\times\left(1-\dfrac{5}{6}\right)=\dfrac{3}{7}\times\dfrac{1}{6}=\dfrac{1}{14}$

따라서 구하는 확률은 $1-\dfrac{1}{14}=\dfrac{13}{14}$

11 (i) 첫째 날은 지각하고 둘째 날은 지각하지 않을 확률은

$\dfrac{1}{6}\times\dfrac{5}{6}=\dfrac{5}{36}$

(ii) 첫째 날은 지각하지 않고 둘째 날은 지각할 확률은

$\dfrac{5}{6}\times\dfrac{1}{6}=\dfrac{5}{36}$

따라서 구하는 확률은

$\dfrac{5}{36}+\dfrac{5}{36}=\dfrac{10}{36}=\dfrac{5}{18}$

12 (i) 불량품이 A상자 제품일 확률 : $\dfrac{1}{2}\times\dfrac{6}{200}=\dfrac{3}{200}$

(ii) 불량품이 B상자 제품일 확률 : $\dfrac{1}{2}\times\dfrac{1}{20}=\dfrac{1}{40}$

따라서 구하는 확률은 $\dfrac{3}{200}+\dfrac{1}{40}=\dfrac{8}{200}=\dfrac{1}{25}$

13 (i) 모두 흰 공일 확률 : $\dfrac{5}{8}\times\dfrac{4}{10}=\dfrac{1}{4}$

(ii) 모두 검은 공일 확률 : $\dfrac{3}{8}\times\dfrac{6}{10}=\dfrac{9}{40}$

따라서 구하는 확률은 $\dfrac{1}{4}+\dfrac{9}{40}=\dfrac{19}{40}$

14 [단계 ❶] 동전을 4번 던지므로 모든 경우의 수는 $2^4=16$이다.

[단계 ❷] 동전의 앞면을 H, 뒷면을 T라 하면 점 P가 -1의 위치에 있는 경우는 앞면이 1번, 뒷면이 3번 나오는 경우는 다음과 같이 4가지이다.

(H, T, T, T), (T, H, T, T),

(T, T, H, T), (T, T, T, H)

[단계 ❸] 따라서 구하는 확률은 $\dfrac{4}{16}=\dfrac{1}{4}$이다.

채점 기준	배점
❶ 모든 경우의 수 구하기	30 %
❷ 점 P가 -1에 위치하는 경우의 수 구하기	50 %
❸ 점 P가 -1에 위치할 확률 구하기	20 %

15 세 사람이 가위바위보를 할 때, 모든 경우의 수는 $3\times3\times3=27$

(i) A가 가위를 내고 B, C가 바위를 낼 확률은

$\dfrac{1}{3}\times\dfrac{1}{3}\times\dfrac{1}{3}=\dfrac{1}{27}$ ······ ❶

(ii) A가 바위를 내고 B, C가 보를 낼 확률은

$\dfrac{1}{3}\times\dfrac{1}{3}\times\dfrac{1}{3}=\dfrac{1}{27}$ ······ ❷

(iii) A가 보를 내고 B, C가 가위를 낼 확률은

$\dfrac{1}{3}\times\dfrac{1}{3}\times\dfrac{1}{3}=\dfrac{1}{27}$ ······ ❸

(i), (ii), (iii)에서 구하는 확률은

$\dfrac{1}{27}+\dfrac{1}{27}+\dfrac{1}{27}=\dfrac{3}{27}=\dfrac{1}{9}$ ······ ❹

채점 기준	배점
❶ A가 가위, B와 C는 바위를 낼 확률 구하기	30 %
❷ A가 바위, B와 C는 보를 낼 확률 구하기	30 %
❸ A가 보, B와 C는 가위를 낼 확률 구하기	30 %
❹ A가 술래가 될 확률 구하기	10 %

130～133쪽

01 ②	**02** ①	**03** ①	**04** ④
05 ④	**06** ③	**07** ④	**08** ⑤
09 ⑤	**10** ③	**11** ①	**12** ①
13 ②	**14** ⑤	**15** ③	**16** ③
17 20	**18** 30	**19** 20	**20** 89
21 $\dfrac{1}{6}$	**22** 5개	**23** $\dfrac{5}{18}$	**24** $\dfrac{1}{4}$

01 두 개의 바구니에 공을 담는 개수를 순서쌍으로 나타내면
$(1, 6), (2, 5), (3, 4), (4, 3), (5, 2), (6, 1)$의 6가지이다.

02 순서쌍 (x, y)는 $(1, 6), (3, 3)$의 2가지이다.

03 ㄱ이 처음에 오는 경우는 다음과 같이 4가지이다.

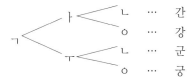

ㄴ이 처음에 오는 경우도 4가지이므로
9번째 글자는 ㅇ으로 시작하는 첫 번째 글자로
ㅇ－ㅏ－ㄱ의 「악」이다.

04 각 부부를 한 묶음으로 생각하여
세 묶음을 일렬로 배열하는 경우의 수는 $3 \times 2 \times 1 = 6$,
각각의 부부가 자리를 바꾸는 경우가 2가지씩이므로
구하는 경우의 수는 $6 \times 2 \times 2 \times 2 = 48$

05 (ⅰ) 34□인 경우 : 3개
(ⅱ) 35□인 경우 : 3개
(ⅲ) 4□□인 경우 : $4 \times 3 = 12$(개)
(ⅳ) 5□□인 경우 : $4 \times 3 = 12$(개)
따라서 340 이상인 정수의 개수는
$3 + 3 + 12 + 12 = 30$(개)

06 세 자리의 정수가 짝수이려면 일의 자리에 0, 2, 4가 오면 된다.
(ⅰ) □□0인 경우 : $4 \times 3 = 12$(개)
(ⅱ) □□2인 경우 : $3 \times 3 = 9$(개)
(ⅲ) □□4인 경우 : $3 \times 3 = 9$(개)
따라서 짝수의 개수는
$12 + 9 + 9 = 30$(개)

07 $\dfrac{7 \times 6 \times 5}{3 \times 2 \times 1} = 35$(개)

08 남학생 중에서 회장 1명을 뽑는 경우의 수는 5이고,
여학생 중에서 부회장 1명, 총무 1명을 뽑는 경우의 수는
$4 \times 3 = 12$
따라서 구하는 경우의 수는 $5 \times 12 = 60$

09 모든 경우의 수는 $\dfrac{4 \times 3 \times 2}{3 \times 2 \times 1} = 4$이고,
삼각형이 만들어지는 경우는 $(3, 4, 5), (3, 5, 7), (4, 5, 7)$의
3가지이므로 구하는 확률은 $\dfrac{3}{4}$

10 모든 경우의 수는 $6 \times 6 = 36$이고, 눈의 수의 합이 5인 경우의 수는 $(1, 4), (2, 3), (3, 2), (4, 1)$의 4, 눈의 수의 합이 8인 경우의 수는 $(2, 6), (3, 5), (4, 4), (5, 3), (6, 2)$의 5이므로
구하는 확률은 $\dfrac{4}{36} + \dfrac{5}{36} = \dfrac{9}{36} = \dfrac{1}{4}$

11 $\dfrac{3}{6} \times \dfrac{2}{6} \times \dfrac{1}{6} = \dfrac{1}{36}$

12 A는 불합격하고 B, C는 합격할 확률은
$\left(1 - \dfrac{1}{3}\right) \times \dfrac{2}{3} \times \dfrac{3}{4} = \dfrac{2}{3} \times \dfrac{2}{3} \times \dfrac{3}{4} = \dfrac{1}{3}$

13 모든 경우의 수는 $6 \times 6 = 36$
(ⅰ) 두 눈의 수의 합이 7인 경우는
$(1, 6), (2, 5), (3, 4), (4, 3), (5, 2), (6, 1)$의 6가지
(ⅱ) 두 눈의 수의 곱이 6인 경우는
$(1, 6), (2, 3), (3, 2), (6, 1)$의 4가지
(ⅰ), (ⅱ)에서 $(1, 6), (6, 1)$은 중복되므로 구하는 경우의 수는
$6 + 4 - 2 = 8$
따라서 구하는 확률은 $\dfrac{8}{36} = \dfrac{2}{9}$

14 $1 - (\text{모두 붉은 공이 나올 확률}) = 1 - \dfrac{3}{7} \times \dfrac{2}{6} = 1 - \dfrac{1}{7} = \dfrac{6}{7}$

15 $\dfrac{4}{6} \times \dfrac{4}{8} + \dfrac{2}{6} \times \dfrac{4}{8} = \dfrac{1}{3} + \dfrac{1}{6} = \dfrac{1}{2}$

16 수요일에 버스로 등교했을 때, 금요일에 자전거로 등교할 확률은
다음과 같이 나누어 구할 수 있다.
(ⅰ) 버스－버스－자전거로 등교할 확률은 $\dfrac{1}{2} \times \dfrac{1}{2} = \dfrac{1}{4}$
(ⅱ) 버스－자전거－자전거로 등교할 확률은 $\dfrac{1}{2} \times \dfrac{2}{3} = \dfrac{1}{3}$
(ⅰ), (ⅱ)에서 구하는 확률은 $\dfrac{1}{4} + \dfrac{1}{3} = \dfrac{7}{12}$

17 5명 중 자기 자리에 앉는 2명을 뽑는 경우의 수는 $\dfrac{5 \times 4}{2} = 10$이고, 그 각각에 대하여 나머지 3명이 다른 사람의 자리에 앉는 방법은 2가지이다.

따라서 구하는 경우의 수는 $10 \times 2 = 20$

18 A 지점에서 P 지점까지 가는 경우의 수는 10,

P 지점에서 B 지점까지 가는 경우의 수는 3이므로

A 지점에서 P 지점을 거쳐 B 지점으로 가는 경우의 수는

$10 \times 3 = 30$

19 (i) 3번째 게임에서 우승팀이 가려지는 경우는

AAA, BBB의 2가지이다. ......❶

　(ii) 4번째 게임에서 우승팀이 가려지는 경우는

AABA, ABAA, BAAA, BBAB, BABB, ABBB의

6가지이다. ......❷

　(iii) 5번째 게임에서 A가 우승하는 경우는

AABBA, ABABA, ABBAA, BABAA, BAABA,

BBAAA의 6가지이다.

마찬가지로 5번째 게임에서 B가 우승하는 경우도 6가지이다.

즉, 5번째 게임에서 우승팀이 가려지는 경우는 12가지이다.

......❸

따라서 구하는 모든 경우의 수는 $2 + 6 + 12 = 20$ ......❹

채점 기준	배점
❶ 3번째 게임에서 우승팀이 가려지는 경우의 수 구하기	30 %
❷ 4번째 게임에서 우승팀이 가려지는 경우의 수 구하기	30 %
❸ 5번째 게임에서 우승팀이 가려지는 경우의 수 구하기	30 %
❹ 우승팀이 가려지는 모든 경우의 수 구하기	10 %

20 2계단씩 오르는 횟수를 n이라 하면, n의 값은 0부터 5까지이다.

　(i) $n = 0$일 때, $(1, 1, 1, 1, 1, 1, 1, 1, 1, 1)$의 1가지

　(ii) $n = 1$일 때, $(2, 1, 1, 1, 1, 1, 1, 1, 1)$에서 오르는 순서를 생각하면 9가지

　(iii) $n = 2$일 때, $(2, 2, 1, 1, 1, 1, 1, 1)$에서 오르는 순서를 생각하면 $\dfrac{8 \times 7}{2} = 28$(가지)

　(iv) $n = 3$일 때, $(2, 2, 2, 1, 1, 1, 1)$에서 오르는 순서를 생각하면

$\dfrac{7 \times 6 \times 5}{3 \times 2 \times 1} = 35$(가지)

　(v) $n = 4$일 때, $(2, 2, 2, 2, 1, 1)$에서 오르는 순서를 생각하면

$\dfrac{6 \times 5 \times 4 \times 3}{4 \times 3 \times 2 \times 1} = 15$(가지)

　(vi) $n = 5$일 때, $(2, 2, 2, 2, 2)$의 1가지

따라서 구하는 모든 경우의 수는

$1 + 9 + 28 + 35 + 15 + 1 = 89$

21 모든 경우의 수는 $5 \times 4 \times 3 \times 2 \times 1 = 120$이고,

자기 가방을 든 2명을 뽑는 경우의 수는 $\dfrac{5 \times 4}{2} = 10$,

그 각각에 대하여 나머지 3명이 다른 사람의 가방을 드는 경우의 수는 2이므로

2명만 자기 가방을 든 경우의 수는 $10 \times 2 = 20$

따라서 구하는 확률은 $\dfrac{20}{120} = \dfrac{1}{6}$

22 흰 공이 나올 확률은 $\dfrac{a}{a+b+3} = \dfrac{1}{3}$ ......㉠

붉은 공이 나올 확률은 $\dfrac{3}{a+b+3} = \dfrac{1}{5}$ ......㉡

㉡에서 $a+b+3 = 15$ ∴ $a+b = 12$ ......㉢

㉢을 ㉠에 대입하면, $\dfrac{a}{12+3} = \dfrac{1}{3}$, $3a = 15$ ∴ $a = 5$

따라서 흰 공의 개수는 5개이다.

23 모든 경우의 수는 $6 \times 6 = 36$

　(i) 눈의 수의 합이 3인 경우 : $(1, 2)$, $(2, 1)$의 2가지 ......❶

　(ii) 눈의 수의 합이 7인 경우 : $(1, 6)$, $(2, 5)$, $(3, 4)$, $(4, 3)$, $(5, 2)$, $(6, 1)$의 6가지 ......❷

　(iii) 눈의 수의 합이 11인 경우 : $(5, 6)$, $(6, 5)$의 2가지 ......❸

따라서 구하는 확률은 $\dfrac{2}{36} + \dfrac{6}{36} + \dfrac{2}{36} = \dfrac{10}{36} = \dfrac{5}{18}$ ......❹

채점 기준	배점
❶ 눈의 수의 합이 3인 경우의 수 구하기	30 %
❷ 눈의 수의 합이 7인 경우의 수 구하기	30 %
❸ 눈의 수의 합이 11인 경우의 수 구하기	30 %
❹ 점 P가 꼭짓점 D에 있을 확률 구하기	10 %

24 방정식의 해는 $x = -\dfrac{b}{a}$이고 모든 경우의 수는 $6 \times 6 = 36$이다.

　(i) $\dfrac{b}{a} = 2$인 경우의 수가 $(1, 2)$, $(2, 4)$, $(3, 6)$의 3이므로

$x = -2$일 확률은 $\dfrac{3}{36} = \dfrac{1}{12}$

　(ii) $\dfrac{b}{a} = 1$인 경우의 수가 $(1, 1)$, $(2, 2)$, $(3, 3)$, $(4, 4)$, $(5, 5)$, $(6, 6)$의 6이므로

$x = -1$일 확률은 $\dfrac{6}{36} = \dfrac{1}{6}$

따라서 구하는 확률은 $\dfrac{1}{12} + \dfrac{1}{6} = \dfrac{3}{12} = \dfrac{1}{4}$